De witte duivel

Justin Evans

De witte duivel

Karakter Uitgevers B.V.

Oorspronkelijke titel: *The White Devil*

Vertaling: Rie Neehus

Opmaak binnenwerk: The DocWorkers, Almere
Omslagontwerp: Mariska Cock
Omslagbeeld: Michael Trevillion/Trevillion Images

ISBN 978 90 452 0354 6
NUR 305

Voor Phoebe en voor mijn moeder

De witte duivel is slechter dan de zwarte.
– Engels spreekwoord

Buiten wachtte een koele avond. De transpiratie op zijn rug en zijn nek werd ijzig koud. Zwaar ademend strompelde hij door de duisternis. Het had hem gegrepen, als een beest, een aap die zijn tanden in hem zette, zich aan hem vastklampte en hem omlaag drukte, wachtend tot hij uitgeput raakte; een roofdier dat een prooi buitmaakt.

Zorg dat je zo ver mogelijk bij mensen vandaan komt.

Hij klom de trap op. Toen hij boven was liep hij wankelend verder. Hij trok een van zijn broekspijpen op en zag dat zijn kuiten en enkels opgezwollen waren: gespannen, pafferig hingen ze aan zijn lichaam als zakken met vloeistof.

Wat gebeurde er met hem?

Hij maakte de reis van het leven naar de dood. De kracht die hij had uitgedaagd nam wraak op hem. In het tijdsbestek van een uur onderging hij iets wat anders misschien een langzame verterende aftakeling zou zijn.

Hij bracht zijn hand naar zijn gezicht; voelde de ribbel van zijn jukbeen, streek er met zijn vingertop overheen. Het vet was weggesmolten. De zweren in zijn mond werden groter. De koorts deed zijn wangen gloeien. Razendsnel doorliep hij de verwachte symptomen. Hij besefte dat hem nog maar heel weinig tijd restte.

Het zou hem vermoorden.

Het zou hen allen vermoorden.

DEEL I

Welke banneling kan op de vlucht slaan voor zichzelf?

1

Brugjaar

Andrew Taylor stond alleen voor een hek. Het geronk van de wegrijdende taxi was allang weggestorven. Een door onnatuurlijk veranderlijke winden geteisterde hemel galoppeerde boven hem: wolken, zon, laaghangende mist, in snelle opeenvolging. Dus dit was het Engelse weer. Het voelde vochtig aan. Een rokerige geur (varens die door tuinlieden werden verbrand) prikkelde zijn neus. Ergens dichtbij luidde een kerkklok. Hij bevond zich op de top van een hoge heuvel, een paar kilometer naar het noordwesten in de draaikolk van voorsteden die door Londen werd uitgebraakt. De taxi had hem afgezet in High Street, een smalle weg met aan weerskanten witgeschilderde winkels, woonhuizen van drie verdiepingen, en bomen die vermoeid uit hun in het plaveisel uitgehakte gaten leunden. Naar het noorden lagen meer glooiende heuvels, allemaal met een aaneenschakeling van identieke huizen zoals je die in de voorsteden aantreft: bruine baksteen, een schoorsteen, een ommuurde tuin. Tot hij het hek zag, en het excentrieke gebouw dat zijn nieuwe thuis zou worden, had hij gedacht dat hij op de verkeerde plek terecht was gekomen. Dit zou een school voor de Engelse elite moeten zijn. Dat had zijn vader hem verteld. *Je weet niet hoe je boft,* had hij herhaaldelijk gezegd. Maar Andrew had op scholen voor de elite gezeten. En volgens hem hadden die een grote, groene campus, golfterreinen en grote sporthallen en luxe eetzalen... niet gebouwen die aan een *straat* lagen. Maar hij was nu hier.

High Street 25, Harrow-on-the-Hill, Middlesex. Hetzelfde adres als op het introductiepakket, op de brochure, op de welkomstbrief van zijn huismeester. Het leek verdomme meer op iets uit een andere tijd.

Om te beginnen de naam. De *Lot.* Typisch Engelse excentriciteit. Andrew was er nu al allergisch voor. Op de Frederick Williams Academy, in Connecticut, waren de huizen naar hun schenkers genoemd. Andrew had twee jaar in Davidson gewoond, twee jaar in Griswold, en zijn laatste jaar – verreweg het meest decadente, in een grote tweepersoonskamer waar het stonk naar waterpijpen en ongewassen kleren – in Noel House. Maar nu rees de Lot voor hem op, een bouwvallig victoriaans gebouw, vier verdiepingen hoog en bekroond met een ouderwetse dubbele trapgevel. Het was opgetrokken uit brokkelige rode baksteen, met zolderkamers en driehoekige dakkapellen die op diverse plaatsen als pijlen omhoog wezen, terwijl boven de deur – en overal elders op de brede lateibalken – landbouwkundige voorstellingen waren afgebeeld. Hooi en zeisen. Een zon en ploegen. Mos, roet en oud steengruis wedijverden om een plekje in de smalle voegen. Om het huis stond een lage muur, van dezelfde rode steen. Tussen de muur en het huis lag een oprit van beige grind, als een met kiezelstenen opgevulde gracht. De uiteinden van de muur ontmoetten elkaar bij een hek: twee hoekige stenen pilaren met smeedijzeren lantaarns erbovenop. Andrew werd er niet blij van. Dit gebouw was bedompt, benauwd, oud. Het jaar dat hij hier moest wonen leek plotseling vermoeiend lang.

Ik wil geen klacht van je horen. Ik heb bergen verzet om je op die school te krijgen.

De stem van zijn vader drong ongewenst Andrews hoofd binnen. Zoals dat wel vaker gebeurde. Dwingend, met een zuidelijk accent, beschuldigend. Toen Andrew jong was hoorde hij die stem altijd wanneer hij onder de douche stond, boven het lawaai uit van het water dat in het bad spetterde. Dan draaide hij de kraan dicht, stapte uit het bad en ging druipend in de deuropening staan om *Ja? Ja, pap?* te roepen terwijl er niets te horen was geweest. Alleen vanwege het schuldgevoel, de inwendige klok die hem zei dat het al verscheidene uren geleden was dat hij het getier van die stem had gehoord. En de afgelopen zomer had Andrew de stem heel wat keren gehoord.

Hiervoor heb ik je grootvaders laatste aandelen verkocht. Voor een schijntje, zoals de markt er nu voor staat, om jouw hachje te redden. Wat een verspilling, was zijn vader tekeergegaan. *Wat een fiasco voor ons allemaal. Ach, ach,* kreunde hij dan. *Ik had nooit gedacht dat ik dit zou zien gebeuren. Nooit van mijn leven.*

Dat was de toespraak die bedoeld was om elke klacht over de school in de kiem te smoren. Harrow. In de brochure leek het op een miniserie op de tv. Schoon geboende Engelse schooljongens met jasjes en dasjes en rare strohoeden, wat, zoals zijn vader hem met het nodige plezier meedeelde, de traditie van de school was. Koorknapen. Andrew wist dat het een prestigieuze school was. Hij wist dat hij bofte – in zekere zin. Maar hij kon niet vergeten dat hij niet hier was omdat hij hier wilde zijn, en evenmin omdat hij het verdiende. Verre van dat. Het was om hem zo snel mogelijk buiten beeld te krijgen. Ver weg, aan de andere kant van de Atlantische Oceaan, naar een veredeld opvoedingsgesticht. Zodat er een nieuwe naam boven aan zijn lijst van genoten onderwijs zou komen te staan. Zodat hij een nieuw stel leraren en bestuursleden zou krijgen om beoordelingen op te stellen. Zodat de laatste vijf jaar op de Frederick Williams Academy niet meer zouden zijn dan een voetnoot. *Ik heb aan het gerenommeerde Harrow gestudeerd... en, o ja, de even prestigieuze Frederick Williams Academy. Maar hoe minder daarover gezegd wordt, hoe beter.* Misschien zou, als hij op zijn lijst van onderwijsinstellingen kon opscheppen over internationale ervaring, de kloof tussen zijn uitmuntende cijfers en zijn zesjes minder opvallen. Misschien zouden zinnen als *hij spant zich nergens voor in... kan het wel maar is lui...* en de meest recente, het kort maar krachtige eufemisme *disciplinaire maatregelen*, minder in het oog springen.

Ondanks de urgente situatie had het introductiepakket van Harrow grote indruk op zijn vader gemaakt. Er was het wapen van de school: een springende leeuw, heraldische symbolen, een Latijnse spreuk. Er werd hoog opgegeven over de school, die door zeven premiers was bezocht, onder wie Winston Churchill. Andrews vader had het hoog in zijn bol. Volgens hem waren de Taylors aristocraten. Er waren de familieplantages in Louisiana geweest. Er was de oudoom, admiraal in de Burgeroorlog, naar wie een oorlogsschip was genoemd (om de paar jaar kregen ze van een vriend van zijn vader die bij de marine zat een paar petten – donkerblauw met in oranje U.S.S. TAYLOR erop geborduurd). En grootvader Taylor was president-directeur geweest van een contactlenzenfabriek, Hirsch & Long. Hij had een klein fortuin vergaard, en hij was een aanzienlijk man geweest in Killingworth, Connecticut, waar hij in een schitterend gerestaureerde boerderij woonde – een bezienswaardigheid – met stenen muren om een groot stuk grond. Het deed er niet toe dat Andrews vader jarenlang bij American Express had geploeterd, verontwaardigd omdat hij het niet verder had geschopt dan tot vicepresident, dat hij was gepasseerd voor een promotie (wat ongetwijfeld te wijten was aan zijn opvliegendheid en zijn slecht verhulde snobisme); of dat de aandelen van Hirsch & Long waren gezakt sinds de introductie van laserbehandelingen en goedkope Chinese import; of dat Andrew, de kleinzoon, nu een officiële mislukkeling was. Het deed er niet toe dat er geen fortuin of een prestigieuze carrière was die hen tot de upper class van de society van Connecticut of New York kon verheffen. Geen denken aan dat ze tot de middenklasse behoorden. Ze waren Amerikaanse aristocraten, volgens Andrews vader. Ze bezaten kwaliteit. De Taylors hadden recht op Harrow. In de ogen van zijn vader betekende dit een thuiskomst, geen verbanning.

Het enige wat zijn zoon echter kon zien waren regels. Kinderachtige, ogenschijnlijk onzinnige regels. In de kleine, keurige folder, getiteld *Gids voor nieuwelingen*, die Andrew was verstrekt, werden ze behulpzaam opgesomd.

Verboden alcohol te drinken.

Verboden te roken.

Verboden op straat te eten.

Verboden de Hill te verlaten zonder briefje (wat voor briefje dat dan ook mocht zijn).

Jongens moeten hun Harrow-hoed dragen wanneer ze naar de lessen gaan.

Jongens moeten te allen tijde het schooluniform dragen. Behalve op zondag, wanneer zondagse kleding verplicht is.

Geen lichtgekleurde regenjassen dragen naar schoolvergaderingen (deze maakte hem sprakeloos).

Verboden te eten op de kamers.

Jongens moeten de leraren groeten wanneer ze hen op straat passeren door met een vinger aan de rand van de Harrow-hoed te tikken.

Voor dames of voor de rector moeten jongens de Harrow-hoed afnemen.

Dan was er de overdadige hoeveelheid aan belangrijk geheimzinnig jargon – grappige bijnamen, waarschijnlijk door de eeuwen heen ontstaan, met betrekking tot elk aspect van de school. De *Gids voor nieuwelingen* bevatte een woordenlijst.

Shell = jongen in eerste klas (groep zeven, vertaalde Andrew)

Remove = jongen in tweede klas

En zo ging het maar door. Andrew voelde de klauwen van de claustrofobie dieper in hem wegzinken bij elke herhaling van het woord *jongen.*

Een school met alleen maar jongens.

Hij was onhandig in de omgang met jongens. Afstandelijk en snel geïrriteerd als hij was, werd hij geprikkeld door de pesterijen van sportieve types. Doordat zijn vader hem zo onder de duim hield had hij een afkeer van pestkoppen, en dat had heftige driftbuien tot gevolg wanneer hij in de slaapzalen werd geconfronteerd met nonchalante wreedheid. Over het algemeen maakte tijd verspillen met vrienden hem nerveus. Het leek zo nutteloos. Tijd verspillen kon hij veel beter in zijn eentje.

Daarentegen vond hij meisjes aardig. Ze kwamen naar hem toe op feestjes en schoolbijeenkomsten – dat wil zeggen wanneer hij zich verwaardigde erheen te gaan. Meestal hield hij zich afzijdig, maakte sarcastische opmerkingen, kneep ertussenuit om te roken of, nog beter, maakte plannen om een fles sterkedrank mee te nemen en dronken te worden met een select groepje. Op zaterdagavond, wanneer ze om tien uur binnen moesten zijn, moest hij zich gewoonlijk loswurmen uit de beha van een meisje, en de whisky en de punch van zijn lippen likken die daar door iemand anders waren achtergelaten. De alternatieve meisjes, de dansende hippies, dachten dat hij een van hen was met zijn zwarte T-shirts, zijn kritische, opstandige vragen tijdens de lessen, en zijn citaten van obscure of op een andere manier coole literaire figuren *(Mr Wheeler, waarom kunnen we niet eens iets van Brautigan lezen? Of Bukowski?).* De meisjes uit de lagere klassen die omgingen met de drugsgebruikers, waagden soms ook een kansje bij hem. 's Zomers, thuis in Killingworth, was het een heel ander verhaal. Meisjes met lang haar en te veel parfum op waren gek op de combinatie van kostschool en lang, weelderig zwart haar. Wanneer die een paar biertjes ophadden kon hij met hen doen wat hij wilde.

Met een paar honderd jongens opgesloten worden op de top van een heuvel maakte hem nerveus op een manier die hij niet helemaal kon bevatten. Hoe zou het zijn als de meisjes, de zon en de warmte buiten waren en jij binnen was, kil, Engels en geïsoleerd? Het zou net zoiets zijn als een jaar in een koelcel met vlees doorbrengen.

Andrew liet zich door zijn knieën zakken en pakte zijn zware tassen, waarvan hij er een over zijn schouder hing. Hij ging rechtop staan, maar hij verzette geen stap; hij kon die drempel niet over, nog niet. De lantaarns staarden hem onheilspellend aan; smerig en onverlicht. Hij had het gevoel dat hij als hij die drempel over ging, de negentiende eeuw binnen zou stappen om erin te verdwalen. *Je zorgt er verdomme maar voor dat je alles goed doet,* hoorde hij de stem van zijn vader. *Je houdt je gedeisd. Geen rockbands* (een toespeling op Andrews favoriete band, de *One-Eyed Bandits,* een veelgebruikt excuus voor bacchanalen die een weekend duurden, met kratten goedkoop bier en jamsessies tot de vroege ochtend). *Geen schooltoneelstukken* (Andrew was betrapt toen hij tijdens de repetities buiten was gaan roken – twee keer). *Geen feestjes in het weekend* (daar waren genoeg verhalen over). *Huiswerk maken en thuisblijven. Dat is jouw mantra. Je doet dit goed, anders hebben we het gehad met je.* Andrew hoorde dat het menens was aan zijn vaders stem. Zag het aan de boosheid in zijn ogen. De wanhoop. *Anders hebben we het gehad met je.* Zou zijn vader het echt menen? Hem onterven? Het huis uit gooien? Niet voor zijn studie betalen? Andrew zag zichzelf niet als een verwende jongen, maar op zijn zeventiende leken de consequenties als zijn ouders *het met hem gehad hadden*, zwaar. Hij kende jongens uit Killingworth die nooit uit het stadje waren weggegaan. Die in een winkel werkten, of bouwvakker waren geworden – schilder, tuinman, de jongens die rondreden in bestelauto's, met rode ogen van de joints die ze aan elkaar doorgaven... *Anders hebben we het gehad met je.* Wilde hij het voornemen van zijn vader op de proef stellen? Om erachter te komen wat *gehad* betekende? Hij had last van jetlag, gebrek aan slaap, hij had honger... nee. Vandaag niet.

Hij haalde diep adem en hij zette zijn eerste stap op het terrein van Harrow. Plons. In een plas.

Fuck. Ook dat nog.

Hij sjokte voort over het grind, terwijl hij probeerde niet een van zijn tassen te laten vallen.

Blijkbaar was hij te vroeg.

'Je zou hier om vijf uur zijn,' beet de vrouw die de deur opendeed hem toe. Haar haar stond stijf van de lak, er zat te veel mascara op haar wimpers, en ze had ijzige blauwe ogen die vroeger misschien aardig waren geweest. Nu was ze een en al boezem en buik. Ze veegde haar hand af aan een handdoek. Aan de rechterkant van de hal zag Andrew een openstaande deur die toegang gaf tot een appartementje; een blad met een lunch erop; het geflikker van een televisie.

'Het is de bedoeling dat ik nu hier kom wonen,' zei hij met nadruk. 'Ik kan nergens anders naartoe.'

'Amerikaan,' merkte ze op, en ze keek hem nijdig aan. 'Alles op je eigen tijd.'

'Helaas waren er geen vluchten naar Heathrow die landden *wanneer het dienstmeisje tijd heeft.*'

'Dienstmeisje?' Kwaad richtte ze zich op. 'Ik ben *Matron.*'

Was dat een naam, of een titel? Ze verklaarde het met kennelijke trots, alsof Matron een element was van het periodiek systeem, en zij ervan gemaakt was.

'En ik ben sinds gisteravond onderweg. Mag ik alstublieft binnenkomen?'

Matron – de Matron? – ging theatraal een stap opzij en liet hem met een onderdrukte zucht passeren.

De Lot was, in overeenstemming met de buitenkant, rommelig vanbinnen. Oude glansverf; bekraste mededelingenborden; overal schemerig. Er hing de geur van een ontsmettingsmiddel, alsof het gebouw haastig was schoongemaakt in afwachting van de komst van de bewoners. Trappen en gangen gingen vanuit de grote hal alle kanten op. Via drie trappen van zware leisteen met door de jaren heen in het midden uitgesleten treden, bracht Matron Andrew naar zijn kamer. Die lag aan een kleine gang, met nog drie andere kamers – allemaal Zesdeklassers, vertelde Matron hem (*seniors*, vertaalde hij stilzwijgend). Het plafond liep scheef, dat gaf een gezellig gevoel.

'Je wilt zeker wel een rondleiding,' zei Matron knorrig.

De Lot, zei ze, terwijl ze bedrijvig de trap naar de volgende verdieping op liep, bestond eigenlijk uit twee huizen. Dit, het originele, met alle karakteristieken daarvan, en een nieuw huis dat tegen de achterkant van het origineel was aangebouwd. Ze sleepte hem mee door allerlei gangen. Er woonden tachtig jongens in het huis, van Shells tot Zesdeklassers. Aan de wanden van de langere gangen hingen houten borden waar de namen van voormalige bewoners van het huis in waren gekerfd *(Gascoigne, M.B.H., Lodge, J.O.M., The Hon, Podmore, H.J.T.).* Boven waren gemeenschappelijke ruimtes met satelliet-tv en kitchenettes. Beneden waren een biljartkamer, muziekkamers, douches en badkamers (Snooker? vroeg hij zich af). Ze passeerden een smerige kuil met een stenen vloer, die overspannen was met een net en door Matron de binnenplaats werd genoemd – kennelijk een plek om te spelen en stoom af te blazen bij slecht weer. Een paar vergeten ballen hingen als oneetbare vliegen in het net.

Daarna daalden ze een smalle trap af naar een doolhof van nauwe gangetjes met lage plafonds.

'Is dit het souterrain?' vroeg Andrew. Hij voelde rillingen tegen zijn armen op kruipen. 'Het is koud hier. Net of iemand de deur van de koelkast open heeft laten staan.'

Matron wierp hem een geërgerde blik toe. 'Je hebt zeker iets opgelopen in het vliegtuig.'

Hij wilde reageren – *Hoor eens, het was niet als kritiek bedoeld* – maar hij hield zijn mond. Het souterrain voelde anders aan, alsof alle afgebrokkelde, bouwvallige delen van het huis hiernaartoe waren verbannen. Het plafond had kale balken met pleisterwerk in een honingraatmotief en oude, kromme spijkers, zoals in een zolderkamer. Het metselwerk van de muren leek op de lagen van een archeologische opgraving: nu eens in een visgraatmotief, als in een kathedraal, dan weer in grove verticale lijnen, aangetast door ouderdom, het overblijfsel van een armer, ruwer tijdperk. Langs de muren stonden oudere naamborden opgestapeld, bedekt met stof als oude schilden in een vergeten wapenkamer. Het waren niet de warmere notenhouten borden die op de bovenverdieping hingen; hun zwarte letters versmolten met het gevlekte, beroete hout, alsof de oude borden zelf de namen vergaten die erin waren gekerfd. Een dof, bijna verdoofd gevoel bekroop Andrew. Zijn hoofd probeerde in slow motion dit alles in zich op te nemen. Misschien hád hij iets opgelopen in het vliegtuig. De ruimte leek te pulseren. *Hier verstoppen ze de geschiedenis.*

Ze liepen door naar de doucheruimte, een lange, rechthoekige doos van terracottategels, met douchekoppen en zeepbakjes. 'Je moet vechten om een plekje tussen alle naakte jongens,' zei Matron wrang, en terwijl ze de woorden uitsprak riep ze de beelden op; naakte, witte gedaantes die kronkelden om zich af te schrobben in een wolk van stoom. Andrew zette het beeld van zich af. Het leek alsof het uit eigen beweging was opgedoemd, om daarna weer te verdwijnen.

'Ik vind het hier niet prettig,' vervolgde Matron. 'Het bezorgt me rillingen. Er is een geest in de Lot, moet je weten. De jongens beweren dat hij boven in de kamers rondwaart. Ik denk dat hij hierbeneden is.'

'Geest?' zei hij.

'Als je erin gelooft.'

'Niet echt,' zei hij lijzig.

Ze maakten de rondleiding af en Matron ratelde maar door over de huisregels. Ten slotte kon Andrew niets meer in zich opnemen. Zijn kaken verstrakten en hij kneep zijn ogen half dicht. Matron zag de uitdrukking op zijn gezicht.

'Je bent moe,' zei ze.

Zonder verder nog iets te zeggen bracht ze hem naar zijn kamer. Daarna trok ze zich snel terug, uit jarenlange ervaring wetend wat er nu zou gebeuren.

Andrew liet zich op de kale matras vallen en merkte beschaamd dat hij begon te huilen. Hij drukte zijn gezicht in het gesteven kussen zonder sloop, omdat hij niet wilde dat Matron het hoorde. Plotseling werd het hem, met zijn verwarde, door jetlag geteisterde gedachten, allemaal te veel. De lange reis. De beroerde eenzaamheid van deze plek. De duizeligheid die alles zo veel erger maakte.

Hoe ben ik hier terechtgekomen? Hoe kan ik het hier een jaar uithouden?

Het duurde twee korte minuten. Daarna viel hij als een blok in slaap.

Andrew werd wakker van een zacht klopje en het zoevende geluid van zijn deur die openging. Hij veegde het vocht van zijn kin. 'Heb je een momentje?' klonk een stem. Zijn ogen stelden zich scherper in en Andrew zag zijn eerste Harroviaan. Er stond een jongeman, slank en beslist geen ziekelijk jongetje in een wollen uniform, hij leek eerder uit zonneschijn te zijn gesmeed. Zijn kleren waren kleurig, modieus, duur, ongewoon – geen ouderwets spul van Brooks Brothers, maar een paars overhemd met een openstaande kraag, een bijpassende broek zonder vouw en een suède jasje. Zijn haar viel in dikke blonde krullen over zijn voorhoofd, en hij had diepliggende, sympathieke ogen. Hij was lenig, atletisch. Zijn halsspieren trilden wanneer hij zich bewoog, zijn borst was glad en goudbruin. Andrew staarde hem aan alsof hij droomde. Waren ze zo op Harrow? Hij voelde zich slap en bleek en... Amerikaans. Het exemplaar grinnikte tegen Andrew.

'Jij bent de Amerikaan,' stelde hij vast. 'Ik ben Theo Ryder, je buurman.' Andrew ving een spoortje van een accent op. 'Matron vertelde me dat je misschien wat informatie nodig had over de school.'

'Zei ze dat?'

Theo begon te lachen. 'Ze is niet bepaald hartelijk en zacht, hè? Je raakt er wel aan gewend.'

'O, dus dit is niet je eerste jaar op Harrow?'

'Ik ben hier sinds mijn twaalfde. Ik was een van die Shells die elke avond in hun kussen om hun mammie lagen te huilen.'

Andrew kreeg een kleur en hij vroeg zich af of zijn tranen zichtbare sporen hadden achtergelaten.

'Heb je je spullen al?' vervolgde Theo.

'Mijn...'

'Das, hoed, en zo.'

'Nee, ik moet nog een hoed hebben.'

'Moet nog een hoed.' Theo zei het hem grinnikend na, Andrews accent nabootsend. 'Heb je niets? Geen broeken, niets?' Andrew schudde zijn hoofd. 'Er is werk aan de winkel. Ga mee, dan breng ik je naar Pags & Lemmon.'

Ze slenterden naar een stoffig kledingmagazijn, waar een man met wit haar en een glazen oog (Hieronymus Pags, las Andrew op een kaartje dat op de toonbank lag) zijn borst, nek en hoofd opmat en vervolgens een stapel kleding tevoorschijn toverde; grijze broeken, blauwe jasjes, een Harrow-hoed en Harrow-dassen. Zijn uniform voor een jaar. 'De Harrow-das is zwart,' verklaarde Mr Pags met een onnozel lachje, 'als teken van rouw voor koningin Victoria.'

Andrew stond voor de spiegel. Hij zag eruit als een half getemd dier, verpakt in gevangeniskleren, met zijn wilde, zwarte haar erbovenuit.

Maar de das wilde – of kon – hij niet knopen. Dat was de laatste onderwerping. De hondenhalsband. Theo klom lachend achter Andrew op een stoel, vanwaar hij in de spiegel kon kijken om zijn eigen bewegingen te zien. Zijn handen omklemden Andrews nek; Andrew begon te wriemelen maar Theo trok en rukte goedmoedig net zo lang tot het karwei erop zat. Hij klopte Andrew op zijn schouder.

'Geen ontkomen meer aan, makker. Je bent nu een van ons.'

Theo was weer zijn gids, nu naar de eetzaal, een laag gebouw uit de jaren zeventig, te bereiken via een poort in High Street waar de naam van de school niet op was vermeld.

Binnen wachtte hun een chaos: een zaal van bruine baksteen, met een laag plafond, vol stoom. Het rumoer van honderden jongensstemmen was oorverdovend. Leerlingen stonden in twee lange rijen op hun ontbijt te wachten. Voor de grap waren twee grote jongens begonnen tegen het eind van de rijen te duwen, ze gaven de wachtenden met hun schouders een zetje zodat ze voorovervielen als levende dominostenen. Een boos geschreeuw was het gevolg. Gezichten stonden geïrriteerd. Klassenoudsten kwamen in actie – nerveus in hun rol van aankomend Zesdeklassers die zich voor het eerst moesten laten gelden – en deden hun best om de jongens in bedwang te houden, als beveiligingsmensen tijdens een popconcert. Uiteindelijk kreeg Andrew een wit bord met twee gebakken eieren en een schep bonen. Hij was aangenaam verrast. Het was tenminste geen havermoutpap. Achter Theo aan liep hij dwars door de zaal tussen jongens in blauwe jasjes door naar een enorme tafel waar brood geroosterd kon worden. Er lagen stapels bruine boterhammen klaar, naast zes broodroosters en schaaltjes rode jam. Deze jongens leefden op toast, zou Andrew weldra ontdekken. Ten slotte kwamen ze bij een lange, zware houten tafel bij het raam. Dit was de tafel voor de Zesdeklassers van de Lot. De lagere klassen aten aan hun eigen tafels, die haaks op de grote stonden.

Theo stelde hem voor.

'Hallo allemaal. Andrew, uit Amerika. Zeg eens netjes hallo.'

'Krijg de klere, Ryder.'

'Jij ook.'

'Krijg jij ook de klere, yank.'

'Sodemieter toch op.'

Hierop werd gegrinnikt.

'Krijg de pest, klootzakken,' snauwde Andrew.

De groep keek op, enigszins verbaasd omdat Andrew hun opmerkingen niet als grapjes beschouwde.

'Charmant.'

'Is dat hoe ze in Amerika hallo zeggen?'

'Is dat hoe jullie in Engeland hallo zeggen?' blafte Andrew terug.

'Het is Engelse humor, man,' verduidelijkte een forse jongen met een dikke bos bruine krullen. 'Amerikanen hebben geen gevoel voor Engelse humor.'

'Laten we het nog eens proberen,' zei Theo vermoeid. 'Andrew is een nieuwe leerling. Hij is hier voor zijn brugjaar.'

'Kom je voor je brugjaar... hier?'

'Je moet wel gek zijn om hiernaartoe te komen.'

'Wat is een brugjaar?' vroeg Andrew.

'Wat een brugjaar is?' zei de forse jongen proestend. 'Ben je achterlijk of zo?'

'Een jaar om te reizen, voor je naar de universiteit gaat,' legde Theo uit. Daarna wees hij naar de forse jongen. 'Mag ik je voorstellen: Roddy Slough.'

'Een absolute freak,' voegde de sproetige jongen die naast Roddy zat eraan toe, alsof dit Roddy's eretitel was.

'Verdomde loser,' droeg iemand die een eindje verderop aan tafel zat bij, en hij gooide een verfrommeld servet naar Roddy.

'Je moet het ze maar niet kwalijk nemen. Ik lijk de enige hier te zijn met goede manieren.' Roddy stond op om Andrew een hand te geven.

Roddy was de vreemde eend in de bijt, vertrouwde Theo hem later toe; de anderen betitelden hem als *nouveau*, van 'nouveau riche', omdat zijn vader eigenaar was van een keten fastfoodrestaurants in Londen. Roddy was verslaafd aan stripboeken en bracht het grootste deel van zijn tijd op zijn kamer door. Hij was een gewild mikpunt voor pesterijtjes, verklaarde Theo hoofdschuddend.

'Ga toch zitten, aansteller,' brulde de servetgooier vol afkeer.

Dat, vertelde Theo terloops, was St John Tooley. St Johns ogen stonden verwilderd, hij was nerveus, had kromme schouders, een vettige lok haar over zijn voorhoofd, en sproeten. Zijn vader, fluisterde Theo, was een van de honderd rijkste mannen van Engeland. Sir Howard Tooley, van Tooley Inc., de wereldwijde uitzendorganisatie.

Daarna werd Hugh voorgesteld, hij had dichte wimpers en zag er artistiek uit. Hij werd vergast op een salvo insinuerende kattengeluiden, een soort gemiauw. Hughs ogen werden donker. Dit, besefte Andrew, moest de gangbare belediging zijn voor iemand die ervan verdacht werd homo te zijn. Erg subtiel.

En zo ging het maar door. Andrew kreeg het gevoel dat hij in de vakantie van een of ander gezin was beland. Alle ruzietjes en wrijvingen van mensen die lange tijd met elkaar samenwonen kwamen hier naar voren. Bijnamen, gênante anekdotes; samenzweringen en vijandigheden. Achtereenvolgens liet ieder van hen ze bij stukjes en beetjes op Andrew los. Hij begreep al snel dat deze groep jongens samen waren begonnen als Shells, en dat ze hun verhalen dolgraag aan een nieuwkomer kwijt wilden.

'En hoe zit het met de geest?' durfde hij te vragen, toen er even een stilte viel.

Ssst, werd er gezegd.

'Nieuwelingen,' fluisterde iemand, maar zo dat iedereen het kon horen. 'We vertellen het vanavond aan een van hen.'

'Wat gaan jullie vertellen?'

'We pikken iemand eruit,' legde ene Rhys uit, die de huisoudste bleek te zijn; een stevige, sympathieke knaap uit Wales. Hij had strokleurig haar en studeerde landbouwkunde. 'En we vertellen hem dat het in zijn kamer spookt.'

'Uitgerekend in deze kamer is iemand gestorven,' vulde iemand met een grafstem aan.

'Dan komen we later binnen en nemen we hem te pakken.'

'Storten ons op hem.'

'Gillen.'

'Weten jullie nog, dat jaar dat ze Pat uit bed hebben gegooid?'

'De arme stakker denkt dat het de geest is en gaat door het lint,' verklaarde Rhys. 'Het is helemaal te gek.'

'Verdomd, het is leuk.'

'Het is een Lot-traditie.'

'Hoe heb je erover gehoord, op je eerste dag?' vroeg iemand.

'Ik dacht dat ik iets kouds voelde in het souterrain.'

Een vragende blik ging de tafel rond.

'Matron zei er iets over,' zei Andrew, om de pijnlijke stilte op te vullen.

'En, waarom ben je hier?' vroeg een grote, gespierde jongen die naast St John zat. Dit, verklaarde Theo, was Vaz, afgekort van Vasily. Zijn familie was in 1918 tijdens de revolutie uit Wit-Rusland gevlucht. Vaz was een zwaargebouwde jongen van enorme afmetingen;

zijn armen, benen en lijf waren dik en zwaar als hompen vlees. (*Hij is onze hooker bij de First Fifteens,* fluisterde Theo. Andrew had er geen idee van wat het betekende, maar hij nam aan dat het iets belangrijks was, en Fifteens moest rugby zijn, aan Vaz te zien.) Zijn gezicht lag breed en plat tegen een schedel als een voetbal, met schuinstaande, loensende ogen, en lichtbruin haar waarvan de pieken door gel in bedwang werden gehouden. Hij zag eruit als een bedreigende, door steroïden opgepompte versie van Ernie uit *Sesamstraat.* Vaz leek zelden zijn mond open te doen, behalve om iets toe te voegen aan een gezamenlijke grap, maar wanneer hij iets zei zwegen de anderen om te luisteren. Elke nerveuze beweging van St John leek voorbestemd om Vaz te amuseren.

'Dat moet je hem niet vragen,' protesteerde Theo. 'Dat zijn zijn zaken.'

'Waarom niet? Je ziet nooit een nieuwkomer in de zesde klas. Er moet een reden voor zijn.'

'Ja, waarom ben je hier, yank?' wilde St John weten.

Het werd stil aan tafel. Andrew aarzelde.

'O-o, hij gaat ons weer vertellen dat we de pest kunnen krijgen.'

Algemeen gelach.

'Mijn vader dacht dat het een goed idee zou zijn om een jaar naar het buitenland te gaan,' zei Andrew behoedzaam.

'Miiiauw, pappie,' werd er gejoeld.

'Je vader? Waarom?'

'Hoezo, waarom?' Andrew probeerde tijd te winnen. 'Om hogere cijfers te krijgen. Me daarna weer aan te melden bij colleges. Universiteiten.'

'Ga je A-levels doen?' dramde Vaz door.

Andrew bleef even stil. 'Wat zijn A-levels?'

Er volgde een pandemonium. Roddy in het bijzonder viel bijna van zijn stoel. *Weet je niet wat A-levels zijn? Ben je achterlijk?* Hebben *jullie eigenlijk wel scholen in Amerika?* Enzovoort. Het bleek dat A-levels zware examens waren aan het eind van het jaar; alles in het hele schooljaar bereidde hen daarop voor. Oeps. Na Andrews verbijsterende gebrek aan kennis nam het gesprek een andere wending, en Andrew was van de kwelling verlost. Maar hij merkte dat Vaz hem in het oog hield. Iemand die de oceaan was overgestoken om hogere cijfers te halen moest weten wat A-levels waren, en dat wist Vaz. Dus wat hield Andrew de Amerikaan verborgen?

Er volgde een korte vergadering van de huisbewoners, waarbij de jongens dicht opeengepakt op banken zaten in een lange zitkamer. Andrew staarde naar de ingelijste foto's die de wanden opluisterden: huisfoto's. Rijen jongens in jacquet, opgesteld in de tuin. Eerst in kleur, daarna, toen de data teruggingen tot de jaren zestig, in zwart-wit. De foto van een van de jaren was verbleekt. In plaats van gezichten was er een hete, radioactieve gloed. Andrew moest ophouden met kijken toen de jongens aan het ene eind van zijn bank probeerden de laatste aan het andere eind eraf te schuiven.

Toen volgde een gedrang, en meesmuilend gelach: de huismeester was gearriveerd, te laat. *Fawkes,* werd er gefluisterd. Piers Fawkes kwam zwierig binnen in zijn zwarte lerarentoga, een slanke, enigszins gebogen man van vijfenveertig. Met zijn lichtbruine haar, slordig en ongekamd, en zijn grote, lichtelijk uitpuilende ogen, gaf hij de slome, enigszins clowneske indruk van iemand die erop betrapt wordt dat hij op zijn eigen verjaardagsfeestje in slaap is gevallen. 'Dronken en waardeloos,' zei Rhys hoofdschuddend tegen Andrew. 'Wie komt er nu te laat op de eerste huisvergadering?' Daarna liet hij er één enkel woord op volgen: 'dichter' – alsof dat alles verklaarde.

Na afloop strompelde Andrew naar zijn kamer. Hij kon niets meer in zich opnemen. In de gang hield Theo hem tegen.

'Alles goed, jongen?'

'Mijn hersens zijn oververzadigd.'

'Gaat wel over. Wil je een lager?'

'Een wát?'

'Een biertje.'

'Smokkel je die naar binnen?'

'Smokkelen? Ik smokkel niets. Het is mijn bierrantsoen.'

Andrew knipperde met zijn ogen. 'Krijg je dat van thuis?'

'Nee, verdomme, van de huismeester. God, je bent écht moe. Vooruit, biertje?'

Andrew aarzelde. De stem van zijn vader werd weer hoorbaar in zijn hoofd. *Je doet dit goed, anders hebben we het gehad met je.*

'Het is een lange dag geweest.'

'Maak je niet druk om die rukkers.' Hij knikte in de richting van de andere kamers. 'Zo zijn ze nu eenmaal.'

'Ik snap het. Dat biertje hou ik te goed. Welterusten.'

Slaap kwam als een wervelwind, heftiger dan toen hij als een blok neerviel voor het dutje van die middag. Hij droomde over reizen: vliegtuigen, roltrappen, rijen voor de paspoortcontrole, de beelden flitsten non-stop voorbij als in een eindeloos videospelletje. Het werd gecombineerd met een genadeloos overzicht van de nieuwe taal waaraan hij blootgesteld was geweest, alsof zijn onderbewuste het moest opschrijven voor een examen. Vragen waarbij in het midden van de zin de stem omhoogging, niet aan het eind *(ben je OOIT daar geweest?)*; nieuwe uitdrukkingen, een andere uitspraak van woorden. Daarna versnelden de beelden en bereikten een misselijkmakende snelheid.

De verbleekte gezichten op de foto in de gemeenschappelijke zitkamer.

Röntgenfoto's. Wit haar en zwarte gezichten.

Uniformen. Zwarte kleren. Strohoeden.

Het gezicht van een Harrow-leerling met wit haar werd zichtbaar. Daarna tolde het rond en rond, een steeds terugkerend plaatje in een koortsachtige diavoorstelling.

Met elke draai kwam het gezicht dichterbij. Pulserend, rauw en intens. Hij wist, in zijn droom, dat het gezicht aan een buitengewoon opwindende persoon toebehoorde. Andrew raakte opgewonden. Hij voelde zijn hart kloppen, voelde dat hij beurtelings in paniek raakte en seksueel gestimuleerd werd.

Hij werd wakker met een schok. Hij zweette. Was gedesoriënteerd in het donker.

School, fluisterde hij. *Engeland. Slaapzaal.* Daarna: *Ga slapen.*

Hij zonk weg in duistere diepten, eindelijk bevrijd van woord en beeld. Hij sluimerde tot zijn reiswekker hem om zeven uur met zijn genadeloze elektrische gejank wakker maakte.

2

De verkeerde afslag

De volgende ochtend had Andrew weinig tijd om over zijn droom na te denken. Alleen in verloren momenten. Terwijl hij zijn sokken aantrok, in de rij stond voor eieren en kippers (Ze eten hier écht kippers, merkte hij verrast op; ze waren gebakken, bruin en vettig; niet aanlokkelijk). Er kwam bezorgdheid bij hem op, indirect, zoals dat gaat met bezorgdheid, en daarom des te verontrustender. Niet met een duidelijke bewering *(Eén nacht op een school voor jongens en je bent homo geworden)* maar met een insinuatie *(Theo stond gisteren heel dicht bij je, hij begeleidde je, hij strikte je das; Theo is knap, gebruind, modieus... daarna had je die droom).* Andrew zou het niet toegegeven hebben, maar op zijn vorige school, Frederick Williams, werden de leerlingen vertroeteld. De faculteit bestond uit babyboomers van wie de liberale deugden af dropen. Ze probeerden die over te brengen op hun leerlingen, in de vorm van een zelfverheerlijkende inzameling voor Haïti, of een Dag van Gelijkheid waarop een handjevol dappere jongens en meisjes die uit de kast gekomen waren zich bekendmaakten als leden van de studentengroep Pride. Het accepteren van homoseksualiteit was niet alleen officieel verplicht; het werd zelfs aanvaard. Dus hoewel Andrew in opstand kwam tegen zijn school (op de manier van Holden Caulfield, de hoofdpersoon van *The Catcher in the Rye*, omdat hij geloofde dat de vergaande tolerantie in werkelijkheid een benauwende uitwerking had op de studenten), had hij zich deze Amerikaanse culturele gevoeligheden eigen gemaakt. In zijn eigen land had hij (voorzichtig) een vriend kunnen benaderen, of een leraar, en kunnen praten over zijn zorgen, zijn ervaringen. Hij was nu verstandig genoeg om om zich heen te kijken en te beseffen dat in zijn huidige omgeving – de strakke Engelse gezichten, de eeuwenoude tradities van kleding en namen (liederen over Churchill, Churchill-gebouwen; elk huis genoemd naar een lang geleden verscheiden leraar) – dergelijke gevoelige onderwerpen niet werden gedeeld, althans niet openlijk. *Kijk maar naar de manier waarop ze Hugh pesten.* Hij voelde terecht aan dat op een jongensschool homoseksualiteit de grootste zonde was. Hoe gemakkelijker de overtreding te begaan was, des te groter was het taboe dat erop rustte. Hij zou de levendige droom voor zich houden.

Hij had trouwens geen kans om na te denken of te praten. Hij had zich verslapen. Hij had bijna het ontbijt gemist. Hij kwam twee minuten te laat de klas in – slordig, ongewassen en buiten adem.

Het lokaal was klein en vierkant. Eenpersoons lessenaars stonden in slagorde opgesteld (op FW hadden ze ronde tafels gehad – iedereen was gelijk). Hier hadden ze vooraan in de klas een verhoging (heel hiërarchisch). Daarop zat een leraar te wachten, met over elkaar geslagen benen, als een standbeeld. Dit was Andrews eerste les op Harrow. Voor deze leraar was het zijn duizendste. Mr Montague. Zilvergrijs haar. Huid gevlekt door ouderdom. Een keurig maar boers groen pak onder zijn zwarte toga. Mond in een ironische plooi. Wenkbrauwen permanent opgetrokken; ze gingen nog iets verder omhoog bij Andrews late binnenkomst. Maar Andrew was niet de laatste. Er stond nog één lege stoel. Onder het wachten wisselde Mr Montague schertsende opmerkingen uit met de jongens. Het gesprek werd doorspekt met eerbiedige *sirs* en opgeluisterd met vlotte, opschepperige anekdotes van de pas bevorderde Zesdeklassers. Dit alles ging vriendelijk, zelfs met een zekere genegenheid, merkte Andrew. (Op FW werden de leraren van de babyboomgeneratie, die zo'n slecht betaalde baan als lesgeven hadden gekozen, met nauwverholen minachting behandeld door de studenten, kinderen van Wall Street-figuren, die wisten dat cijfers er niet toe deden, dat ze je niet hielpen om miljoenen te verdienen; dat deze leraren derhalve weinig meer dan bedienden waren.) Eindelijk kwam een potige jongen blozend als een perzik binnen, zijn haar in de war en nog nat van de douche. 'Goedemorgen, Utley,' zei Mr Montague met nadruk. 'Goedemorgen, sir,' zei Utley blozend. Mr Montague stond op. Hij hield een boek van Chaucer omhoog.

'Jullie hebben de A-levels voor de boeg, kindertjes. En wat is dan een beter moment om te leren hoe je... Midden-Engels moet lezen, uitspreken, en bespreken.' Hij lachte, een wolfachtige grijns, toen het verwachte gekreun in de klas opsteeg.

Andrew bleef de hele ochtend verstrooid. Hij kwam bijna te laat voor de volgende activiteit, de Rondleiding voor nieuwelingen. Een groep jongens met hoeden op verdrong zich in High Street. Dat moet het zijn, dacht hij, en pas toen hij dichterbij kwam begreep hij dat hij terecht was gekomen bij een stelletje Shells. Eersteklassers. Andrew sloot zich bij de groep aan. Ze werden van de ene bezienswaardigheid van Harrow naar de andere geloodst. Hij torende zelfs boven de grootsten uit, zodat hij zich voelde als de lompe, harige sukkel die vijf keer was blijven zitten. Vaz had gelijk gehad, er waren geen nieuwe studenten in de hogere klassen.

Ten slotte kwamen ze bij de Vaughan-bibliotheek, beklemmend stil, meer een museum dan een plek om te studeren, met glas-in-loodramen en vitrines van plexiglas die zeldzame manuscripten bevatten. Daar stelde de bibliothecaresse zich voor. Klein, rond en zestig, met een kort, oranje kapsel en het no-nonsense uiterlijk van een Engelse op de rug van een kameel. Ze heette Dr Kahn, een naam als van een schurk uit een James Bondfilm, en ze begon met een vijf minuten durende tirade om hun op het hart te drukken *dat er in de Vaughanbibliotheek niet gegeten mag worden*, voor ze toekwam aan haar verhaal over de geschiedenis van de school. Andrew was met zijn gedachten elders en de jongetjes wiebelden verveeld heen en weer. Tot het meisje werd voorgesteld.

'Miss Vine, wilt u gaan staan?' riep Dr Kahn.

Er volgde een nieuwsgierig geschuifel, halzen werden uitgestrekt.

'Zoals jullie zien komt het Harrow-uniform dat Miss Vine heeft gekozen om door haar gedragen te worden, toevallig of omdat ze een goede smaak heeft, heel dicht bij het originele jongensuniform,' vervolgde de bibliothecaresse. 'Geen das. Een open kraag, Witte blouse – het origineel zou uiteraard van linnen zijn geweest. Jullie zien hier een redelijk voorbeeld van hoe een Harrow-jongen er voor, laten we zeggen, 1850 moet hebben uitgezien.'

Namen en data en de geschiedenis van een school zijn geen zaken om de aandacht van een twaalfjarige jongen te wekken. Miss Vine was dat echter wel. Honderd kleine jongens, tenger, met bleke, kleverige vingers en ernstige, strakke gezichten, stonden op, sprongen naar de looppaden en klommen achter in de zaal zelfs op de banken om een glimp van haar op te vangen.

'Ik wist niet dat er meisjes op Harrow zaten,' fluisterde Andrew tegen de jongen die het dichtst bij hem op de bank zat en zijn ogen op het meisje gericht hield.

'Persephone Vine. Van een andere school hiernaartoe gekomen voor haar A-levels,' siste de jongen terug.

Andrew vergaapte zich, samen met de anderen.

Dit meisje was de extra aandacht waard. Ze was ongeveer een meter zeventig lang, met een blanke huid, een met sproetjes bespikkelde neus, en een brede mond met volle lippen. Haar ogen hadden iets exotisch, wat aan Cleopatra deed denken, groen en roofdierachtig traag, ze knipperden geduldig terwijl ze met haar handen op haar rug voor de groep stond, als een krokodil die aan een zwerm duiven werd getoond. Donker haar, dat in pijpenkrullen chaotisch tot op haar sleutelbeen viel. Ze had een fijne beenderstructuur. Lange vingers, vrouwelijke nagels. Ze kauwde op haar lippen in een poging de vlezigheid ervan te verbergen. Maar het was haar boezem waar de jongens voor op de banken klommen, die wilden ze goed kunnen zien. Haar borsten duwden, strak en glad, tegen de witte blouse waar Dr Kahn zo trots op was. Honderd paar röntgenogen deden hun best om een tepel te kunnen onderscheiden. Terwijl Miss Vine de plotselinge opschudding gelaten onderging, begon ze lichtelijk te blozen. Toen pas besefte de bibliothecaresse wat ze had gedaan, en met een verontschuldigend 'Zo is het genoeg, meisje', gebaarde ze dat Miss Vine kon gaan zitten.

Andrew fluisterde: 'Mogen meisjes overstappen naar een andere school?'

De jongen haalde zijn schouders op. 'Dochter van een huismeester. Speciale gunst. Om haar te kunnen laten zeggen dat ze haar A-levels op Harrow heeft behaald.' Hij was op zijn tenen gaan staan, en nu liet hij zich teleurgesteld zakken. 'Ze is gaan zitten.'

Andrew voelde zijn hart sneller kloppen, maar hij overtuigde zichzelf ervan dat het zinloos was. In gedachten maakte hij een rekensom. Een meisje als zij zou een vriend hebben. En zelfs al had ze er geen, hoeveel Zesdeklassers waren er op Harrow die over elkaar heen zouden vallen om haar te krijgen? Het was maar al te duidelijk – het enige meisje op een jongensschool? Ongetwijfeld zou ze alles doen om duidelijk te maken dat ze hier was om te studeren, niet om afspraakjes te maken.

Toen Andrew een poosje later onderuitgezakt in de kapel zat, keek hij op en zag dat het meisje, Persephone Vine, naar hem staarde. Eerst negeerde hij het, terugdenkend aan zijn logica van daarstraks. Maar ze bleef hem aankijken met onmiskenbare nieuwsgierigheid, alsof hij een begerenswaardige antiquiteit was die haar op een vlooienmarkt was opgevallen.

Na afloop wachtte ze hem op. Hij zag haar te midden van een zee van blauwe jasjes, ze hield de deur open voor de jonge jongens en ze liet hen erdoor met een geamuseerd lachje, alsof ze voor klaar-over speelde. De jongens gedroegen zich als kwispelstaartende puppy's. Ze maakte hun haar in de war. Toen Andrew dichterbij kwam, zag hij dat haar ogen hem zochten in het halfduister van de kapel.

'Hé, jij daar. Jongeman.'

Andrew wist genoeg om het accent uit de betere kringen te herkennen, en als dat niet zo was geweest had hij in elk geval de gebiedende toon gehoord.

'Hi,' zei hij.

'Ik wilde je spreken. Wacht even – zeg dat nog eens,' beval ze.

'Ik zei alleen maar hallo.'

'O, god, je bent een Amerikaan!' Ze krijste alsof hij haar had gestoken.

'Wat?' stamelde hij. Er drongen nog meer jongens langs hen heen. De kapel was bijna leeg.

'Daar hebben we niets aan.' Ze bekeek hem koeltjes. 'Jammer. En je lijkt nog wel zo op hem.'

'L-lijk op h– Op wie?' verbeterde hij zich. (*Dit is Engeland,* zei iets in hem; *ze letten erop hoe je hun taal gebruikt.*)

'Lord Byron, die bedoel ik,' zei ze sarcastisch.

'Lord...'

'Ik weet dat je een Amerikaan bent, maar je hebt toch zeker wel van Lord Byron gehoord?'

Hij kreeg echter geen tijd om antwoord te geven. Ze begon aan de deuren van de kapel te trekken om ze te sluiten. Ze waren zwaar en het kostte haar moeite, maar toen hij haar te hulp wilde schieten snauwde ze hem toe: 'Ik red me wel.'

'Ja, ik heb van Lord Byron gehoord,' zei hij.

Ze begon naar de poort te lopen. 'Wat?'

'Ik zei dat ik van Lord Byron heb gehoord!' Hij schreeuwde het haar bijna toe.

'Daar ben je zeker erg trots op,' zei ze. Het sarcasme droop van haar stem.

'Nou, je vroeg het toch.' Andrew wist niet hoe hij het had. Meisjes hoorden aardiger te zijn dan jongens. Meisjes hoorden zeker aardiger dan jongens te zijn *tegen hem.* Als ze in Amerika waren geweest zou ze op dit moment barsten van nieuwsgierigheid, zou haar stem warmer beginnen te worden...

'Je lijkt op hem,' moest ze toegeven.

'Op Lord Byron?'

'Ja. Waarom dacht je dat ik naar je keek? Dacht je dat ik een oogje op je had? God, de Harrow-jongens hebben wel een hoge dunk van zichzelf, hè?'

'Ik ben nieuw hier,' bracht hij stamelend uit. 'Nog niet... echt... een Harrow-jongen.'

'Ik weet zeker dat je net als de rest bent,' zei ze op vermoeide toon.

'Waarom ben je op zoek naar...'

'Iemand die op Byron lijkt? We zijn bezig spelers te casten voor een toneelstuk. We gaan een stuk opvoeren. In het voorjaar. Over Lord Byron. Maar onze hoofdrolspeler is van school af gegaan. Heel knap. Volslagen stom. Nou ook weer niet zó knap, als je het mij vraagt.

Hoe sexy kun je zijn met zo'n verdomde strohoed?' Andrew kreeg een kleur. Ze ging door. 'Het wordt opgevoerd door de Rattigan Society. Iets origineels, deze keer. Niet de gebruikelijke Shakespeare. Een stuk over Lord Byron... Je weet toch dat Lord Byron op Harrow heeft gezeten?' Andrew knikte. 'Geschreven door een leraar van Harrow. Piers Fawkes.'

'Piers Fawkes?'

'Ken je hem?' Voor het eerst klonk haar stem belangstellend.

'Hij is mijn huismeester.'

'Ken je zijn werk?'

'Bedoel je...'

'Dat hij dichter is, ja,' maakte ze de zin voor hem af. 'Hij is absoluut briljant. Ik dacht dat je misschien iets van hem had gelezen. Maar de leerlingen van Harrow staan er niet om bekend dat ze zich bezighouden met hedendaagse poëzie. Jij wel? Ik doe eraan mee.'

'O, je speelt toneel?'

'Ja, ik speel toneel. Je bent een beetje traag van begrip, hè, zelfs voor een Amerikaan?'

Toen hij eindelijk iets kon uitbrengen merkte Andrew op: 'Er is werkelijk geen goede manier om die vraag te beantwoorden.'

Onwillekeurig ontsnapte haar een hikkend lachje. Ze bleef stilstaan.

Andrew was haar gevolgd. Ze waren High Street af gewandeld tot waar het heuvelafwaarts ging en groener werd, waar de winkels plaatsmaakten voor heggen. Nu stonden ze bij de ingang van een oprit die uitkwam bij een stenen huis – weer een studentenhuis – met gele gemetselde schoorstenen en een onverzorgde tuin van zo'n tweeduizend vierkante meter.

'Als je in het huis van Piers Fawkes woont ga je de verkeerde kant op,' zei ze, iets vriendelijker. 'Dit is Headland.'

'O?'

'De Lot is die kant op.' Ze wees met haar vinger in de richting waar ze vandaan waren gekomen.

'O. Oké. Bedankt.'

'Heb jij wel eens toneelgespeeld?'

'Eén keer. Ik was de schurk in een stuk dat *The Foreigner* heet...'

Ze lachte spottend. 'Fout, jongen. Je bent zó Amerikaans. Als je een Schot was geweest, misschien. Byron had iets van een Schotse tongval. Maar een yánk? De bestuursleden zouden een stuip krijgen. Zij hebben dit stuk uitgezocht, zie je. Natuurlijk willen ze dat het groots en heroïsch wordt, maar het enige wat Byron deed was neuken. Jongens en meisjes. Ik speel Augusta, Byrons zuster – of halfzuster – en hij neukt mij ook. We zullen wel zien wat ervan langs de censuur komt. Sorry, choqueer ik je?'

'Nee,' antwoordde Andrew, niet naar waarheid.

Hij was niet gechoqueerd door haar taalgebruik – hoewel hij het gevoel had dat hij het zou moeten zijn – maar doordat een geweldig knap meisje het woord 'neuken' zo achteloos uitsprak. Het leek een vorm van ketterij. *Kleineer niet waar ik zo veel waarde aan hecht.* Hij zag in haar ogen en merkte aan haar prikkelbare manier van doen dat ze zich tegen mensen wilde afzetten, ze van zich wilde vervreemden.

'Nou, kan ik auditie doen? Ik ben al tot hier gekomen,' zei hij, zich dwingend tot een lachje om aan te geven dat hij een grapje maakte over de heuvel tot hier af lopen... Ze kon er niet om lachen.

'Wat, voor het stuk over Byron?'

'Ja.'

Ze haalde haar schouders op. 'Ik kan je niet tegenhouden.'

'Bij wie moet ik daarvoor zijn?'

'Vraag dat maar aan Piers.'

'Mr Fawkes?'

'Ja, *Misterrr Fawkers*,' zei ze, zijn Amerikaanse accent nabootsend.

'Ik ben Andrew Taylor.' Hij stak zijn hand uit. Ze nam die niet aan. In plaats daarvan nam ze hem nog eens taxerend op.

'Ik ga met je naar hem toe,' verklaarde ze ten slotte. 'Ik wil dat mij de eer toekomt een dubbelganger van Byron te hebben gevangen en besprongen. Bij wijze van spreken, natuurlijk.'

Andrews hart begon sneller te kloppen. 'Natuurlijk.'

Eindelijk stak ze haar hand uit en schudde Andrews hand krachtig op een gemaakt zakelijke manier. Daarna draaide ze zich om en liep met grote passen weg over de met grind bedekte oprit.

'*Kalispera*, Andrew,' riep ze in een taal die hij niet herkende.

Dochter van een huismeester. Dan moest ze hier wonen, met haar ouders, dacht Andrew terwijl hij bleef wachten en naar Headland House staarde.

Toen Persephone bij de deur was verscheen er een hoofd achter een van de ramen, dat achterdochtig naar de oprit tuurde. Het keek hem dreigend aan. Kale schedel. Brilletje met metalen montuur op de punt van de neus. Woest opengesperde neusgaten. Dat moest Mr Vine zijn. Instinctief deinsde Andrew terug, alsof hij het waarschuwende geblaf van een hond had gehoord.

Niet een van zijn jongens, was de inschatting van Sir Alan Vine, toen de huismeester vanuit zijn zitkamer de jongen gadesloeg. Geen vlees op zijn schouders of zijn rug. Lang haar. Artistiekerig type. Extreem, zelfs. Nee, niet een van zijn jongens, maar toch hing hij hier rond. Sir Alan begreep waarom, toen hij zijn dochter op driekwart van de oprit zag lopen. Ja, ze had aan het begin van de oprit met die langharige figuur staan praten. Hij schrok ervan, en keek nog eens goed. Het uiterlijk van de jongen – dat haar, dat slungelige – was een bewijs dat hij zich afzette tegen de gevestigde orde. Precies zo'n type met wie zijn dochter zou komen aanzetten. Sir Alan rechtte geërgerd zijn schouders.

De voordeur sloeg dicht en haar begroeting klonk in de hal.

'Wie is die jongen daarbuiten?' riep hij.

Hij liep de hal in om haar achterna te gaan, maar ze was te snel naar boven geklommen. Een tweede deur knalde dicht; haar slaapkamer. Negeerde ze de vraag? Of had ze die gewoon niet verstaan?

Hij keerde terug naar het raam om naar het begin van de oprit te turen, waar de slonzige Harroviaan had gestaan. De plek was nu leeg, op heggen en bomen na.

Hij fronste zijn voorhoofd. Die knaap zou hij in de gaten moeten houden.

Andrew draafde tegen de heuvel op. Hij was doodmoe en opgewonden door Persephones talloze verbale aanvallen, en hij kreunde inwendig als hij dacht aan alle keren dat hij zich als een sukkel had gedragen. Hij was zo druk bezig terug te denken aan elk woord van het gesprek, dat hij niet onmiddellijk begreep dat hij verdwaald was. Een van zijn medenieuwkomers had hem die ochtend nadrukkelijk gezegd dat hij wanneer hij terugging naar het huis aan High Street, niet de afslag moest nemen die heuvelafwaarts ging. *Die loopt van de school weg. Dan verdwaal je vast en zeker.* Maar nu hij omhoog zwoegde – dat moest toch de goede kant op zijn – leek het beslist de verkeerde weg. Er waren geen huizen of winkels. Hij bevond zich op een steile helling, met de schoolgebouwen waarin hij die ochtend was rondgeleid, beneden hem, aan de rechterkant. Links van hem was een stenen muur. Recht vooruit zag hij een op een prieel lijkend houten poortgebouwtje dat toegang gaf tot een oude stenen kerk en een begraafplaats. Links van de poort waren in het hout de woorden GEZEGEND ZIJN DE DODEN gekerfd. Aan de rechterkant werd aan de spreuk toegevoegd: DIE STERVEN IN DE HEER.

Andrew aarzelde. Iemand had hem verteld dat Harrow-on-the-Hill het hoogste punt was tussen Londen en het Oeralgebergte. Hier, op de top van de heuvel, geloofde hij het. De hemel, die wit was geworden door de laaghangende wolken, leek dichtbij genoeg om aan te raken. Op het kerkhof verroerde zich niemand. Na de hele ochtend in een kudde te zijn meegevoerd, werd hij aangetrokken door de verlatenheid van de plek. Hij volgde het kronkelige stenen pad. Verweerde grafstenen staken als vingers uit de met gras begroeide grond omhoog. Het kerkhof werd omgeven door dikke bomen, klimplanten en varens. Het duurde niet lang voor hij achter de kerk was en een voetpad zag aan de andere kant van de heuvel. Weer bleef hij staan. Het pad, dat eveneens overschaduwd werd door zware takken en klimplanten, leek een stille, bedompte plek, die vroeg om vandalisme. Maar hij rook geen urine en evenmin zag hij het afval of de kapotte afvoerpijpen die hij had verwacht, en het pad leek omlaag te leiden en naar links, waar hij naartoe moest. Hij liep door.

Een geluid doorsneed de lucht. Een gegrom, een geblaf. Geschrokken bleef Andrew staan en keek zoekend om zich heen waar het vandaan kwam.

Toen zag hij het. Twintig stappen verder langs het pad zat een man boven op een andere man. De onderste werd bijna platgedrukt. De bovenste man had het lawaai gemaakt. Hij droeg een lange zwarte pandjesjas, die als een zak om zijn gekromde schouders hing. Met beide handen drukte hij met zijn volle gewicht op de andere man, om hem te verstikken. Hij gromde van inspanning. Het gezicht van de aanvaller vervulde Andrew met afgrijzen. De ogen lagen diep in hun kassen gezonken; de felblauwe ogen puilden uit; zijn huid was ziekelijk grijs. Lang blond haar – bijna wit, zoals bij een albino – hing voor zijn ogen. Er kwam een moment dat hij gedwongen werd met zijn zware inspanning op te houden om te hoesten, en Andrew herkende het geluid dat zijn aandacht had getrokken. Het gehoest was een combinatie van het blaffen van een ziek dier, en een nat, kletsend geluid. De broodmagere man veegde met zijn hand langs zijn mond. Toen keek hij op, recht in de ogen van Andrew.

Die ogen leken als dolken in hem te priemen, over de afstand die hen scheidde. Het waren de ogen van een jonge man. Zijn lichaam was broodmager, ziekelijk; hij rook naar de dood.

Andrew voelde zich misselijk worden. Wankelend ging hij een stap achteruit, hij draaide zich om en begon te rennen, te vluchten. Maar na een paar passen hield iets hem tegen.

Het slachtoffer. De gedaante op de grond.

Er was iets bekends aan de grijze broek en de zwarte schoenen die hij onder de aanvaller zag uitsteken.

Het leken Harrow-kleren.

Andrew bleef staan en dwong zich om terug te gaan.

Hij naderde. Het tafereel kwam weer in zicht. Het slachtoffer lag er, bewegingloos, stil. Geen aanvaller. Niets bewoog. Er waren alleen dikke boomtakken die de plek omsloten. Klimplanten die zich ertussendoor slingerden. Andrew bewoog zich naar voren, bij elke stap nam hij meer informatie in zich op.

Zwarte jaspanden.

Grijze broek.

Wit overhemd.

Armen gebogen, een ervan dwars over het lichaam, beschermend.

Een veeg bloed op de rechterwang.

Toen werd Andrew overvallen door een ander soort paniek. Hij holde naar de liggende gedaante.

Nog voor hij de verfrommelde Harrow-hoed zag wist hij dat het een student was. Maar hij staarde geschokt naar het gezicht. Het had al zijn waardigheid verloren: grind en zand kleefden aan de wenkbrauwen en de mond. De ogen waren omhoog gedraaid. De mond hing open, als van een zwemmer die naar lucht hapt. Doordat de huid doorschijnend wit was – alle zonneschijn nu al eruit gefilterd – herkende Andrew zijn vriend nauwelijks. Hij knielde bij hem neer, hij greep de hand – om die snel weer los te laten. Hij was koud. De nagels hadden een purpergrijze kleur. Niet wetend wat hij anders kon doen, tastte Andrew met zijn handen het hele lichaam af – hals, polsen, borst – zoekend naar een hartslag, een ademhaling, of een ander teken, alsof Theo Ryders leven een sleutelbos was die hij kon vinden door hem te fouilleren.

3

De dood van een jongen van de school

Er viel een trage, gestadige regen. Een ambulance reed achteruit tot bij de plek. Het signaal dat de versnelling in zijn achteruit stond bliepte een aantal keren; de zwaailichten stonden aan. Twee witte BMW's van de politie, met sirenes en oranje strepen, blokkeerden de toegang tot Church Hill Road. Het terrein was afgezet en het forensisch team deed zijn werk. Een van de rechercheurs stond te wachten, tot de collega's van de forensische dienst klaar waren, tot zijn partner een verklaring van de getuige had losgekregen. De getuige was een tiener, daarom voerde zijn partner, een vrouw, het gesprek. Het was een van die schooljongens, de knapen met strohoeden die in een andere eeuw leken thuis te horen. Deze had lang, warrig zwart haar, en hij was groot, te volwassen om die schoolkleren te dragen. Hij zou in de hardrockband AC/DC kunnen spelen, dacht de rechercheur glimlachend. De jongen zat op de achterbank van hun auto, zijn benen staken uit het openstaande portier, tegenover de vrouwelijke rechercheur die op straat stond. De lichaamstaal van de jongen wees op shock. Hij frunnikte aan de hoed die hij in zijn handen hield, keek niet op, mompelde, schudde zijn hoofd. De rechercheur zag zijn partner wijzen naar de plek waar het lichaam was gevonden – ze probeerde een reactie uit te lokken, de jongen aan te sporen meer los te laten. De rechercheur bleef kijken. De jongen hief zijn hoofd op, zijn ogen flitsten naar de plek waar het lichaam in een zak werd gestopt, en hij wendde zijn gezicht af, alsof hij bang was dat het lichaam overeind zou komen en beginnen te lopen, als een zombie. Even later gaf de partner het op. Ze slenterde terug naar haar collega.

'Heb je al iets?' vroeg de rechercheur aan zijn partner.

'Niet echt. Een agent vond hem hier, toen hij om hulp riep.' Ze bekeek haar aantekeningen. 'Andrew Taylor. Ze waren bevriend. Kamers naast elkaar in een van die studentenwoningen. Huizen, of hoe ze dat noemen. Mr Taylor liep hier te wandelen en vond het lichaam.'

'Iets over het slachtoffer? Wat deed hij hier? Drugs?'

'Er is niets op het lichaam gevonden. Dit is een Amerikaan.' Ze knikte in de richting van Andrew. 'Gisteren aangekomen. Eerste schooldag.'

'Pech voor hem. Is hem iets opgevallen?'

'Hij zegt dat het lichaam al stijf leek. Zag bloed op het gezicht.'

'Heeft hij hem verplaatst?'

'Om naar de hartslag te voelen.' Ze aarzelde, daarna draaide ze zich om en keek ze naar Andrew.

'Wat is er?'

'Hij is verschrikkelijk zenuwachtig,' zei ze. 'Alsof hij iets gezien heeft. Hij lijkt bang.'

'Toen ik stond te kijken leek hij me niet erg te reageren.'

'Nee,' zei ze instemmend. 'Wil jij het proberen?'

'Niet echt.'

'Heb je dan iets anders te doen? Je nat laten regenen?'

De rechercheur slenterde naar Andrew, die nog steeds op de achterbank van de politieauto zat, zijn voeten rustten op de straatstenen. De rechercheur ging op zijn hurken zitten en keek hem aan.

'Ik ben rechercheur Bryant. Ik geloof dat je net mijn collega hebt ontmoet.'

'Hallo,' mompelde Andrew.

'Je zult wel behoorlijk geschrokken zijn,' merkte rechercheur Bryant op, met een meelevende trek op zijn gezicht.

Andrew reageerde niet.

Bryant besloot op goed geluk een vraag te stellen. 'Je hebt gezien wat er gebeurd is, toch?'

Andrew sloeg snel zijn ogen op.

Bryant voelde dat hij op de goede weg was. Nog een lukrake vraag. 'Niet wat. Wie. Je zag wie hem vermoord heeft. Heb ik gelijk?'

Nu sperde de jongen zijn ogen open. Doodsbang.

'Wie was het?' Bryant bleef bluffen. 'Iemand uit de buurt? Iemand van je school?'

Andrew keek naar de uitdrukking op Bryants gezicht. Even dacht hij dat de rechercheur iets wist; dat hij op de een of andere manier wist wat Andrew had gezien; maar niemand die iets wist van de uitgemergelde gedaante met het witte haar zou zo neutraal kunnen kijken als deze politieman. De rechercheur tastte in het duister. Andrew staarde weer op zijn handen neer.

'Die andere rechercheur vertelde me dat hij vanochtend gestorven is,' zei Andrew. 'Dus hoe kon ik het hebben zien gebeuren? Ik heb hem pas tegen het middaguur gevonden.'

In stilte verwenste de rechercheur zijn partner.

'Wat is er dan?' wilde Bryant weten, een beetje te dwingend, omdat hij voelde dat zijn moment voorbij was. 'Je bent bang, dat zie ik. Waarvoor? Ik zal het tegen niemand vertellen,' voegde hij eraan toe, niet geheel naar waarheid.

De ogen van de jongen concentreerden zich echter op iets anders. De rechercheur draaide zich om zodat hij Andrews blik kon volgen. Een dikke vrouw in een zwarte regenjas was bij de afzetting van de plaats delict gearriveerd. Buiten adem vroeg ze om hulp aan de agent die daar op wacht stond, daarna ruziede ze met hem toen de antwoorden die hij gaf blijkbaar niet bevredigend waren. Ten slotte keek de agent naar Andrew en wees hem aan. Matron richtte haar ogen op de jongen en ze liep naar hem toe.

'Laatste kans,' zei Bryant.

'Ik heb niemand gezien,' hield Andrew vol.

'Lieg niet tegen me,' snauwde de rechercheur hem toe.

Ze keken elkaar strak aan. Impasse.

Enkele ogenblikken later had Matron hen bereikt. 'Daar ben je dus!' zei ze hijgend. 'Niemand wilde me informatie geven,' mopperde ze tegen Bryant. 'Kan iemand me vertellen wat er hier aan de hand is?'

'Nu heb je een probleem,' mompelde Andrew.

Bryant kwam vanuit zijn hurkzit overeind, bereid om de vele vragen van de vrouw te beantwoorden en naar haar jammerlijke gekreun te luisteren. Hij zag zich echter gedwongen – geïntimideerd door haar drukke, bazige optreden – om zwijgend toe te zien dat ze haar arm om Andrew heen sloeg en met hem de heuvel af marcheerde.

'Ik ben hem nog aan het verhoren,' riep hij hun hulpeloos achterna.

Matron keek om. 'Hij is minderjarig en de school is verantwoordelijk voor hem,' snauwde ze hem toe.

De weg strekte zich leeg en glibberig dertig meter voor hen uit. Andrew en Matron daalden samen de heuvel af, de bedrijvigheid van de politieactiviteiten achter zich latend. Voor hen uit, in de diepte, zagen ze de menigte die zich verzameld had, zwijgend, tegengehouden achter een andere politieauto; talloze blauwe jassen die donker werden van de regen. Een zee van Harrow-hoeden. De zwarte toga's van leraren. De politie liet Andrew en Matron passeren. Ze werden onmiddellijk belaagd door vochtige jongenslichamen en bedrukte gezichten.

Wat is er gebeurd?

Is het waar dat er iemand dood is?

Is het iemand van school?

Heb je iets gezien?

Andrew drong zich tussen hen door. Ze omringden hem, stelden vragen, wilden dingen weten, sommigen grepen hem vast. De regen kwam harder naar beneden, geselde zijn gezicht, druppelde langs zijn wangen. Een leraar pakte hem bij zijn elleboog. *Laat hem er alsjeblieft door, jongens. Toe nu.* Samen met Matron loodste hij hem door de menigte. De leraar vroeg of alles goed met hem was, in welk huis hij woonde, en Andrew loog 'Ja', en Matron antwoordde 'De Lot.' Maar Andrew zag zijn medestudenten niet en herkende geen enkel gezicht; het enige wat hij zag en hoorde was het doodsbleke gezicht, de diepliggende ogen; het geflapper van de pandjesjas en de echo van die afgrijselijke hoestbui.

'Nog nooit,' mompelde Matron, half verdrietig, half knorrig.

Ze trok hem zijn natte kleren uit met de zorg waarmee een boer een maïskolf afpelt. Ze zei tegen hem dat hij rustig moest blijven liggen. Ze legde een deken over hem heen. Dit alles terwijl er een stroom woorden over haar lippen rolde, voornamelijk tegen haarzelf gericht.

'In geen vijftien jaar.' Ze schudde haar hoofd. 'En, o, wat zullen die arme ouders zeggen? Stel je voor, dat je zo'n telefoontje krijgt. Je zou willen dat je zelf dood was. Ik hoop dat ze nog meer kinderen hebben. O, maar die hebben ze – Theo had broers en een zusje. Hun hart zal evengoed gebroken zijn, maar het is goed om andere kinderen te hebben.' Daarna, bijna kwaad, het laatste nieuws al omzettend in geroddel en geruchten: 'God weet wat er met hem gebeurd is. Hij was te jong voor een hartaanval, of een beroerte. Gezonde jongens gaan niet zomaar dood.'

Andrew ging rechtop in bed zitten. Hij wilde het haar uitleggen, haar helpen het te begrijpen. 'Matron, ik zag...'

Ze keek hem aan en ze wachtte tot hij zou doorgaan.

Ik heb een moord gezien! wilde hij uitschreeuwen. *Ik zag dat iemand, gekleed in een te grote, op een pandjesjas lijkende overjas, Theo wurgde.*

Ja... en wat gebeurde er toen?

Dat was wat hij zich had afgevraagd sinds hij de heuvel af was gestrompeld, schreeuwend om hulp, om vervolgens terug te keren en bij het lichaam te blijven wachten. Hij was daar zo'n vijf minuten alleen geweest voor het tot hem doordrong dat de aanvaller was verdwenen. Niet weggehold, met het geluid van wegstervende voetstappen of geschuifel, lager op het pad. Hij was eenvoudigweg in rook opgegaan. Met het hoge hek aan weerszijden had hij met geen mogelijkheid kunnen ontsnappen. Andrew had de magere gedaante moeten zien weglopen. Maar Andrew was zo geschokt – geschokt? Of was het iets anders: een soort flauwte als gevolg van een verstikkende druk die op die plek was blijven hangen? – waardoor hij de verdwijning van de aanvaller niet eens had opgemerkt. In zo'n schemertoestand was het bijna *natuurlijk* dat de grommende, griezelige gedaante zo plotseling niet meer bestond.

En toen verdween hij, Matron.

Andrews mond hing open.

Als je dit zegt, hield hij zich voor, *zal ze denken dat je gek bent. Ze zal het tegen anderen vertellen. Dan krijg je alle mogelijke aandacht die je juist niet wilt krijgen. Bedenk wat St John Tooley en Vaz met zulke informatie zullen doen. Ze scheuren je aan flarden. Zeggen dat je een psychopaat bent, een freak.*

Gelukkig voor Andrew gebruikte Matron dat moment om een van haar zeldzame opwellingen van sympathie te uiten, en ze onderbrak zijn gedachtegang.

'Ik weet het. Je vriend, die daar lag. Arme Theo. Juist hij.' Daarna keek Matron met samengeknepen ogen naar Andrew – het was die vervelende Amerikaan tegen wie ze praatte, leek ze zich te herinneren – en op dat moment begreep Andrew heel duidelijk dat ze liever had gezien dat zíjn lijk op Church Hill Road had gelegen dan dat van de zonnige, charmante Theo. 'Je hebt een shock,' verklaarde ze, en ze stond op. 'Blijf liggen en rust uit. Ik kan niet de hele dag bij je blijven zitten. De huismeester en de huisoudste moeten op de hoogte gebracht worden. En de ouders. Maar dat hoef ik godzijdank niet te doen.'

Daarna stoof ze, zonder nog een keer achterom te kijken, weg om Mr Fawkes te halen. Andrew bleef alleen achter.

Op zijn elleboog leunend tuurde hij uit het venster. De regen, onkundig van de tragedie die nu opschudding in de school begon te veroorzaken, viel geduldig op elk blad van de plataan die voor zijn raam stond.

Andrew liet zich op het bed terugvallen. Hij was tenminste warm, droog en alleen, maar in een verlate reactie voelde hij een huivering, van zijn schouders tot zijn tenen. Hij trok de deken strakker om zich heen. Hij begon een soort warrig debat met zichzelf.

Je hebt te weinig slaap gehad, redeneerde hij. *Je bent zenuwachtig omdat je op een nieuwe school bent.*

Maar het lijk was echt geweest. Hij had het gevoeld, koud en stijf en zwaar. Het had een beetje heen en weer gerold toen hij het aanraakte.

Het. Hij.

Theo is echt dood.

In gedachten riep Andrew de paar beelden op die hij de afgelopen vierentwintig uur van Theo had verzameld. Hij voelde zich misselijk worden.

Hij dacht aan de broodmagere gedaante. Als die Theo had vermoord, kon hij dan ook anderen vermoorden? Andrew had hem aangekeken. Ze hadden iets op elkaar overgebracht, een soort van herkenning. Kon de gedaante hem op de een of andere manier vinden? Zou hij, Andrew, het volgende slachtoffer zijn?

Hij ging rechtop zitten. Hij moest het aan de politie vertellen, hun laten weten dat de bleke gedaante Theo had gewurgd. Wat het ook was, het was gevaarlijk.

Nee. Straks denken ze dat je krankzinnig bent. Dan gaan ze je ouders bellen.

En zijn ouders zouden hem van school halen. Dan zat hij echt in de shit.

Met trillende handen zocht hij in de la van zijn bureau naar zijn mobieltje. Leeg. Er moest ergens een oplader zijn. Hij vond die en sloot hem aan. Toetste de P in. Zag namen verschijnen.

PAP

PETER

Hij ging met de cursor naar PAP. Netnummer 203 verscheen. Zijn duim ging naar de groene toets. Hij snakte ernaar een bekende stem te horen. Zelfs die van zijn vader. Een Amerikaans accent. Hij wilde zijn vader het hele verhaal vertellen. Niet in gedeelten, niet de delen waarvan hij dacht dat zijn vader ze aankon, maar alles, alleen om hem te horen, alleen om te weten dat iemand met zijn hoofd knikte en zei: *Ja, dat is nogal vreemd.*

Zijn duim bleef boven de toets hangen. Hij wist dat zijn vader dat niet kon.

Zelfs al zouden ze niet door drieduizend kilometer van elkaar gescheiden zijn (hij wist dat zijn vader daardoor gespannen was, omdat hij alles onder controle wilde houden), Andrew zou nooit de reactie waaraan hij nu behoefte had, uit zijn vader kunnen loskrijgen. Vroeger had het misschien gekund. Toen Andrew in de puberteit raakte had zijn vader een kano gekocht en was hij begonnen vaartochtjes met Andrew te maken op de Housatonic. Hij wees hem op vogels in de moerassen en hij vertelde verhalen – over zijn dagen bij Penn, of zijn over het algemeen paranoïde theorieën over de strijd in het bedrijfsleven, en hij vroeg Andrew naar de melodrama's die zich afspeelden onder zijn schoolvrienden. Soms vergaten ze zelfs om te peddelen, dan lieten ze zich gewoon drijven, ze praatten en luisterden naar elkaars stemmen en ze keken hoe de visarenden hun prooi verschalkten. Ze waren niet gedwongen lijnrecht tegenover elkaar te staan, ze dachten over veel dingen hetzelfde. Maar de ruzies wachtten hun, een jaar later, thuis. In het begin over gewone dingen als cijfers en een uitgaansverbod. Daarna werden ze bitter. Zijn vader raakte steeds meer gefrustreerd, over de vrienden die Andrew koos, over zijn haardracht, omdat hij op zijn veertiende werd betrapt op het roken van sigaretten, en op zijn vijftiende met een zak hasj in zijn sokkenlade. Zijn vaders eigen ingewortelde woede sijpelde door in al hun conflicten: de oneerlijke manier waarop hij bij American Express werd behandeld, zijn minderwaardigheidscomplex vanwege zijn afkomst – al die Taylors op oude zwart-witfoto's, en hij een bescheiden directeur in een voorstad, een man die nog steeds wilde leven als een aristocraat uit het zuiden maar er niet in slaagde, die schulden maakte om toch maar met vakantie te kunnen gaan naar Aspen of Biarritz en daarna zwaar leed onder de lasten, tot de vernederende dag waarop een dikke man met bruine lippen van de tabak verscheen om de Audi terug te halen. En na de eerste negen of tien luidruchtige ruzies – verwijten, dichtgesmeten deuren, valse beschuldigingen, luidkeels en met een rood gezicht geschreeuwde gefrustreerde *loop-naar-de-bliksems* – was alles wat er tussen hen overbleef een steeds groter wordende plas gal. Tijdens een vakantie kwam Andrew thuis en zag dat de kano weg was uit de garage. Zijn moeder vertelde hem achteloos dat zijn vader die had verkocht.

Ik haal je daar weg.

Hij kon het zijn vader horen zeggen.

De baas spelen. Kwaad. Dingen van hem afnemen. Verstikkend. Zijn zoon moest passief gemaakt worden, getemd door een storm van drift als hij zich verzette of in opstand kwam.

Je hier weghalen? zei een innerlijke stem. *Dat wilde je toch? Dan ben je in veiligheid, ver van...* de handen die Theo's keel dichtknepen.

Dan hebben we het met je gehad, had zijn vader tegen hem gezegd. *Je doet dit goed, anders hebben we het gehad met je.*

PAP
PETER

Hij nam zijn duim van de telefoon weg.

Nee, hij kon het nooit aan zijn vader vertellen. Vanwege *het incident* op FW. Dat had het beetje vertrouwen dat er nog tussen hen bestond, vernietigd.

Dit was niet de eerste keer dat Andrew in de bittere aanwezigheid van de dood verkeerde. Die had hem al eens geraakt. Hij had in de mist ervan gekeken en gehuiverd. Die keer was het een ramp geweest. Die keer had het alles verpest.

Je kunt niets vertellen over de jongen met het witte haar.

Hij ging weer op het bed liggen en rolde zich op tot een bal. Hij staarde naar het blauwe behang met de bruine strepen.

Hij is in een andere kamer van een studentenhuis, in het landelijke Connecticut, waar de wegen kronkelen, stijgen en dalen, en waar elk dorp trots is op zijn eigen witgeschilderde puriteinse kerk. Waar de Frederick Williams Academy je beschermt met zijn zwarte ijzeren hekken en puntige stenen studentenhuizen en goed onderhouden terreinen en hectares met bomen en sportvelden. Andrew zit op de grond, met gespreide benen. Naast hem ligt een doorzichtig zakje, aan de bovenkant opengescheurd. Het woord FLATLINE staat erop gedrukt, een soort perverse merknaam. Tegenover hem zit Daniel Schwartz. Daniel zakt in elkaar. Andrew worstelt met zichzelf, hij probeert in beweging te komen, *wacht,* zegt hij, *wacht,* daarna schudt hij zijn vriend door elkaar omdat dit er niet goed uitziet, maar zijn vriend is er niet meer, zijn vriend loopt blauw aan, zijn geest is gekidnapt, meegevoerd in een avontuur, een zwerftocht over zonverlichte heuvels terwijl Andrew zijn eigen gevecht tegen de drug voert – *verdomme, hoeveel heb ik genomen, dit moet veel sterker zijn dan het laatste zakje dat we hebben geprobeerd* – omdat Daniel alleen op de grond lijkt te blijven liggen terwijl hij, Andrew, omhoog zweeft, hij staat in de reusachtige door de zon verwarmde rieten mand van een heteluchtballon, en hierboven praat God tegen hem met grote, geluidloze bliksemflitsen, laat hem zien dat hij alles heeft verpest, laat hem zien dat zijn leven een leeg lunchtrommeltje is. Andrew begint te kotsen, hij kotst omdat hij walgt van zichzelf en alles wat hij kwijt is, en uit bloedserieuze angst omdat *Daniel er verdomme echt BLAUW uitziet* en hij haalt zijn mobieltje uit de zak van zijn spijkerbroek. Andrew toetst de drie cijfers in en daarna BELLEN en hij gaat weer liggen. Kijkend naar Daniel en zich vaag afvragend wat de ambulancebroeders zullen denken wanneer ze hem zien met een tiener die een overdosis genomen heeft aan zijn voeten, en kots op zijn benen.

Toen hij het maanden later te horen kreeg bleef hij betrekkelijk kalm. Hij was op zijn kamer, thuis, in Killingworth. Vlakbij zoemde een grasmaaier. En het was gewoon een telefoontje. Niemand gaf hem ergens de schuld van. Het werd hem gewoon... meegedeeld. Hij zag kans de telefoon heel rustig neer te leggen, zich in bed om te draaien, en in het geheim te beginnen met het langdurige, langzame proces waarbij hij zijn ingewanden voelde wegteren.

'Gaat het, man?'

Andrew draaide zijn hoofd om. Roddy deinsde terug. Hij stond in de deuropening, met een grote zwarte paraplu bij zich.

'Je laat me schrikken, je lag erbij of je dood was. Ga je mee?'

'Mee? Waarheen?'

'Eten? God, je ziet er beroerd uit.' Roddy schudde zijn hoofd. 'Ga mee. Ik wacht op je.'

Andrew was zover opgeknapt dat hij achter Roddy aan naar de eetzaal kon sjokken, waar hij half versuft in de rij ging staan. Toen hij daarna tussen de tafels door liep ving hij de eerste golf zijdelingse blikken op, en het gefluister achter handen. Jongens hieven hun gezichten op en staarden naar hem, de jongsten openlijk nieuwsgierig; de middelste klassen heimelijk; de Zesdeklassers verlegen, alsof Andrew een zwaar verlies had geleden. Andrew sloot zich, met Roddy, aan bij de minst onaangename groep van zijn huis, Henry, Oliver en Rhys. Het gesprek verstomde toen hij aan tafel ging zitten. Henry gaf verontschuldigend aan: 'We hadden het over Theo.' Na het eten liep Andrew achter hen aan naar het huis, passief, afstandelijk luisterend terwijl ze beurtelings probeerden het sterfgeval te verwerken en elkaar af te leiden met hun gebruikelijke kletspraat.

De daaropvolgende dagen bleef de regen vallen, dof, bonzend, even meedogenloos als hoofdpijn. De Hill leek niet meer op een trotse heuvel, het hoogste punt ten westen van de Oeral, maar op schouders die zich kromden onder de stortbuien en de windvlagen. Er was een overvloed aan zwarte paraplu's; jongens met magere beentjes klemden ze stevig vast terwijl ze met boeken balanceerden en probeerden hun hoed niet af te laten waaien, en in High Street werd niet meer gelachen, maar gehoest. De temperatuur daalde; de verkoudheid sloeg toe. Alsof het een blijk van meeleven was met hun dode vriend werden jongens ziek, ze lagen de hele nacht te kuchen en te blaffen en ze kregen koorts. Oudere jongens mopperden omdat de rugbytrainingen werden afgelast. *Het lijkt wel of we niets anders te doen hebben dan aan Theo zitten denken,* klaagde Roddy, waarmee hij de gevoelens van velen onder woorden bracht: *dat verdomde, gedwongen rouwen.* De dag van de herdenkingsdienst voor Theo – gehouden door Father Peter in de kapel en druk bezocht door bewoners van de Lot – was de zwartste dag van allemaal, de bewolking leek een stalen plafond en de regen viel in stromen. Het was een absurd tragisch gebeuren, nu en dan verzacht door de vlotte redevoeringen en de charme van de vele sprekers, maar weer geruïneerd door de natte snikken van de jongste jongens, de hevige stortbuien die hun buiten wachtten en de noodzaak om na afloop, zonder waardigheid, over de plassen te springen, op weg naar de eetzaal. En als dieptepunt begon in de Lot de jongen met het meest bekakte accent, een Vijfdeklasser die Clegg-Bowra heette (die, zoals algemeen bekend, een persoonlijk aandeel bezat in een formule 1-team en niets, geen lessen, geen sport, serieus nam), in de biljartkamer toehoorders om zich heen te verzamelen en te roddelen als een werkster. *Er rust een vloek op de school,* verklaarde hij lijzig en nasaal. *Het heeft in de hele geschiedenis van Harrow nog nooit zo hard geregend. Als het zo doorgaat regent het nog steeds op Sprekersdag, en dan zitten we hier allemaal te niezen waar onze ouders bij zijn. Er worden mensen ziek. Theo Ryder was nog maar het eerste slachtoffer. Persoonlijk vind ik dat ze de school moeten sluiten,* vervolgde hij. *En hoe zit het met de com-*

municatie? Niemand zegt waardoor Theo is gestorven. Misschien was het moord en ligt er op het kerkhof een of andere psychopaat op de loer om nog meer leerlingen van Harrow te wurgen. Ze haten ons, weet je, de Kevins, zei hij, het schooljargon – een Iers woord – gebruikend voor 'dorpsbewoners'. Vanwege de kou was de verwarming aangezet, abnormaal voor het seizoen; de buizen rammelden en sisten. Niemand kon het vocht uit zijn schoenen krijgen. Het vilt op de snookertafels rimpelde.

Er werden geen verklaringen gegeven over Theo's dood. Het enige was een kort bericht, opgehangen op het mededelingenbord in de Lot en ondertekend door de assistent-huismeester, Macrae, waarin iedereen werd verzocht om door te gaan met zijn bezigheden terwijl de lijkschouwer zijn werk deed, en voorts dat iedereen die met een counselor wilde spreken zich kon vervoegen bij Mr Macrae of Matron of Father Peter. Piers Fawkes kwam niet op de lijst voor en liet zich ook nergens zien. Matron had iemand verteld dat hij druk bezig was om dingen te regelen voor Theo's familie, die in Zuid-Afrika woonde, en met de politie en de lijkschouwer. Macrae leek het prettig te vinden om in de spotlights te staan en Andrew vermoedde dat de assistent-huismeester Fawkes' afwezigheid gebruikte om in de gunst te komen bij de jongens, in elk geval bij de oudere, invloedrijke leerlingen – St John en Vaz en hun meelopers. Hij nodigde hen uit op de thee, dat was te zien door het raam van Macraes keuken in de woning van de assistent-huismeester, naast de Lot. Andrew was een keer op weg naar de les van Mr Montague langs het raam gelopen, en alle gezichten hadden zich naar hem toe gekeerd. Vaz, St John en Macrae in een stoel met een hoge rugleuning, met een zelfvoldane maar schuldige uitdrukking op zijn gezicht, als een hertog die erop is betrapt dat hij probeert hoe de troon van de koning zit. Er was een moment van wederzijdse spanning. Andrew vermoedde dat ze het over hem hadden. Hij liep door, zijn hoofd gebogen tegen de regen.

Andrew ontweek deze bijeenkomsten; hij ontweek de zitkamer, de eetzaal; alle plaatsen waar gefluisterd zou kunnen worden – *daar heb je de Amerikaan, de jongen die Theo heeft gevonden,* of de vragen die weer gesteld zouden worden – *heb je gezien wie hem vermoord heeft? Zag je bloed?* Na de lessen ging hij regelrecht naar zijn kamer, hij sloeg zelfs maaltijden over, hij leefde op een handvol van de koekjes die Matron in een mandje in de biljartkamer had neergezet. Dan ging hij met gekruiste benen op bed zitten, knoeiend met de kruimels, die op de ruwe wollen deken vielen. Hij wist dat hij iemand zou moeten vertellen wat hij had gezien, gek of niet. Misschien kon informatie over een verdwijnende, broodmagere, wurgende gestalte de rechercheurs helpen. Of de familie. Of wie dan ook. Maar hij wist ook dat ze dan hoogstwaarschijnlijk tot de conclusie zouden komen dat hij geestesziek was, of door de shock ernstige schade had opgelopen. Dus liever dan zich uit te spreken en bij te dragen aan de chaos en de angst, zonderde hij zich af. Hij belde niet met zijn ouders. Hij checkte zijn e-mail niet. Hij stortte zich op zijn lessen. Zijn studie van het Romeinse Brittannië werd voor hem een verslavend vervolgverhaal; hij schreef een opstel van vijf kantjes over Camulodunum, het Fort van de Krijgsgod. Hij las Chaucer voor Mr Montague en besteedde er uren aan om te leren het zangerige, met alliteraties doorspekte Midden-Engels te lezen. Van achter zijn raam keek hij naar de regen die de Hill geselde.

Op een avond zat hij bij het eten tegenover Vaz. De sfeer aan tafel leek gespannen, alsof er iets in de lucht hing.

'Hallo,' zei Vaz met nadruk.

'Hoi,' antwoordde hij.

Vorken rinkelden op borden, maar alle ogen waren op Andrew gericht. Heen en weer flitsend tussen hem en Vaz. Het zag ernaar uit dat het huis iets tegen Andrew te zeggen had, en dat het Vaz had benoemd tot officiële woordvoerder.

'Alles goed?' vroeg Vaz, bijna kameraadschappelijk, een tikje te luid.

'Niet echt,' zei Andrew.

'Het is een tragedie,' zei Vaz instemmend.

'Ja. Theo was een fantastische vent.'

'Ze zeggen dat hij is overleden aan drugs,' zei Vaz. 'Die hij van jou had gekregen.'

Andrews maag draaide zich om. Hij dwong zich om te slikken. Het werd stil aan tafel. 'Hoe komen ze daar nou bij?' vroeg hij.

'Op je oude school ben je met drugs betrapt. Ze wilden je in Amerika niet op de universiteit toelaten, daarom ben je hier.'

'Wat?' wierp Andrew zwakjes tegen.

Vaz' ogen versmalden zich. 'Ik weet dat Theo nooit drugs zou gebruiken.'

'In geen miljoen jaar,' voegde St John eraan toe.

'Dus óf het is gelogen,' ging Vaz door, 'óf je hebt ze hem opgedrongen.'

Het eten in Andrews mond veranderde in karton. Hij keek de tafel rond. Alle gezichten – van Oliver, Henry, Roddy, Rhys, Nick, Leland, namen die hij met zo veel moeite had geleerd – waren naar hem toe gekeerd om te zien hoe hij reageerde.

'Ik heb niets meer met drugs,' zei hij. 'Ik heb me er nooit serieus mee beziggehouden. Een paar keer maar. Ik snap trouwens niet hoe je dit weet.'

Vaz keek hem koeltjes aan, een en al zelfvertrouwen. Hij wist beslist iets. Andrew dacht terug aan dat tafereel: Vaz, Macrae. De anderen. Macrae zou waarschijnlijk op de hoogte zijn van de reden waarom Andrew naar Harrow was gekomen. Andrew werd kwaad.

'Als het geen drugs waren,' zei Vaz grijnzend, 'wat is er daarginds dan met Theo gebeurd? Waarom zegt niemand er iets over?'

'Als hij zou zijn gestorven aan drugs die hij van mij had gekregen, denk je dat ik hier dan nog zou zitten?' zei Andrew, die eindelijk weer een woord kon uitbrengen, fel.

Vaz liet zich niet ontmoedigen. Schouderophalend zei hij: 'Wat is er dan gebeurd? Jij was erbij.'

De jongens leunden naar voren, hun ogen op Andrew gericht.

Hij deed zijn mond open. Het beeld van de bleke gedaante doemde voor hem op. Dat walgelijke gegorgel. Andrew verbleekte. Hij duwde zijn stoel achteruit, woedend en vernederd door Vaz' domme, onverstoorbare, dikke gezicht met die zwarte ogen die hem bleven aanstaren – geamuseerd. Andrew stond op. Hij liep weg bij de tafel van de Zesdeklassers, trillend op zijn benen.

Freak, hoorde hij iemand mompelen.

Voordat hij hier kwam is er nooit zoiets gebeurd.

Trek je maar niets van ons aan, wij ruimen je rotzooi wel op, riep Vaz hem na, en hij schoof Andrews bord met een gebaar van afkeer opzij.

De tafel van de Zesdeklassers van de Lot was niet de enige plaats waar het gebrek aan informatie, en de onheilspellende regen, tot speculaties leidden. Het was moord. Een overdosis drugs. Moord door een drugsbende. Een geheimzinnige ziekte.

Die geruchten hadden telefoongesprekken naar huis tot gevolg. Die gesprekken hadden telefoontjes van ouders naar de school tot gevolg. Deze gesprekken zorgden voor verontwaardiging, zowel bij de jongens als bij de leraren, over de onduidelijke situatie, zodat er over bijna niets anders werd gepraat. Bij geschiedenis: *Sir, waren het drugs?* Bij wiskunde: *Sir, houdt de school iets verborgen?* Bij Frans: *Sir, hebben de Kevins – sorry, de plaatselijke bevolking – er iets mee te maken?* De leraren mompelden. Ze hadden geen informatie gekregen. Het verzoek om *de familie in alle rust te laten rouwen... de dode te eren door de missie van de school voort te zetten...* het werkte gewoonweg niet. Iemand moest tegen de rector gezegd hebben dat het absurd werd dat er niets werd gedaan.

Op de derde dag werd er op school een vergadering bijeengeroepen, in de Sprekerskamer.

'Sprekerskamer' was een woord dat op Harrow met speciale nadruk uitgesproken werd. Het had gewicht en was vol trots. De Sprekerskamer, genesteld in de helling van de heuvel, was het hart van de school. Er werden toneelstukken opgevoerd, vergaderingen gehouden en in de zomer was het de locatie voor Sprekersdag, een jaarlijks evenement waarop Zesdeklassers, die op het punt stonden naar de universiteit te gaan, leerlingen, ouders en belangrijke gasten bezighielden met toespraken, gedichten en monologen – een soort afscheidsredes maar dan in de vorm van entertainment – om er door hun welsprekendheid blijk van te geven dat ze volwassen waren.

Op de dag van de vergadering dromden de leerlingen in groepjes de Sprekerskamer binnen. Andrew kwam alleen. Terwijl hij naar een stoel schuifelde voelde hij die stilte weer. Koude, onderzoekende ogen boorden zich in hem. Hij wilde dat hij op Roddy had gewacht.

De Sprekerskamer was feitelijk geen zaal, maar een amfitheater, met plaats voor vijfhonderd mensen in dicht op elkaar staande stoelen met hoge rugleuningen. Er liepen trappen omhoog naar de muren aan de achterkant met hun gebrandschilderde ramen; slanke pilaren reikten tot het rijk bewerkte plafond. Aan de voorzijde bevond zich het toneel en daarop stond een podium. Op deze dag, een dag met een hemel die steeds donkerder werd, betrad rector Colin Jute, gehuld in zwarte toga, om elf uur in de ochtend het podium. Kaarsrecht, met een vooruitstekende kin, licht grijzend haar in een scheiding, en een bloemkooloor (hij was rugbyspeler geweest, wat deel uitmaakte van zijn persoonlijke legende). Zijn kaken stonden onheilspellend strak. Naast hem hing Piers Fawkes onderuitgezakt op zijn stoel, met over elkaar geslagen benen, zijn gezicht getekend door verscheidene lange nachten. Naast Fawkes zat een magere man van even in de veertig, met golvend bruin haar en een bril met een schildpaddenmontuur. Hij was de enige op het podium die geen toga droeg, en de enige in de hele zaal die geen donkere kleding aanhad; hij droeg een voor het seizoen geschikt lichtgroen sportjasje en een sportbroek. Hij had een dikke map bij zich. Geen politieman. Te mager en te professioneel. Een dokter? De man draaide met zijn hoofd heen en weer als een vogel, zonder een poging te doen om zijn nieuwsgierigheid te verbergen bij het zien van het tafereel: enkele honderden jongens, gewassen en ongewassen, gespierd, pubers met een perzikhuid of door de zon gebruind, een enorme verscheidenheid aan schooljongens ondanks hun identieke kledij en het geringe verschil in afkomst en milieu, die in een voor hen ongebruikelijke stilte zenuwachtig zaten te wriemelen. In de grote, halfronde ruimte, waarin het gewoonlijk gonsde van het gepraat en de plagerijtjes, was nu slechts gekuch en gefluister en het gekraak van stoelen te horen. De rector kwam naar voren om het woord te nemen. Het gefluister hield onmiddellijk op. Andrew zakte weg in zijn stoel. Hij voelde zich misselijk. Hij sloot zijn ogen en wachtte op de woorden. *Theo Ryder is gewurgd op de ochtend van negen september... Als iemand zijn aanvaller nu maar had gezien, zouden we vandaag niet in gevaar verkeren, en zou zijn moordenaar voor het gerecht worden gebracht...*

De rector hief zijn kin op en begon met het vaststellen van de voornaamste feiten: dat Theodore Ryder, een Zesdeklasser die in de Lot woonde, was gestorven in de ochtend van 9 september. Ryder bleek ziek te zijn geweest, en hij leek aan die ziekte te zijn overleden.

De gerechtsarts (de rector wees naar de man in het sportjasje) was zo vriendelijk geweest naar deze vergadering te komen. Dr Sloane... Zelfs nu ze in de rouw waren konden de vijfhonderd jongens een golf van gelach niet onderdrukken: *O, ja, Dr Sloane, Miiiauw.* Dr Sloane staarde naar de menigte, verbaasd en nieuwsgierig waarom zijn naam zo'n opschudding veroorzaakte, niet beseffend dat het voor een stelletje rijke jongetjes nogal hilarisch was dat hij dezelfde naam droeg als het beruchte Londense Sloane Square, hoewel hij geen Sloane Square-type was. Dr Sloane zou de jongens in het kort de details uit de eerste hand vertellen, daarna mochten ze vragen stellen, die de dokter zou beantwoorden. Dit was voor het eerst en, naar de rector oprecht hoopte, voor het laatst dat hij genoodzaakt was melding te maken van de dood van een leerling van deze school.

Theodore Ryder... begon de dokter. Hij tuurde door zijn bril – met dikke glazen – alsof hij in verblindende toneellampen staarde. Hij sprak nasaal, klinisch. Een medische nerd.

Theodore Ryder overleed aan pulmonaire sarcoïdose, een ziekte die wanneer ze niet wordt behandeld, de werking van de longen aantast. Wat ons in het begin verbaasde was het snelle voortschrijden van de ziekte – hij schoof zijn bril hoger op zijn neus – *omdat Theodore volgens zijn familie geen van de traditionele symptomen vertoonde die samengaan met sarcoïdose, zoals vermoeidheid. Zelfs op de avond voor zijn dood* – hier raadpleegde de dokter zijn aantekeningen – *had Theodore Ryder volgens zijn buurman in uitstekende gezondheid verkeerd.* Andrews gezicht werd rood, hij bloosde vanwege de combinatie van opluchting – het waren geen drugs! Het was geen moord! – en verlegenheid. Hij zou er alles voor geven om vandaag niet genoemd te worden. *Laat mij er alsjeblieft buiten,* smeekte hij inwendig.

'Sir?'

Er ging een hand omhoog. Andrew voelde iets als een elektrische schok in zijn rug. Wat zou deze jongen vragen? Zou het over hem gaan? De dokter keek verward in het rond.

De rector stond op, zijn toga golfde om hem heen. 'De jongens zijn aangemoedigd om vragen te stellen,' bracht hij Dr Sloane in herinnering. 'Mr Clegg-Bowra, ga uw gang.'

De jongen stond op. 'Sir, wat deed Theo op Church Hill?'

Piers Fawkes stond snel op om de plaatsnaam voor de dokter te verduidelijken. *De plek waar hij werd gevonden. Op de heuvel.*

'Ik ben patholoog, geen psychiater,' antwoordde Dr Sloane met een zalvend lachje, 'dus ik kan geen beweegreden verklaren die Theodore Ryder kan hebben gehad om naar een bepaalde plek te wandelen. Maar uit medisch oogpunt... is het misschien mogelijk een beweegreden te vinden.

Het tijdstip van overlijden heb ik vastgesteld op tussen zeven en negen uur in de ochtend. Laten we daarom aannemen dat Theodore overleed terwijl hij onderweg was naar het ontbijt. Zijn longcapaciteit was beduidend verminderd door de aanwezigheid van gezwellen, en gezwollen lymfeweefsel. Zijn longen waren verhard, konden niet uitzetten. Hij kan kortademig zijn geweest. Daarna kan hij moeite hebben gekregen met ademhalen. Hij kan ernstig van streek zijn geraakt. Toen het probleem dringend werd en vervolgens levensbedreigend, kan hij in paniek zijn geraakt. Als iets dergelijks in een ziekenhuis zou gebeuren, zouden we op dit moment spoedmaatregelen nemen, zoals het inbrengen van een slang om de patiënt te dwingen adem te halen... maar Theo was natuurlijk niet in een ziekenhuis. Dus hij deed, vermoedelijk, wat hem logisch leek – ik herhaal, vermoedelijk,' weer een detonerend en volkomen misplaatst glimlachje, 'dat wil zeggen, hij zocht hoger liggend terrein op, omdat hij een open omgeving in verband bracht met openlucht. Meer zuurstof. Die hij dringend nodig had, omdat hij, in feite, dreigde te stikken.'

Colin Jute begon zich steeds minder op zijn gemak te voelen tijdens dit wijdlopige en deprimerende antwoord. Hij had de dokter uitgenodigd om de jongens op een deskundige manier gerust te stellen, niet om hen bang te maken en zijn eigen kleurrijke uitleg eraan toe te voegen. Er werd weer een hand opgestoken. Jute sprong overeind en wees, hopend dat het geen medische vraag zou zijn.

'Dus er was geen sprake van drugs?' riep een roodharige jongen.

'We hebben getest op drugs en niets gevonden,' antwoordde de dokter met zijn nasale stem. 'Maar die vraag kan misschien beter beantwoord worden door de politie...'

De rector had genoeg van de dokter. Hij nam weer plaats op het podium. De politie, verklaarde hij met donderende stem, had een grondig onderzoek ingesteld en absoluut geen spoor gevonden van drugs, noch van wat voor misdrijf dan ook. Theodore Ryder was een natuurlijke dood gestorven. Hij bracht deze woorden op een ruzieachtige toon die duidelijk moest maken: *en ik wil geen onzin meer horen die het tegendeel beweert.* Dit dreigde niet de uitlaatklep van emoties te worden die hij had gepland; hij zou de discussie weer in goede banen leiden.

'Meer vragen,' beval de rector.

Het waren er nogal wat. Was de ziekte besmettelijk? De dokter maakte met zijn antwoord veel goed. *Absoluut niet... sarcoïdose is eigenlijk een tamelijk mysterieuze ziekte, waarvan oorzaak en ontwikkeling nog onvoldoende bekend zijn bij wetenschappers; maar één ding weten we zeker, het is niet overdraagbaar...* enzovoort. De rector snoof. Niet overdraagbaar klonk beter; autoritair, geruststellend. Iets wat de jongens aan hun ouders konden doorgeven.

Zou Theo op de campus begraven worden, kreeg hij een speciaal gedenkteken?

Nee, de ouders hadden geregeld dat hij zou worden overgebracht naar Johannesburg.

Zouden er nog meer lesdagen komen te vervallen?

Het was de bedoeling het leven van de jongens niet erger te verstoren dan noodzakelijk...

De rector ontspande zich. Veel beter. Ze waren er bijna. Hij telde de minuten tot hij kon afsluiten. Hij wees naar opgestoken handen met de zwier van een talkshowpresentator, begon het bijna leuk te vinden. Tot hij de magere jongen achterin aanwees.

'Het klinkt als tuberculose,' riep de jongen.

Het was geen vraag; het was een handgranaat. De zaal verstijfde. De rector blies zich op als een brulkikker. *Het... Jij...* stamelde hij.

Nu was de dokter aan de beurt om de rector te hulp te komen. Tuberculose, zei hij lijzig, kwam hoogstzelden voor in Engeland. In het Clementine Churchillziekenhuis zagen ze nul gevallen per jaar... feitelijk onbekend...

'Maar Theo kwam uit Afrika. Er zijn miljoenen gevallen in Afrika,' hield de jongen koppig vol. 'Ik ben er vorige zomer geweest. Het was verboden om in het openbaar te spuwen.'

Een nerveus gemompel ging door de menigte. *Theodore Ryder had geen tuberculose. Dat hebben jullie zojuist gehoord van de gerechtsarts. Mr Ross-Collins, we gaan niet verder op deze vraag in,* bulderde de rector. Hij duwde de dokter bijna met zijn heup terug naar zijn stoel. Ging over op zaken van huishoudelijke aard. De school zou de familie een krans sturen en uit naam van Theo een schenking doen aan een liefdadig doel. Morgen zouden de lessen worden hervat. Mr Moreton zou morgen met een groep naar *Hairspray* gaan, dat werd opgevoerd in West End. Aanmelden bij Classics Schools. *Bedankt voor jullie aanwezigheid. Jullie kunnen gaan.*

Toen de leerlingen buitenkwamen vielen de eerste dikke druppels van de dag als stenen uit de hemel, ze ranselden de hoedranden van de jongens toen ze de promenade bij de Sprekerskamer op liepen. Het gonsde vanwege de vreemde vergadering en de provocerende laatste woordenwisseling. Nog voor de eerste jongens vijftig meter hadden afgelegd kwamen de druppels snel, hard en zwaar naar beneden, de Hill bestokend als artilleriegeschut. De jongens verspreidden zich, ze hielden hun hoeden en hun schriften boven hun hoofd en renden naar hun huizen. Andrew bleef achter, schuilend in de portiek van een souterrain. Maar de regen hield niet op. Het water kwam met bakken naar beneden. Ten slotte waagde hij het erop, alleen, dwars door de zondvloed, om eindelijk drijfnat bij de Lot aan te komen. De hal van het huis was stampvol. Jongens stonden in groepjes bij elkaar, stomend in de warmte, en voerden heftige debatten over de gebeurtenissen tijdens de vergadering. Stemmen verhieven zich en ratelden; ogen gingen onzeker heen en weer alsof ze verwachtten dat er iemand door de deur naar binnen zou komen stuiven met meer nieuws. Hoewel ze het niet duidelijk onder woorden konden brengen hadden ze het allemaal gevoeld: *Niemand, zelfs de rector niet, had de verklaring van de dokter zien aankomen. Longcapaciteit? Stikken?* Huiverend veegden ze de regendruppels van hun gezicht.

Toen hij Andrew binnen zag komen zweeg Vaz, en de jongens die om hem heen stonden volgden zijn voorbeeld. Andrew bleef staan, Vaz' doordringende zwarte ogen doorboorden hem. Andrew had zich triomfantelijk moeten voelen. *Zie je wel? Ik zei toch dat het geen drugs waren! Ik zei toch dat het niet door mij kwam!* Maar het deed er niet toe, besefte hij nu. In de ogen van Vaz was hij uitschot. Een schichtige, nerveuze drugsdealer. Andrews verleden was aan het licht gekomen en daar werd hij nu op afgerekend. Hij hoorde niet op Harrow, vertelden die ogen hem. Hij was ongewenst. Een indringer.

Toen keek Vaz een andere kant op, en de overige aanwezigen ook. Iets achter Andrew trok hun aandacht.

Andrew draaide zich om en hij zag wat zij zagen: Piers Fawkes, met een vochtige regenjas aan, hij zag er niet al te vrolijk uit. Hij bracht twee forse volwassenen mee de hal in. Een man als een beer, met een gerimpeld, te bruin gezicht in een zwarte regenjas. Een vrouw met door de zon gebleekt haar, dat zorgvuldig gekapt was maar nat geworden van dit weer. Iets in het gezicht van de vrouw kwam hem griezelig bekend voor. Een scherpe neus en diepliggende ogen. Theo's ogen.

De twee groepen staarden elkaar een moment lang aan. Een voor een begrepen de jongens de aanwijzingen:

Beide volwassenen waren in het zwart – zwarte regenjassen, zwart pak, zwarte jurk.

De vrouw zag er duur uit maar ze droeg geen sieraden.

Verdriet overschaduwde hun gezichten. Hun ogen waren waterig. Hun voorhoofden diep gefronst. Wanneer je naar hen keek kreeg je de indruk dat de leukste grap, het spannendste avontuur, geen greintje vreugde bij hen kon losmaken, ook al probeerde je het wekenlang.

En er was nog iets. Het kwam in golven op de jongens af toen het tweetal hen aanstaarde.

Verbittering. Afgunst. Wrok ten opzichte van de levenden. Ze hadden duidelijk niet verwacht zo'n menigte te zien, en de gevoelens straalden van hen af. Warm bloed stroomde door de aderen van al deze jongens... terwijl hun zoon Theo in een vrieslade lag in een of ander uitvaartcentrum in Londen.

De jongens gingen en masse een paar stappen achteruit. Fawkes beduidde dat het echtpaar in de richting van de trap moest lopen. Ze waren op weg naar Theo's kamer om zijn bezittingen op te halen. Maar de impasse duurde voort. De heer en mevrouw Ryder bleven als aan de grond genageld staan bij het zien van al deze geüniformeerde kopieën van hun zoon.

Rhys Davies verbrak de ban. Met grote stappen liep hij de hal door, en daarna stak hij zijn hand uit, eerst naar Mr Ryder, daarna naar Mrs Ryder.

'Theo was de beste van ons allemaal,' zei hij.

Stuk voor stuk, en daarna in groepjes, volgden alle jongens, van Zesdeklasser tot de kleinste Shell, Rhys' voorbeeld. Ze liepen naar het treurende echtpaar en gaven hun een hand. Ze condoleerden hen of ze glimlachten alleen even kort en meelevend, om vervolgens door te lopen. Fawkes sloeg hen gade, verrast maar dankbaar. De ouders glimlachten, voor zover ze het konden opbrengen. Ze drukten handen, ze mompelden beleefd en ze knikten. De vader was een grote, zonverbrande gorilla, met pluizig blond haar en dikke lippen, en tot hun verbazing was hij het, niet de moeder, die begon te snotteren. Hij was te overweldigd en te beleefd om te stoppen en een zakdoek te zoeken, dus hij bleef handen schudden en knikken en dankjewel zeggen tegen de jongens terwijl de tranen over zijn gezicht stroomden.

Matron deed een poosje later Andrews deur open, snuivend als gebruikelijk.

'Ik heb je gezocht,' zei ze. 'Dit is voor je bezorgd. Van de dochter van Sir Alan Vine.'

Haar azijnzure toon liet er geen twijfel over bestaan dat ze zich afvroeg wat Andrew te maken kon hebben met de dochter van Sir Alan Vine. Ze stak hem een kleine paarse envelop toe.

Andrew Taylor, stond erop in een meisjesachtig handschrift, met blauwe inkt. Matron trok zich terug. Hij scheurde de envelop open.

Andrew,
Haal me morgen na het avondeten op bij Headland, dan gaan we Piers verrassen met zijn nieuwe Byron.
Persephone

P.S. Leer alsjeblieft voor die tijd acteren, als je kunt.
P.P.S. Gecondoleerd met je vriend.

Onwillekeurig verscheen zijn scheve lachje om zijn mond. Dat kan er nog wel bij, dacht hij. Nog meer drama.

4

Een toneelstuk over een rups

Die verdomde Jute.

Piers Fawkes stampte zijn eigen huis binnen, een wervelwind van regen en iepenbladeren dwarrelde met hem mee. Zijn handen trilden, hij was woedend en hij snakte naar alcohol.

Dat hij het geouwehoer van die man moest verdragen. Tenslotte was hij, Fawkes, het geweest die in de ambulance was meegereden naar het mortuarium, waarbij de brancard waar de lijkzak op lag bij elke bocht tegen zijn knieën stootte. Hij was het geweest die het lichaam had vergezeld tot in de kerkers van het ziekenhuis (en die vervolgens de deur uit was gerend en een kilometer had gelopen tot hij bij het eerste het beste hotel in de voorstad kwam – dat gelukkig over een bar beschikte – om twee glazen bier achterover te slaan en talloze sigaretten weg te paffen in een poging het beeld weg te spoelen van die roestvrijstalen tafels, ze leken op bovenmaatse aanrechten, dacht hij onwillekeurig, gemaakt om vloeistoffen weg te laten lopen). Na de lijkschouwing was hij degene geweest die de overlijdensakte had ondertekend. Hij had alles gedaan wat is vereist van een huismeester, een alleenstaande man die de plaats inneemt van de ouders, plotseling veranderd van verzorger van tachtig jongens in een Factotum van de Dood voor één van hen.

En na dit alles had de rector, vanwege die belachelijke vergadering, het lef hem uit te kafferen. Heel erg. Een uur lang. Zich op hem af te reageren.

Was het echt Fawkes' idee geweest om de dokter uit te nodigen? Eerlijk gezegd herinnerde hij het zich niet eens meer. (*Laat ze het zelf horen.* Had hij dat gezegd, of Jute?) Maar Jute gaf hem de schuld. *De jongens hebben respect voor* autoriteit, had Jute ijsberend gebulderd, *ze hebben respect voor* streng optreden. (*En waarom zou ik respect voor jou hebben,* had Fawkes gedacht, *als je mij ervoor laat opdraaien terwijl je weet dat ik deze baan nodig heb, weet dat ik niet kan reageren. Wat ben jij voor een leider?*) *Wat ze willen,* was Jute verdergegaan (nu als expert die weet wat de leerlingen willen), *is doorgaan met hun kinderachtige spelletjes, maar ze moeten iemand hebben die hun duidelijk maakt waar de grens is. Jíj* (hij had zelfs naar Fawkes gewezen) *bent afstandelijk. Niet* betrokken. *Je wordt niet* gerespecteerd. *In een crisis ben jij de verkeerde man, en God mag weten* – eindelijk kwam Jute eraan toe, eindelijk de doodssteek – *of een betere man die om te beginnen niet had kunnen voorkomen.*

Toen het zover gekomen was had Fawkes zijn vuisten gebald en gesnauwd: *Ik denk dat dit het eind is van ons gesprek,* voor hij de kamer uit was gestormd, het smerige weer tegemoet, in zichzelf grommend en snauwend als een gewonde hond, tot hij de flauw brandende lantaarns bij de Lot bereikte.

Fawkes rukte zijn gekreukte zwarte toga van zijn lijf en smeet hem over een stoel. Daarna begon hij in zijn bureau te rommelen om een sigaret te zoeken. Hij had het helemaal gehad, hij kapte ermee. Laat ze maar proberen op korte termijn iemand anders in zijn plaats te vinden. Hij zou ervoor zorgen dat zijn ontslagname in de publiciteit kwam. Als dichter was hij nog niet zo in de vergetelheid geraakt dat een of andere journalist er niet op zou springen. WHITESTONE-WINNAAR STAPT OP. Dat klonk goed. Hij stak de sigaret op en inhaleerde diep. De nicotine activeerde zijn hersens, wat gepaard ging met een aantal ontnuchterende en waarschijnlijk zeer juiste inzichten: dat dit kinderlijke fantasieën waren en dat ontslag nemen precies was wat Jute wilde dat hij deed.

Fawkes wist dat hij niet de eerste keuze van de school was geweest als huismeester van de Lot. Aanvankelijk was hem slechts de positie van leraar Engels aangeboden. Maar toen volgde de opdracht voor het toneelstuk over Byron, wat Fawkes een vleugje prestige gaf. Daarna trok de topkandidaat zich terug (de echtgenote van de man kreeg borstkanker); een andere kandidaat nam een aanbod van de concurrentie aan; twee assistenten werden te jong bevonden; en de zomer liep ten einde. Iemand stelde voor om Fawkes te nemen. Hij had de juiste leeftijd; hij was toch al op zoek naar een flat in de buurt; hij beschikte over het nodige charisma. Fawkes beschouwde zich niet als een toezichthouder, maar zijn inkomen was in elk geval gegarandeerd. Hij was ervan overtuigd dat Matron en de assistent-huismeester, Arnold Macrae, het zware werk zouden opknappen; hij zou nog steeds tijd hebben om te schrijven. Hij voelde zich gevleid, vereerd, en eerlijk gezegd was het een tijd geleden dat hij zo veel aandacht had gekregen. Niemand die, in de roes van wederzijdse vleierij die gepaard gaat met een sollicitatieprocedure – zeker wanneer het om een laatste wanhopige poging gaat – erbij stilstond dat Fawkes nooit voor iets anders verantwoordelijk was geweest dan voor het schrijven van honderd dichtregels per dag. Hij had nooit een echte baan gehad, zelfs nooit een salaris gekregen. Hij was jong gescheiden, dus hij had nooit voor kinderen gezorgd, en hij was een zware drinker.

Fawkes had geprobeerd om in de rol te kruipen. Hij werd echter overvallen door doffe paniek toen hij werd geconfronteerd met de saaie en, zoals hij al snel besefte, onophoudelijke eisen die het werk aan hem stelde. Dagelijks kreeg hij honderden e-mails binnen. Ouders die informeerden naar een laag cijfer; naar een verkoudheid van hun kind; naar de duur van de opknapbeurt van de squashruimte omdat hun zoon moest kunnen oefenen; naar een knieblessure, opgelopen bij het voetballen; naar pesterijtjes en scheldnamen en ga zo maar door, een hele dag lang. Het bleek dat de jongens allemaal amateurbrandstichters waren, of hackers, of dat ze zich met pornografie bezighielden. Hij zag zich gedwongen om middernacht de kamers langs te gaan, computers uit te zetten en een eind te maken aan gemene grappen. Zijn schema, waarbij hij om vijf uur 's ochtends begon te schrijven, raakte er totaal door in de war. Hij begon steeds meer aan Macrae te delegeren. Hij gebruikte zijn opdracht voor het stuk als excuus om meer te schrijven en minder werk als huismeester te doen. Toch had het hem pijnlijk getroffen toen hij ontdekte – via een jongere collega die er, terwijl hij zijn eigen angsten opbiechtte, in zijn naïviteit van alles tegen Fawkes had uitgeflapt – dat hij niet populair was. Gehaat door Matron. Veracht door Macrae. Beschouwd als een zuiplap en een mislukkeling door de andere huismeesters, die hun taken serieus opvatten. Hun afkeer werd nog aangewakkerd door hun (onterechte) veronderstelling dat Fawkes niet ontslagen kon worden, dankzij de opdracht voor het schrijven van het toneelstuk die hij had gekregen van de regenten, die schimmige, superrijke aristocraten die de investeringen en de lopende zaken van de school behartigden. Het deed er niet toe dat Fawkes de hele voorlopige opzet het liefst in de kachel wilde gooien en dat hij het manuscript aan niemand had willen laten zien, hoewel het al maanden over tijd was. Wat de geweldige Harrowschool betrof was Fawkes ijdel, slordig, incompetent, en afstandelijk. Een verkeerde keuze – die nu aan het licht kwam door de dood van een jongen.

Pech? Of slecht huismeesterschap? Volgens Fawkes deden de feiten er niet toe. Het zou op zijn hoofd neerkomen. Misschien zouden ze hem niet publiekelijk laten vallen – daar was Jute te geslepen voor; dan zou hij toegeven dat de school een fout had gemaakt – maar Fawkes zou belasterd worden, geminacht. Ze zouden hem de schuld geven.

Nijdig drukte Fawkes zijn sigaret uit. Hij zóú weggaan. Hij zou de metro naar Londen nemen. Contact opnemen met zijn oude vrienden, de filmmakers en schilders en uitgevers en schrijvers, de mensen voor wie hij destijds naar Londen was gekomen. Hij zou stomdronken worden – bier, sigaretten, pubs, clubs – en zich mee uit eten laten nemen om verhalen te kunnen vertellen over de Hill, het Jurassic Park van de Britse aristocratie. Gewoon wegwandelen, een tijdlang alles met een creditkaart betalen en zich later pas bezighouden met de consequenties. Ja. Hij haalde diep adem, tevreden. Het was de juiste beslissing. Hij voelde zich euforisch, alsof hij in een bedompte kamer opgesloten had gezeten en iemand zojuist de ramen open had gegooid. Eindelijk zuurstof. Hij sprong op om zijn overjas te pakken. Griste zijn sleutels van tafel. Voelde in zijn broekzak – portefeuille, een paar bankbiljetten. Hij was er helemaal klaar voor. Vrijheid was nog slechts een kwestie van seconden.

Op dat moment werd er aangebeld.

Twee bleke gezichten. Het schijnsel van de portieklamp vertekende hun gelaatstrekken; ze leken half stoffelijk vanuit een andere dimensie naar hem te turen. Fawkes voelde er veel voor om de deur voor hun neus dicht te gooien. Maar het was Persephone Vine, onder een doorweekte massa donker haar, en nog een leerling van Harrow; aan zijn lengte te zien een Zesdeklasser.

'Wat kom je doen?' snauwde hij.

'Dat is geen aardig welkom,' zei Persephone.

'Nee. Want je bent niet welkom.'

'Ik had toch gezegd dat ik langs zou komen. Ga je ons echt wegsturen in dit weer?'

Fawkes had een zwak voor het meisje. Niet alleen omdat ze mooi was, en exotisch, en verrukkelijk om te zien – nee, dat was nog zo'n neiging waar hij zich van bewust was, maar eentje die hij gelukkig onder controle kon houden. Het idee van seksuele aantrekkingskracht tussen hen was belachelijk; Fawkes had een dik achterwerk en zwembandjes en een tragikomische kijk op zijn eerdere seksuele veroveringen. Maar ze was ook grappig. Al deze tieners snakten naar aandacht. Ze keken je aan met gezichten als lege borden, wijd, open, gretig, ze wilden je zo graag dwingen hun te vertellen wie ze waren. Persephone was even erg als de anderen. Maar zij had een speciaal kenmerk: ze deed of zij en Fawkes gelijken waren. Maatjes. Het was arrogant, brutaal en – aangezien het soms ongepast samen roken en drinken inhield – tevens een enorme opluchting. Ze hadden elkaar het afgelopen voorjaar ontmoet toen ze een rol had gekregen in het stuk over Byron. Ze kwam vaak naar Fawkes' appartement om over Het Stuk te praten – of, zoals ze het vaker (en irritanter) noemde, *ons stuk* – en dan voorzag hij haar van sigaretten. Meestal duurde het niet lang voor dit onderwerp vergeten werd en ze begon door te draven over haar interpretatie van *Antonius en Cleopatra*, of over weer een hoofdstuk uit het verhaal van haar slecht bij elkaar passende ouders, en dan betrapte hij zich erop dat hij had geluisterd. Dat hij zich zelfs had geamuseerd.

'Ik wilde net iets te roken gaan halen, P,' loog hij. 'Kan dit later niet?'

'Nee.'

Persephone, duidelijk en ongelegen in een van haar koppige buien, wrong zichzelf en haar gast de gang in. Fawkes voelde dat zijn moment van vastberadenheid hem ontglipte. Zij en die stomme jongen stonden zijn ontsnapping in de weg. Hij stond op het punt dat tegen haar te zeggen.

Toen zag Fawkes het gezicht.

Eerst had hij er geen aandacht aan besteed, afgeleid door zijn gedachten. Maar nu kwam hij erop terug.

De jongen keek hem aan, natte slierten haar hingen voor zijn ogen. Hij had nog niet door dat hij werd aangestaard. Hij had lang haar, wat nog bijdroeg aan het effect, en Fawkes merkte dat hijzelf zich aan de deurpost vastgreep, om intuïtief de koude realiteit van het heden te voelen.

Persephone keek hem aan, en ze grinnikte.

'Je ziet het dus. Ha! Hebbes, Fawkesy.'

Fawkes gaf geen antwoord maar bleef staren. Eerst naar de bleke halvemaan van het gezicht van de jongen. Vervolgens zag hij de mond – rood, rond, een schaamteloze, erotische welving van de onderlip, als een rozenblaadje dat op het punt stond te vallen. En daarna de ogen. Grijs, als van een wolf. Die ogen, viel hem op – nu hij terugkeerde in de werkelijkheid, besefte dat hij naar een mens keek dat leefde en ademhaalde, geen portret en geen geestverschijning – die ogen stonden somber, angstig. Ze hadden iets onzekers. De gebruikelijke zorg van een tiener, vergezeld van een waarschuwing.

'Wie ben jij?' kon Fawkes ten slotte uitbrengen. 'Ik ben Piers Fawkes.'

'Dat weet ik. U bent mijn huismeester.'

'Je bent een Amerikaan.' Het was een verklaring. 'Wacht. De Amerikaan! O, god, jij bent degene die Theo heeft gevonden.'

De jongen verstijfde. *'Yeah,'* zei hij behoedzaam.

'Ik was van plan om bij je langs te gaan. Om te kijken hoe het met je ging. Ik voel me verschrikkelijk. Het is een afschuwelijke week geweest. Zeker voor jou.'

'Afschuwelijk,' herhaalde Persephone ongeduldig, 'maar we zijn hier voor een *auditie*.'

'Auditie?'

'Voor het stuk. Ons stuk?' hielp Persephone hem herinneren. 'Je ziet de gelijkenis met Byron toch, of niet?'

'Buitengewoon.'

'En je hebt mijn briefje gekregen? Ik wist dat ik beter geen e-mail kon sturen.'

Fawkes wierp een schuldige blik op de tijdschriften, kranten en ongeopende brieven die op een hoop op de eettafel lagen.

'Lieve hemel,' zei ze nijdig.

'Hoor eens, vrienden. Waar jullie ook voor zijn gekomen, het is een lange dag geweest. Als jullie van plan zijn om te blijven, zullen we dan maar iets drinken?'

Andrew hield een koude, geurige martini in zijn hand, terwijl hij zich afvroeg wat het protocol voorschreef bij het drinken van gin in het appartement van je huismeester wanneer je minderjarig was en op het nippertje was ontsnapt aan een lynchpartij omdat je ervan verdacht werd een drugshandelaar te zijn. Was dit... toegestaan? Blijkbaar wel. Persephone schoof haar blote voeten onder haar opgetrokken benen op de sofa, knabbelend aan het stukje citroenschil dat Fawkes met professionele vaardigheid had afgesneden, terwijl hij vanuit de keuken met hen praatte. Andrew keek het appartement rond. Het was van behoorlijke afmetingen, met een eetkamer die via openslaande deuren uitkwam op een patio, en een keukentje met zwarte en witte tegels. Maar zo rommelig dat het bijna smerig genoemd kon worden; het leek wel een kraakpand. Kranten lagen over de kussens van de bank verspreid. Op een modern, wit bureau zag hij brieven, papieren, mappen, een laptop; boeken, ondersteboven opengeslagen en met kapotte ruggen, een snoerloze telefoon (zonder oplaadstation), twee koffiekopjes, een volle asbak, een flesje Advil, een vuil bord met een vuile vork en een verfrommeld servet erbovenop. Andrew nam Fawkes eens goed op. Zijn uiterlijk bevestigde wat Andrew in de Sprekerskamer al had vermoed: Piers Fawkes had slecht geslapen. Bruine kringen omrandden zijn bloeddoorlopen ogen, zijn kleren waren gekreukt en zijn handen trilden. Er leek niet veel aanwezig onder de oppervlakte. Piers Fawkes was een compleet wrak.

'Dus jij wilt Lord Byron spelen?' vroeg Fawkes.

Andrew mompelde: 'Yeah, misschien wel.'

'Is hij altijd zo enthousiast?' vroeg Fawkes aan Persephone.

'Hij is een Amerikaan,' antwoordde ze. 'Die zijn laconiek.'
'Ik dacht dat ze vrolijk en naïef waren.'
'Ik wil de rol,' bracht Andrew naar voren, in een opwelling om voor zichzelf te spreken. 'Lijk ik echt op hem?'
'Kijk zelf maar.'
Fawkes pakte een van de beschadigde ingebonden boeken van het bureau en duwde het Andrew in zijn handen, pagina's voor hem omslaand tot hij bij de illustraties kwam. Die bestonden uit een groot aantal portretten van een jonge man met donker haar, gekleed in Regency-stijl – linnen boorden en capes. De afbeeldingen leken te mooi, en van lang geleden.
'Geloof je het nu?'
'Zie ik er echt zo uit?'
'Beklaag je je omdat je op een van de mooiste mannen lijkt die ooit geleefd hebben?' Persephone was verontwaardigd.
'Het komt in de buurt,' zei Fawkes lijzig. 'Kun je acteren?'
'Ik heb wel eens toneelgespeeld,' zei Andrew.
'Wat bedoel je met wel eens?'
'Hij heeft de schurk gespeeld in een stuk dat *The Foreigner* heet,' kwam Persephone tussenbeide. 'Ik heb het opgezocht. Owen Musser, de racistische sheriff. Klopt dat?' Andrew knikte, onder de indruk. Ze ging door: 'De rol heeft behoorlijk wat tekst. Het stuk heeft twee Obies gewonnen.'
'Niet onze productie,' voegde Andrew er haastig aan toe.
'Gecondoleerd,' zei Fawkes.
'Dus,' zei Persephone, barstend van ongeduld, 'hij lijkt op Byron. Hij kan acteren, althans hij heeft geacteerd. Vertel hem nu over ons stuk.'
'Ons stuk,' herhaalde Fawkes. 'De opdracht voor ons stuk is me gegeven door de regenten van Harrow. Ze hebben me een vrij groot bedrag gegeven – voor een dichter tenminste – om me de belangrijke rol te laten creëren die Byron in zijn tijd voor de school heeft gespeeld. Als betaalde vleier. Om verzonnen deugden onsterfelijk te maken. Byron was rijk, strijdlustig, en een seksmaniak. Maar hij heeft op Harrow gezeten. Dus we smeren wat vaseline op de lens, voegen er een zachte belichting aan toe, en maken er het omgekeerde van. Gaat

langer mee dan een brochure. En de kinderen kunnen de rollen spelen.'

'Je bent nogal scherp vanavond,' zei Persephone.

'De plot,' vervolgde Fawkes, 'is de eenvoud zelf. Byron, die in Griekenland ligt dood te gaan aan koorts, onthult eindelijk wie van zijn vele, vele seksuele partners de liefde van zijn leven was. Een soort literaire Rosebud, zoals in *Citizen Kane.* Niet eens zo slecht, eigenlijk. Daar maak ik me de minste zorgen over.'

'Waarover dan wel?' vroeg Andrew.

'Ja, wat voor zorgen?' wilde Persephone weten. Ze werd ongerust vanwege Fawkes' toon, ze ving een zweem van boosheid en afstand nemen op in alles wat hij zei: het sarcasme van een man die enkele ogenblikken geleden nog van plan was om weg te lopen. 'Waar heb je het over, Fawkesy?'

'Ik heb maar drie zorgen,' was zijn reactie. 'Het begin, het midden en het eind.' Daarna sloeg hij zijn borrel achterover.

'En, wie was het?' vroeg Andrew. 'De liefde van zijn leven, bedoel ik?'

'Ik...' Fawkes zweeg even, met een bitter lachje. 'Dat heb ik nog niet besloten.'

'Dat heb je me nooit verteld,' zei Persephone gekwetst. 'Ik dacht dat het Augusta was, zijn vlees en bloed, zijn Sieglinde.'

'Hoe kunt u niet weten hoe het afloopt?' liet Andrew zich ontglippen.

'Het komt gewoon doordat niets logisch lijkt,' riep Fawkes uit, die enthousiast leek te worden over het onderwerp. Hij stond op. 'Wil iemand nog iets drinken?' Ze bedankten en hij liep naar de keuken. Ze hoorden ijsblokjes rammelen. Andrew keek naar Persephone. Haar voorhoofd was gefronst, dit had ze niet verwacht. Andrew voelde iets van opluchting. Niet iedereen hier is volmaakt, dacht hij.

'Het gaat hierom,' vervolgde Fawkes vanuit de keuken. 'Byron was op zijn twintigste geen slechte dichter. Zijn gedichten waren niet onprettig om te lezen. Maar ze waren conventioneel. *O, weent gij luid als ik verzwak.* Ta tá, ta tá, ta tá, ta tá. Jambisch rijm, en hij maakt het zó saai. Liefde. Vrouwen. Een overdaad aan kinderlijk enthousiasme. Er was één gedicht uit zijn eerste verzameling dat eruit sprong. Maar hij haalde het eruit. Hij was erg conventioneel.'

'Wat was het voor gedicht?' vroeg Andrew.

'"Voor Mary". Het ging over een hoer. Blijkbaar was hij verliefd op haar geworden. Dat was een slechte gewoonte van hem. Een voorliefde om lichtekooien te redden. Hoe ging het ook weer? *And smile to think how oft were done, What prudes declare a sin to act is.* (*En glimlach bij de gedachte hoe vaak werd gedaan, Wat preutse mensen een zondige handeling noemen.*) Hij nam een slok uit zijn glas. '*A sin to act is.* Een mix van metrische anticlimax en een gore grap. Dát is de auteur van *Don Juan*, die zichzelf uitlacht omdat hij verliefd is. Dat is volwassen. Sorry, vrienden, maar zo is het. En hij verscheurde het.' Fawkes trok zijn neus op. 'Als hij op zijn twintigste zou zijn overleden zou niemand het verschil hebben geweten tussen Lord Byron en honderd andere onbelangrijke dichters.'

'Wat is er dan gebeurd? Hoe heeft hij zich verbeterd?' drong Andrew aan. Hij nipte nu vrijuit van zijn drankje. In de mist van Fawkes' sigarettenrook en met zijn hoofd gonzend van de alcohol, begon Andrew zich voor het eerst sinds hij hier was gekomen op zijn gemak te voelen. Als hij de tijd had genomen om erover na te denken, zou hij beseft hebben dat hij zich hier meer thuis voelde dan thuis. Maar op dit moment was hij zich er alleen van bewust dat er enthousiasme in zijn borst opwelde.

'Goede vraag,' zei Fawkes, met zijn sigaret in Andrews richting gebarend. 'Mensen zoeken naar het geheim van Shakespeare – hoe een onbelangrijke middenklassefiguur uit Stratford geweldige toneelstukken kon schrijven. Byrons verhaal is veel onwaarschijnlijker. Op zijn twintigste schrijft hij kinderachtige, sentimentele poëzie. Dan... om de een of andere reden, vlucht hij uit Engeland. Niemand weet waarom precies. *Ik zal nooit in Engeland wonen als ik het kan vermijden. Waarom – dat moet geheim blijven.* Hij onderneemt een lange zeereis. Dan, een paar maanden later, op de avond van Halloween, in Epirus, Griekenland, begint hij aan een gedicht. In strofen à la Spencer, nota bene. Wat plotseling... een meesterwerk blijkt. Episch. Rijk. Volwassen. Het Byronisch is uitgevonden, met alles erop en eraan. De jonge man, een tobber, een gedoemde die een last van onbeschrijflijke zonden torst, is beroemd, van de ene dag op de andere. Een genie,' zei Fawkes twijfelend, 'van de ene dag op de andere.'

Andrew en Persephone keken elkaar aan. 'Is dat dan niet goed?' vroeg Andrew.

'Het is niet verkeerd. Maar het is onmogelijk!' viel Fawkes uit. 'Je bent een wonderkind met talent, of je verdient dat talent door lang en hard te werken. Je krijgt geen vleugels in een paar maanden. Dichters,' verklaarde hij, 'zijn geen rupsen.'

Hij was uitgeraasd en zijn sigaret was op. Fawkes stond op en haalde een nieuw pakje, dat hij tegen zijn handpalm tikte. Persephone zakte onderuit alsof ze een zwaar verlies had geleden. Nu was het aan Andrew om het gesprek voort te zetten. Hij greep die kans gretig aan, hij had het gevoel dat hij in geen dagen had gesproken. 'Was ú een wonderkind?' vroeg hij.

'Ik?' zei Fawkes verrast.

'Yeah.'

'Piers heeft op zijn negenentwintigste de Whitestoneprijs gewonnen,' bracht Persephone naar voren. 'Hij was het enfant terrible van de Engelse poëzie.'

'Let op de verleden tijd.'

'Bent u nog steeds beroemd?'

'Als je het moet vragen,' zei Fawkes wrang, 'dan weet je het antwoord al.'

'Waarom komt u niet meer vooruit?'

Fawkes keek Andrew vluchtig aan. 'Ik kan niet schrijven over van wie Byron hield, of waar hij om gaf, als ik niet eens weet wie hij is. Ik kan geen stuk schrijven over een rups.' Driftig scheurde hij het cellofaan van het pakje sigaretten.

'Sorry. Ik heb u beledigd,' zei Andrew.

'En wat weet jij over Byron?' wilde Fawkes weten.

'Ik? Eh, niets.'

'Ooit iets van hem gelezen?'

'Nee.'

'Ik neem aan dat jullie in Amerika niets anders lezen dan Walt Whitman?' zei Persephone.

'Robert Frost, in bloemlezingen,' was Andrews reactie.

Fawkes graaide een ander ingebonden boek van zijn bureau. Hij bladerde het snel door, de sigaret bungelde tussen zijn lippen en dreigde de bladzijden in brand te zetten. Daarna stak hij Andrew het boek toe.

'Lees dat,' zei Fawkes. Hij wees een gedicht aan. 'Hardop.'

Andrew was verbijsterd. 'Wat, nu?'

Fawkes liet zich naast Persephone op de bank ploffen en hij keek Andrew afwachtend aan.

'Natuurlijk nu. Je kwam toch auditie doen, of niet?'

'Yeah, maar u lijkt wel gek.'

'Niet gek. Kwaad. Ik ben ook kwaad. Ik ben al kwaad sinds mijn veertiende. Het is mijn handelsmerk. Ik schrijf er veel gedichten over. Maar ik ben niet kwaad op jóú. Ik wil je dit gedicht horen voorlezen. Het zou wel eens het hoogtepunt van een werkelijk afschuwelijke dag kunnen zijn. En tussen twee haakjes, jij bent degene die kwaad zou moeten zijn. *Mad, bad and dangerous to know!*' Fawkes en Persephone zeiden het laatste deel tegelijk, lachend. Daarna bleven ze afwachtend zitten.

'Ahum,' begon Andrew.

Hij probeerde te beginnen met lezen terwijl hij op de bank zat, maar Persephone zei dat hij moest opstaan. Daarna duwde ze hem naar het midden van de kamer en daar bleef hij staan, het boek vasthoudend als een eersteklasser die tijdens een bijeenkomst een gedicht moet opzeggen. Andrew voelde zich belachelijk.

Het boek, *Selected Poetry of Lord Byron*, had een groen omslag en rook of het uit een bak met goedkope aanbiedingen kwam. Zijn ogen vlogen over de regels. Dit was geen romantische onzin over bomen en bergen en schimmige verschijningen. Het was iets anders. Hij keek op. Dezelfde twee gezichten. Fawkes die zich afwisselend te goed deed aan zijn Silk Cut en zijn martini. Persephone zonder die uitgeputte blik, ze leek voor alles open.

Hij begon.

'Ik had een droom,' zei hij plechtig.

De beide toehoorders grinnikten. Andrew kreeg een kleur.

'Gewoon lezen,' zei Fawkes. 'Met je normale stem.'

Andrew slikte. 'Ik had een droom,' begon hij opnieuw, 'die niet helemaal een droom was...'

Het gedicht begon, sonoor, gezaghebbend, levendig, als de woorden van een oorlogscorrespondent.

The bright sun was extinguished, and the stars
Did wander darkling in eternal space,
Rayless and pathless, and the icy Earth
Swung blind and blackening in the moonless air.

Het gedicht – het eerste van dit soort dat hij had gelezen: een horrorgedicht, dacht hij – groeide, regel voor regel, uit tot een steeds groter wordende en zinloze tragedie waarin gewone mensen ontdaan werden van hun menselijkheid en teruggebracht werden tot hun dierlijke zelf. Het was een beschrijving, zo te zien uit de eerste hand, van de ondergang van de wereld; een terugval van een grazige, vruchtbare leefomgeving naar een kale, stenige rots. Een schokkende en plotselinge ommekeer van leven als geschiedenis en biografie naar leven als astronomie – vulkanen en duisternis en zwoegen om te eten en te overleven. *Er was geen liefde over,* las hij. En tegen de tijd dat hij aan het eind kwam – *de golven waren dood* – voelde hij dat hij heen en weer wiegde, gehypnotiseerd door het ritme – *de winden kwijnden weg in de stilstaande lucht* – duizelig omdat hij geen adempauze had genomen en getroffen door het geweld van het gedicht. Hij hief zijn ogen op, bijna verbaasd het schemerig verlichte appartement te zien en niet het woeste landschap uit het gedicht. Het werd besloten met *Duisternis had hen niet nodig* en hij sprak de laatste woorden uit, zonder dat hij het eigenlijk wilde, terwijl hij in Persephones ogen staarde:
'*... Zij was het Universum.*'
Persephones gezicht was bleek geworden. Fawkes rookte, er hing een askegel aan zijn sigaret. Had hij het verknald? Te snel gelezen? Onverstaanbaar? Hij had een of twee keer onduidelijk gesproken – hij was gewend aan bier uit blikjes, niet aan pure sterkedrank – en hij vervloekte zichzelf omdat hij de borrel had aangenomen. Woede en verlegenheid verstikten hem.

Fawkes wist dat hij zich later zou opwinden omdat hij door een snotneus als afgedaan was beschouwd. De boosheid werd niet zozeer veroorzaakt door de brutaliteit van de jongen (die door Fawkes in principe wel werd gewaardeerd) maar door het feit dat hij zelf zo doorzichtig was. Dat een tiener, letterlijk, van de straat kon komen binnenwandelen en hem, na een paar ondoordachte opmerkingen, met gemak kon ontleden. Middelmatig. Vastgelopen. Allemaal waar. En niet schrijven – of niet goed schrijven – trof hem veel meer dan tekortschieten in zijn baan. *Fuck* Jute, dacht hij voor de elfde keer die dag, maar deze keer anders, minachtend, niet kwaad – vergeleken met een writer's block stelde Jute niets voor. Rotzooi produceren en weten dat het rotzooi is en niet in staat zijn jezelf te dwingen kwaliteit te produceren. Voor Fawkes was poëzie altijd zijn privéschatkamer geweest, de geheime voorraad in het midden van het kasteel, waar je zocht en zocht en eindelijk het goud vond. Het zuivere metaal van ondeelbare waarde: het heldere, absolute, oprechte veroveren van een ervaring, zo goed, zo midden in de roos – een stukje dialoog, een vergelijking, een beeld – dat het je bijna deed denken aan de dood, zoals een sentimentele foto dat doet, de klok stilzetten om je duidelijk te maken hoe genadeloos snel de tijd voorbijgaat. Maar het stuk over Byron – stagneerde. Tot dit moment. Tot hij Andrew had gezien. Het was bijna vals spelen. Iemand had de dvd van de Byron-documentaire aangezet, om Fawkes naar de echte man (jongen) te laten kijken die op Harrow werd gevolgd door een trillende videocamera. Fawkes luisterde – *their feeble breath blew for a little life and made a flame* – en voelde dat hij zelf de trappen van het kasteel betrad, koud, onzeker, maar met ingehouden adem. Hij wist nu zeker, met deze eigenaardige chagrijnige Amerikaan voor hem, dat hij die gouden gloed onder een deur door zag schijnen; hij was ervan overtuigd dat hij de schatkamer had gevonden.

Een moment verstreek, een lang moment. Andrew bleef staan, blozend.

Fawkes keerde terug naar de werkelijkheid. Hij had niet echt goed opgelet. Maar waarschijnlijk was het een goed teken dat het voorlezen van de jongen hem de weg had laten inslaan van – wat? Dagdromen? Verdomme, waarom ook niet, dacht hij.

'Kun je mank lopen?' vroeg hij. De twee studenten keken hem verbaasd aan. 'Byron had een klompvoet,' verduidelijkte hij. 'Als je mank kunt lopen heb je de rol.'

Ze begonnen te lachen. Andrew begon zwaar overdreven het appartement rond te hinken.

'Goed. Goed. Je speelt geen zeerover. Je hebt de rol van George Gordon Byron, de zesde Lord Byron, auteur van *Childe Harold*, *Don Juan*, en veel mislukte huwelijken. Die zeker, ergens, op een bepaald moment, verliefd werd op iemand die hij nooit zou vergeten.'

5

De badkuip op pootjes

'Weet je wat er mis is met deze school?'

'Nee, Roddy, vertel het maar.'

Andrew had het gevoel dat dit heel vaak gebeurd was. Bij elkaar komen op iemands kamer wanneer het huiswerk je te veel werd. Snoepen. Kostbare uren verspillen om Roddy te treiteren. En hem vervolgens uitlachen.

Rhys, de huisoudste, zat op zijn bed, met op zijn schoot een biologiegrafiek waar hij niets mee deed. Roddy was langsgekomen om jam te lenen. Henry had zijn hoofd om de hoek gestoken. Andrew was voorbij geslenterd. Oliver had hun stemmen gehoord. Voor Rhys het kon verhinderen hadden ze zich op zijn meubilair geïnstalleerd, een groep jongens in witte overhemden en zwarte dassen.

'Nou, waar zal ik beginnen... Het feit dat hij überhaupt bestaat?' zei Henry.

Andrew dwong zich tot een lachje. Henry's humor leek te zijn blijven steken in de zesde klas. Hij had waterige, onzekere ogen en was zo nerveus als een muis in een slangenkuil.

'Niemand lacht,' verklaarde Roddy. 'Toen ik jong was lachten we veel, echt lachen. Mijn vrienden en ik pisten in onze broek van het lachen.'

Hij bulderde van het lachen, alleen al door eraan terug te denken. Rhys, Oliver en Henry keken elkaar aan, ze wisten wat er ging komen. Rhys begon te grinniken. *Daar gaat hij weer.*

'Om de stomste dingen,' ging Roddy door. 'Om niks! Mijn vrienden en ik maakten liedjes. Helemaal te gek. We maakten geintjes over het personeel. Jullie denken dat onze Matron dik is. Déze Matron was pas dik.' Hij blies zijn wangen op als een ballon. Zijn toehoorders grinnikten. 'Ik bedoel, walgelijk dik. En de schoonmaaksters waren buitenlanders en ze stonken. Hoe kun je schoonmaken en zo stinken? Ik bedoel, ze stonken erger dan de toiletten die ze schoonmaakten! Je treft de badkamer smerig aan en je laat die stinkend achter? Ik weet niet wat het waren, die werksters. Roemeensen? Gore zigeunerinnen. De immigratie in dit land...'

'Je dwaalt af,' riep Rhys.

'Je zei hoe jullie vroeger lachten,' hielp Andrew hem herinneren.

'Klopt. Klopt,' zei Roddy. 'We pisten in onze broek van het lachen. En toen kwam ik hier. Dat was een van de eerste dingen die me opvielen aan deze school.'

'De schoolse ernst ervan,' merkte Oliver op.

'De academische plechtstatigheid,' verklaarde Rhys.

'O, ja, deze tent is echt serieus,' kwam de zwakke echo van Henry.

'Niemand lacht,' bulderde Roddy. 'Niet zo. Niet zoals wij. Alleen maar lachen om te lachen. Huilen van het lachen. Ik kwam hier en toen hield ik er eenvoudigweg mee op.' Roddy zweeg, verzonken in herinneringen. De andere jongens keken naar hem. Opeens kon Andrew zich een kleinere, dikke Roddy voorstellen, eenzaam en zwaar gepest door oudere kinderen, die nu blindelings zijn toevlucht zocht bij deze groep – Rhys, Henry, Oliver; een houvast; een ander stel. 'Deze school,' zei Roddy ten slotte somber, 'heeft me mijn lach afgenomen.'

Even bleef het stil, daarna begonnen ze spottend te lachen.

'Ga weg.'

'Wat een loser.'

'Watje.' Iemand gooide een potlood naar hem.

'Nu is het genoeg, iedereen eruit. Ik moet werken,' kondigde Rhys aan.

Ze gingen gezamenlijk de kamer uit en de gang op.

'Andrew, kan ik je even spreken?' zei Roddy.

Roddy's kamer getuigde van zijn weinige maar serieuze hobby's: een zwarte sporttas voor racquetball (een duistere sport waar Andrew nog nooit van had gehoord – iets wat het midden hield tussen tennis en squash, gokte hij), stripboeken en een geheime bergplaats voor eten. Terwijl Andrew aarzelend bleef staan haalde Roddy een brood in een plastic zak tevoorschijn.

'Let op,' beval hij. Hij sloot zijn lippen om de opening van de zak en zoog de lucht eruit, daarna liet hij de zak een paar maal ronddraaien en knoopte hem dicht. Triomfantelijk keek hij Andrew aan. 'Mijn techniek. Houdt het brood vijf dagen vers.'

'Is dat... is dat waar je over wilde praten?'

'Ik hoor dat je meespeelt in het toneelstuk van Fawkes.' Er lag iets beschuldigends in zijn toon.

'Yeah.'

'Je moet je niet met Fawkes inlaten, man. Je hebt al een slechte naam.'

'Als wat?'

'Als drugsdealer, om maar iets te noemen. Nu zeggen ze dat je gestoord bent. Nadat je Theo hebt gevonden. Maar ik sta aan jouw kant. Ik zeg: "Andrew is een rare. Dat staat vast. Ik bedoel, hij is verdomd vreemd,"' bulderde Roddy, '"maar hij is geen junkie. En hij is niet erger gestoord dan ik." Nou, eigenlijk heel wat erger...'

'Je wordt bedankt, Roddy.'

'Maar als je je aansluit bij Fawkes, de meest verachte man op de Hill... dan weet zelfs ik niet of ik je nog kan helpen.'

'Wacht even, waarom is hij de meest verachte man op de Hill?'

'Je wilt me toch niet vertellen dat je Fawkes áárdig vindt?'

'Hij is intelligent,' voerde Andrew aan. 'Hij is ontwikkeld.'

'Hij is een pornograaf. Heb je zijn zogenaamde gedichten gelezen?'

'Nee,' moest Andrew toegeven.

'Ik ook niet. Ik heb een hekel aan poëzie,' zei Roddy, als terzijde, voor hij zijn tirade voortzette. 'Fawkes begrijpt de school totáál niet. Hij gaf Henkes, in de zesde klas, een nul.' Hij wachtte tot dit goed doordrong. Andrew knipperde met zijn ogen. 'Een nul? Aan iemand van zestien? Dat doe je toch niet,' vervolgde hij. 'En dan nog zoiets, vorig jaar zat ik in het *long ducker*-team en we hebben weken getraind. Wéken. Iedere huismeester was er, om zijn huis aan te moedigen. Fawkes was nergens te bekennen. God weet waar hij uithing, dronken. Het was zó teleurstellend! Niet voor mij, natuurlijk, maar ik dacht dat een paar Removes in tranen zouden uitbarsten. Hij snapt het gewoonweg niet, man. Hij is rot. Door en door rot.'

'Hm.'

'Ik probeer je te redden, Andrew, voor het te laat is. Ik probeer je te laten zien hoe je normaal kunt zijn.'

Roddy hield nog steeds zijn rondgedraaide, vacuüm gezogen brood vast. Andrew glimlachte.

'Ik snap het. Bedankt.'

'Zeg niet dat ik je niet gewaarschuwd heb.'

Andrew staarde naar zijn schuin aflopende plafond. Het was zoiets als de knusse zolderkamer die je als klein kind wilde hebben. Elke avond filterde het oranje licht van de straatlantaarn door de bladeren van de plataan en bracht een ruitjespatroon aan op de muren. Vanavond was het tijdelijk opgehouden met regenen, een warm briesje streelde de Hill, en de jongens van de Lot speelden op de binnenplaats een geïmproviseerd balspel, bij het licht van de lampen en de straatlantaarns. Ze gingen flink tekeer, er klonk gejuich bij doelpunten en boegeroep bij missers. In de gangen beneden galmde het rumoerig; het geluid van tv's; geroep om jongere jongens die een of ander karweitje voor de ouderen moesten doen. Tientallen jaren nadat deze praktijken in naam waren afgeschaft bleven ze voortbestaan: Vaz stond voor de deur van de gemeenschappelijke zitkamer en brulde *Boy, boy, boy!* om een of andere kleine Shell erop uit te sturen om voor hem chips en bier uit zijn kast te halen. Andrew lag op zijn rug. Hij dacht aan Persephone Vine.

Een hoge, schrille kreet sneed door het andere geluid. Andrew ging rechtop zitten en hij luisterde. Er waren genoeg mensen tussen hem en welke arme Remove het ook mocht zijn die op een lagere verdieping werd getreiterd. Maar opnieuw klonk er een gil. Hij stond op. Het balspel op de binnenplaats was afgelopen. Het geluid van de tv was gestopt. Opeens voelde hij zich angstig worden, en daarbij kwam dat hij vermoedde dat zijn werkelijkheid op een onaangename manier overhoop was gehaald.

Nee, hij was gewoon gespannen. Hij had traumatische ervaringen. Hij zou de kreet negeren. Laat iemand anders zich er maar mee bezighouden.

Weer klonk de gil. Wanhopig.

Andrew liep de gang in en riep: 'Jongens?'

Geen antwoord. Maar toen kwam een jongensstem vanuit het trappenhuis omhoog gezweefd.

O god, hou op!

Andrew zette een aarzelende stap de gang in, maar daarna bleef hij staan. Was er echt niemand anders in de buurt om te helpen? Weer werd er gegild – geen woorden, alleen angst – en Andrew holde de trap af, met twee treden tegelijk.

Op de begane grond was alles rustig. Misschien had iedereen zich al naar de plek van dit noodgeval gespoed, wat het dan ook kon zijn?

Hij hoorde stemmen. Ze kwamen uit het souterrain. Hij daalde de stenen trap naar de onderste verdieping van de Lot af.

Hier waren de lichten gedoofd. Onzeker bleef hij in de gang staan. Toen zijn ogen zich hadden aangepast zag hij een zwak schijnsel bij de opening die naar de douches leidde. Hij ging de lange doucheruimte binnen. Zijn oog viel op een schaduw. Niet veel meer dan een flits, in de hoek. Daarna nog een. Een schuifelend, rennend geluid op de tegels. *Ratten.* Ze bewogen zich razendsnel in de schaduwen. Een hele familie, minstens tien. Andrew sloeg zijn hand voor zijn mond om het kokhalzen te onderdrukken.

'Trek hem zijn broek uit,' klonk een bevelende stem.

Andrew ging op het geluid af. Het kwam uit de badkamer van de prefect, rechts van hem. Het lichtschijnsel kwam daar ook vandaan. En toen hij bij de open ingang kwam zag hij de oorzaak van het gegil.

Daar, bij de badkuip op pootjes, waar de verf afbladderde, stonden drie jongens om een jongere jongen heen. Andrew herkende geen van hen, maar dit was overduidelijk een ontgroeningsritueel. De jongste jongen lag languit op de lage, metalen verhoging waar de badkuip op stond, alsof hij erop was neergesmeten, zich vastklemmend aan de rand van het bad. Zijn witte overhemd was aan de voorkant opengescheurd en plakte, evenals zijn haar, drijfnat tegen zijn lichaam. Zijn gezicht en borst vertoonden rode striemen van een worsteling. De drie oudere jongens die om hem heen stonden droegen badjassen en ze hadden handdoeken bij zich. Er was heel weinig licht, alsof sommige lampen het niet deden.

'Ga weg!' schreeuwde de jongste. Zijn stem was hoog en schril. De stem die Andrew had gehoord.

Twee van de anderen – niet de spreker – grepen de jongen bij zijn enkels en gaven een ruk. De jongen gleed naar achteren, zijn hoofd sloeg hard tegen de natte tegels. Een misselijkmakende bons.

Andrew kwam bij uit de voyeuristische verdoving die hem had getroffen.

'Waar zijn jullie mee bezig?' schreeuwde hij.

Hij vloog op hen af. Een van de jongens draaide zich om en maakte aanstalten om hem aan te vallen.

'Wie denk je wel dat je bent?' snauwde de jongen. Zonder te waarschuwen stompte hij Andrew in zijn buik en duwde hem tegen de grond. Andrew had de klap vol opgevangen. Naar lucht happend als een vis op het droge was hij gedwongen de rest van het ontgroeningsritueel aan te zien.

De twee aanvallers trokken de jongen zijn natte broek uit. Een van hen wees naar een hoek van het vertrek. Een rat, ongeveer zo groot als een kleine, donzige gymschoen, was snuffelend uit de hoek gekomen.

'Kom dan! Pst, pst, pst,' siste een van hen. Hij ging op zijn hurken zitten en hield zijn vingers boven het kruis van de jongen, alsof hij iets te eten aanbood. 'Hier is een pikkie, voor bij je thee.'

Ze grinnikten. De kleine jongen begon te wriemelen.

Intussen had de derde jongen zijn badjas laten vallen. Eronder droeg hij een handdoek, dun, wit en nat, strak om zijn billen gewikkeld. Die deed hij ook af. Nu konden Andrew en de anderen de penis van de derde jongen zien – zwaar, bungelend, niet besneden – die stijf begon te worden.

Het tweetal hield de kleine jongen tegen de vloer gedrukt. Een van hen greep zijn onderbroek en trok die in twee harde rukken van hem af. De jongen gilde weer en begon wild te schoppen, maar de oudste stond nu over hem heen, hij wreef over zijn erectie, die groeide.

'Hou hem vast,' beval hij. Daarna liep hij, zwaar ademend, naar het bad. 'Vooruit, hoer.'

Andrew kwam moeizaam overeind. Dit kon hij niet laten gebeuren. Hij probeerde zo veel mogelijk grip op de gladde vloer te krijgen en deelde in volle vaart een stomp uit. Die trof de aanrander in spe in zijn nier. Hij gaf een gil en viel. De andere twee besprongen Andrew, en een van hen gaf hem zo'n duw dat hij opnieuw op de natte vloer belandde. Deze keer lag hij op zijn rug, met twee aanvallers boven op zich. Nummer twee kwam op hem af, gereed voor een worsteling. Maar Andrew had een voordeel. Hij had nog steeds schoenen aan – zijn zware sportschoenen. Andrew schopte de jongen in zijn gezicht. Hij deinsde terug, terwijl het bloed langs zijn wang droop.

Nu was alleen de derde nog over. Hij leek de meest geharde, met zijn piekhaar, en hij ging vol zelfvertrouwen op zijn hurken zitten, met uitgestoken handen, klaar voor het gevecht. Ze grepen elkaar beet, de jongen omvatte Andrews achterhoofd en rukte er een vuistvol haar uit. Andrew gaf een gil. Daarna tastte hij naar Andrews enkel en trok Andrew onderuit. Hij viel hard op zijn rug – al weer. Hij kreunde. De jongen ging schrijlings op zijn borst zitten en haalde uit met zijn vuist. Andrew kon nog juist op tijd zijn hoofd omdraaien zodat de klap op zijn oor terechtkwam. Daarna zwakte de aanval af. Andrew schoof snel een eindje naar achteren en toen hij opkeek zag hij dat de kleinste jongen – het slachtoffer, nu bijna spiernaakt, op de flarden van zijn overhemd na die nog om zijn schouders hingen – bezig was zijn tegenstander te wurgen. Hij gebruikte de weggegooide ceintuur van diens badjas als garotte. De worstelaar greep naar zijn keel en rochelde.

'Hou op,' beval Andrew. 'Met mij is alles oké. Hou op!'

Het gezicht van de jongen was een en al woede. Hij gaf het niet op.

'In godsnaam, sukkel, hou op!'

Andrew stak zijn hand uit naar de ceintuur om de vingers van de jongen los te wringen. De roodharige aanvaller viel op de grond, kuchend en piepend. De kleine jongen wilde weer op hem af maar Andrew duwde hem achteruit.

'Hou je kalm!'

Het gezicht van de jongen was verwrongen van frustratie, boosheid, razernij. Maar er was nog iets. Andrew zweeg. Plotseling voelde hij een diepe, ondergrondse angst, als het gedreun of de trilling van een naderende trein.

'Je bent nu veilig,' zei Andrew geruststellend tegen hem. 'Alles is goed.'

De jongen keek Andrew aan en hun blikken bleven elkaar vasthouden. Andrew voelde een rilling over zijn ruggengraat lopen. Het haar van de jongen had eerst donker geleken, omdat het nat was. Nu waren er door het vechten slierten losgeraakt. Het was langer en lichter dan het eerst had geleken, bijna albinowit. De ogen waren felblauw.

Het duizelde Andrew, hij zocht een verband dat hij niet kon leggen.

De gehavende, drijfnatte jongen keek hem aan met een onderdanig glimlachje, warm en uitnodigend, hoewel zijn woede angstaanjagend was geweest.

'Je hebt me gered,' zei hij. Zijn stem beefde in een warme, puberale contratenor.

Andrew deinsde terug. 'Wie ben je?'

'Ik zal dit niet vergeten,' zei hij, terwijl hij dichterbij kwam, met zijn ogen nog steeds op die van Andrew gericht.

Andrew bleef stap voor stap achteruitlopen. *Laat hij je niet aanraken,* zei hij bij zichzelf. *Hou je ogen niet van hem af. Laat hem niet dichtbij komen.*

De jongen begon om onverklaarbare redenen zijn shirt – of wat er nog van over was – van zich af te pellen; zijn broek was hij allang kwijt. Zijn borst was glad, zijn buik gewelfd, zijn schaamhaar blond en nauwelijks zichtbaar; hij leek te gloeien in het licht, warm van de angst en de inspanning.

'Ze wilden me verkrachten,' zei hij. 'Maar jij mag je gang gaan.'

Andrews mond viel open. De bedoeling van de woorden trof hem. De lucht leek erotisch geladen. Dit was pure onderwerping. De jongen kwam dichterbij, zijn benen naakt, glad en vrouwelijk, zijn overhemd hing nog steeds aan flarden om hem heen. Hij trok de overblijfselen van elkaar, om zich aan te bieden. Onwillekeurig ging Andrew nog een stap achteruit.

Toen vingen Andrews ogen iets op. Laag, rechts van hem. Een kaars, in een doffe, metalen kandelaar. Dat was aldoor de bron van dat schemerige licht geweest.

Wacht even – een kaars?

De jongen kwam nu sneller op hem af. Andrew bleef zich terugtrekken tot zijn voet ergens tegenaan stootte. Een gerinkel van metaal op tegels. Een sissend geluid.

De kandelaar.

Het vertrek werd zwart.

'Hallo.'

Andrew merkte dat hij schor was. De lampen in het trappenhuis van de trap naar het souterrain wierpen een fluorescerende snelweg dwars door de douches. Al het overige bleef in schaduwen gehuld.

'Ben je daar?'

Langzaam kwam hij overeind. Hij stak de donkere vloer over en zocht naar de lichtschakelaar. De lampen gingen aan. Blauwachtig, fluorescerend, flikkerend.

Verchroomde douchekoppen. Zeepbakjes. De ruimte was leeg.

Andrews gedachten tuimelden over elkaar. Hij had geworsteld met echte mensen. Hij was glibberig van het zweet. Zijn rug deed verdomd veel pijn. Het zitvlak van zijn broek, zijn ellebogen, alles was nat. Maar waar waren zijn verslagen tegenstanders? Waar was de jongen met de gescheurde kleren? Stijfjes liep hij langs de douches tot hij bij de badkuip op pootjes kwam, op de betegelde verhoging.

Er stond water in het bad. Het was bruinachtig, een beetje troebel – gebruikt badwater. Het golfde heen en weer in een trage, wervelende beweging, als water dat kortgeleden in beroering gebracht was.

Andrew rolde zijn mouw op. Hij stak zijn hand in het bad en streek met zijn vingertoppen over het wateroppervlak. Het was nog steeds dampend, aangenaam warm.

6

De korte rok van Mrs Byron

Andrew zocht op de tast zijn weg in een donkere gang. Was hij op de juiste plek? Was het de juiste tijd, zelfs de juiste avond? Andrew wist nauwelijks meer welke deur waarheen leidde. Welke regels hij moest gehoorzamen. Wie hij was.

Hij duwde de deur open. Kleuren, mensen, een stomende warmte omhulden hem.

'Lord... Byron,' kondigde een stentorstem aan.

Zijn ogen pasten zich aan. De Sprekerskamer lag voor hem.

'Je bent vijftien minuten te laat,' snauwde dezelfde stem hem toe. 'Voor de eerste repetitie. Mijn god, wat een ego. Schiet op, ga zitten. Je bent niet de laatste, voor wat het waard is. Niemand, zelfs geen hoofdrolspeler, komt te laat op de repetities, is dat begrepen? Dat zijn mijn basisregels. We zullen al genoeg moeite hebben om deze productie van de grond te krijgen zonder prima donna's. Om te beginnen zou het prettig zijn om een script te hebben.'

Andrew bleef staan. De Sprekerskamer was 's avonds warmer, gezelliger. Je zag de donkere roestkleur van de verf, de vergulsels, de pilaren die oprezen als slanke bomen. Twaalf studenten zaten verspreid over de eerste rijen stoelen, voor het podium; er was iets vreemds aan dit tafereel, maar Andrew kon niet precies aangeven wat het was. Op het podium stond een kleine man van een jaar of vijfenveertig, met een modieus metalen brilletje en gel in zijn haar. Hij had hoekige, knappe gelaatstrekken, maar hij keek nijdig en in combinatie met zijn coltrui van pluizige witte wol gaf dat hem het uiterlijk van een woest lammetje.

Toen drong het tot Andrew door wat er vreemd was aan de studenten die op de stoelen hingen.

Sommigen van hen waren meisjes.

Natuurlijk. Hij had hierover tijdens de lunch iets gehoord van Hugh. *Fawkes beschouwt zichzelf als iemand die heilige huisjes omverschopt,* had Hugh hem verteld op de geaffecteerde, veelbetekenende en hatelijke manier van toneelmensen. *Fawkes heeft meisjes van het North London Collegiate opgetrommeld om de meisjesrollen te spelen in het stuk over Byron. Ze zeggen dat hij het doet om de rector te ergeren, omdat wordt aangenomen dat jongens de vrouwenrollen vertolken. Dat is traditie op Harrow,* zo was Hugh trots doorgegaan. *Als het goed genoeg was voor Shakespeare zou het ook goed genoeg moeten zijn voor Piers Fawkes.* Er waren drie, vier, telde Andrew... met Persephone meegerekend vijf meisjes. Ze waren erop gekleed om niet de aandacht op zich te vestigen die ze op een jongensschool zouden krijgen – keurig maar niet opzichtig – met twee uitzonderingen. Een van hen droeg een opvallend korte bruine jurk, haar welgevormde benen waren gehuld in zwarte kousen en ze had weelderige, chocoladekleurige lokken, die in modieuze pijpenkrullen waren geborsteld. De stoel naast haar, op de eerste rij, was onbezet. Persephone zat hoger, achterin. Andrew moest glimlachen. Ze was in volledig Harrow-tenue, grijze rok, witte blouse en een zwarte das à la Annie Hall, omdat zij het enige meisje was dat dat kon. Ze had zich genesteld tussen de bleke Hugh en een stoere roodharige Zesdeklasser voor wie ze grote belangstelling leek te hebben. Haar lichaam was naar deze jongen gekeerd, van Andrew af, terwijl Andrew de ogen van alle anderen op zich gericht voelde. Hij hoorde het gemompel: de gefluisterde woorden *Byron* en *de Amerikaan*, en zachter, sissend, *Theo Ryder.* Hij probeerde haar door naar haar te kijken zover te krijgen dat ze zich omdraaide, maar ze deed het niet. Zijn glimlach vervaagde. Een wraakzuchtige hand leidde hem naar de stoel naast het meisje met de zwarte kousen en de korte rok.

Hij ging zitten en wachtte even, daarna leunde hij naar haar toe.

'Wie is die vent?' bromde hij verontwaardigd in haar oor, met een knikje naar de man op het podium.

Krullen geparfumeerd chocoladebruin haar streelden Andrews wang. *Vrouwelijk contact.* Zijn huid tintelde. Hij vroeg zich af of Persephone keek, of dat ze zo in beslag was genomen door de jongen met het rode haar dat ze hem niet zag.

'De regisseur? Dat is James Honey,' antwoordde Korte Rok fluisterend. 'Hij was jaren geleden leerling op Harrow. Hij heeft in de Royal Shakespeare Company gespeeld. Daarna acht seizoenen *Nebula* als de cyborg-aanvoerder.' Ze zweeg even. 'Hij geeft hier nu les. Wist je dat niet?'

Hij wist het niet. 'Waar wachten we op?'

'Piers Fawkes. Hij is het echte ego,' zei ze.

'O, ja?' zei Andrew aanmoedigend. Zijn avond met Fawkes wees erop dat de man veel wist over poëzie en dat hij misschien een gezond beroepsmatig ego had. Maar er was Andrew ook iets anders opgevallen: gebrek aan formaliteit; oprechtheid wat zijn werk betrof. Andrew had het wel prettig gevonden. Toch leek Fawkes wrange reacties bij mensen op te roepen. Andrew vroeg zich af waarom.

'Nou, hij hééft de Whitestone-prijs gewonnen,' zei ze minachtend.

Misschien was dat het, dacht Andrew.

'Maar voor een bundel die hij zestien jaar geleden heeft geschreven,' liet ze erop volgen. (Dit was de andere kant, veronderstelde Andrew; Fawkes was vroeger geweldig, en nu hij een terugval had voelden mensen zich geroepen hem aan te vallen.) Nadat was aangekondigd dat de rollen verdeeld zouden worden voor het stuk over Byron, hadden alle acteurs het gelezen. Zij vond er niet veel aan. Allemaal smeerlapperij.

'O ja?' zei Andrew. Hij waagde het even achterom te kijken naar Persephone. Ze zat nog steeds druk gebarend met de roodharige jongen te praten, maar haar ogen waren naar Andrew gedwaald. Een golf adrenaline liep over Andrews rug. Ze draaide haar hoofd snel van hem af.

'Scènes uit zijn seksleven,' zei Korte Rok. 'Van zijn reis door Amerika. Zijn Amerikaanse meisjes echt zo?'

'Hoe?'

'Nou, bijvoorbeeld zich in bad door een tweeling laten inzepen.'

Andrew reageerde door haar met grote ogen aan te kijken.

'Een ervan heet "Dertien manieren om een merel van achteren te pakken".'

'Wauw,' zei Andrew, in een poging zich een jongere Piers Fawkes voor te stellen als een geile sater. Dat was niet zo moeilijk.

'Hij melkt die grap met vogels helemaal uit. De meisjes hebben namen van vogels. *Roodborstje, Musje, grote witte tanden/voetjevrijen; haar geneukt tot ze piepte.*' Ze bloosde. 'Walgelijk. En racistisch.'

'Je lijkt het anders wel helemaal gelezen te hebben.'

'Tja.' Ze gooide haar hoofd in haar nek. 'Hij heeft het stuk geschreven.'

'Wie ben je?' vroeg Andrew.

Ze draaide haar hoofd om en ze keek hem aan. 'Ik ben je vrouw.'

Andrew knipperde met zijn ogen; daarna herstelde hij zich. 'Ik bedoel, in het echte leven.'

'Wat is het verschil?' Ze keek hem dramatisch aan, daarna begon ze te lachen en gooide ze haar hoofd weer achterover. Ze flirtte met hem. Dat bleef niet zonder gevolg. Andrew sloeg zijn benen over elkaar. Hij hoopte dat hij niet al te snel zou moeten opstaan om hardop te lezen. Nu was hij zich sterk bewust van de aanwezigheid van Persephone, op zijn achterhoofd beukend als een hete zon.

'Rebecca.' Ze stak hem een slanke, warme hand toe.

Hij pakte die aan. 'Andrew.'

De deur van de Sprekerskamer vloog open. Piers Fawkes hield de deur halverwege tegen, duwde hem daarna met zijn achterwerk dicht en bleef nog even staan. Hij droeg een armvol gekopieerde en geniete scripts en onder het lopen las hij de bovenste pagina's door. Honey kuchte. Fawkes keek op, keek alsof hij heel verbaasd was, wat hem gelach van de cast opleverde. Daarna stoof hij, met zijn zwarte toga achter zich aan fladderend, op de stoelen af waar de groep zat. James Honey bleef alleen op het podium. Honey wachtte tot iemand zou merken dat hij daar nog steeds stond, daarna daalde hij mopperend af naar Fawkes. De cast verdrong zich om Fawkes, ze staken hun handen uit naar de scripts, om vervolgens weer te gaan zitten en zich in de pagina's te verdiepen.

'Bewaar je er een voor mij, Piers,' bulderde Honey. 'Ik ben de regisseur maar.'

Rebecca had zich een weg gebaand tot bij het podium en ze kwam terug met twee scripts, een voor haar en een voor Andrew. Andrew zag Persephone voorbijlopen zonder hem een blik waardig te keuren.

Het viel Rebecca op. 'Ken je Persephone Vine?' vroeg ze zachtjes.

'Eh, yeah.'

'Hm,' gaf Rebecca preuts te kennen. 'Ze kent veel jongens.'

Een deel van Andrew verschrompelde, wat ongetwijfeld de bedoeling was geweest. Hij zag Persephone babbelen met de roodharige jongen, die met haar naar voren was gelopen.

'Ik weet dat haar vader hier lesgeeft,' vervolgde Rebecca. 'Maar het lijkt ironisch. Dat juist zij op een school zit die uitsluitend voor *jongens* is bedoeld.' Deze woorden werden luider uitgesproken dan nodig was. Persephone stond twee meter bij haar vandaan; haar antenne ving het op. Rebecca sprak de rest van haar opmerkingen vlak bij Andrews oor uit. Haar gefluister kietelde zijn zenuwen en hij probeerde niet genietend heen en weer te wiebelen. 'Ze is met half Londen naar bed geweest,' siste ze. 'Haar bijnaam is Stampertje. Zoals het konijn.' Rebecca trok haar hoofd terug, op haar gezicht stond afkeuring te lezen. 'Snap je?'

Andrew kon alleen maar hijgen bij die aanval op zijn zintuigen. Maar hij had geen tijd om door te vragen. Fawkes stond te wachten tot de studenten tot rust waren gekomen.

'Vanavond,' kondigde Fawkes aan, 'is het mijn avond. Na vanavond zal er beweging zijn... emotie... wreedheid... en geweld – dat alles is James' afdeling. (Ze lachten. Honey trok een lelijk gezicht.) 'Maar vanavond gaat het om woorden, woorden, woorden. We gaan het eerste bedrijf lezen. Jullie hebben het in je hand. Tussen twee haakjes, we hebben eindelijk een titel. Het is niet meer "het stuk over Byron". Nu heet het officieel *De koorts van Messolonghi.* Tot ik het verander.' Hij keek naar de eerste pagina van het script. 'We zien Byron aan het eind van zijn leven – zesendertig nog maar; nog jong, hè, James? – stervend aan koorts in Messolonghi, Griekenland, nadat hij zich heeft aangesloten bij de zaak van de Grieken die zich onafhankelijk willen maken van Turkije. Zijn enige vriend, een munitieofficier, haalt hem over zijn levensverhaal te vertellen.' Fawkes pauzeerde voor het dramatische effect. '*Om erachter te komen wie Byrons enige en ware liefde was.* Er zijn er velen, *zeer velen* om uit te kiezen,' vervolgde Fawkes grinnikend. 'Byron was, laten we zeggen, een zeer gemotiveerd minnaar. Laat me hen aan jullie voorstellen. Ik laat ze naar Byron toe komen zoals de geesten naar Scrooge komen. In volgorde van opkomst, dus.' Hij wees naar een van de studentes voor hem, een mager meisje met kort rood haar en een nerveuze houding.

'Lady Caroline Lamb,' kondigde hij zwierig aan. Het meisje stond op. 'Byron verblijft twee jaar in het buitenland, in wat hij vrijwillige ballingschap placht te noemen. Wat anderen vakantie zouden noemen.' Er werd om gegiecheld. 'Hij publiceert de eerste twee liederen van *Childe Harold*, en – in zijn eigen woorden – op een ochtend wordt hij wakker en merkt dat hij beroemd is. Hij wordt uitgenodigd voor chique diners in Londen – plotseling is hij een sensatie – ogenschijnlijk om een vrouw te zoeken. Maar in plaats daarvan vindt hij de getrouwde Caro, zijn koosnaampje voor haar. Ze is gek op Byron. Later wordt duidelijk dat ze echt gek is. Ze achtervolgt Byron onophoudelijk, de ene keer dringt ze zijn huis binnen door zich te verkleden als boodschappenjongen, een andere keer sluipt ze zijn studeerkamer in en schrijft ze *Denk aan me!* dwars over de pagina's van een boek. Byron reageert erop met een gedicht.' Fawkes hield een groen boek omhoog dat Andrew herkende als het boek waaruit hij had voorgelezen bij de auditie.

'Remember thee! Aye, doubt it not.
Thy husband too shall think of thee:
By neither shalt thou be forgot,
Thou false to him, thou fiend to me!'

De roodharige actrice liet een spottend, demonisch gegiechel horen, waarvoor ze werd beloond met gelach.

'De volgende. Miss Rebecca?' Fawkes wees naar het meisje met de korte rok. Rebecca stond naast Andrew op in een wolk van parfum, haar zwarte kousen waren zo verleidelijk dichtbij dat Andrew dacht dat hij de statische elektriciteit kon voelen. 'Annabella Milbanke. De geschiedenis heeft nog geen besluit genomen. Slachtoffer, of iemand die slachtoffers maakt? Hoe het ook zij, Byron neemt het klassieke verkeerde besluit om met haar te trouwen. Hij denkt dat ze rijk is. Dat is ze niet. Hij denkt dat hij haar kan commanderen. Dat kan hij niet. Later beschrijft hij hun huwelijk op een satirische manier, in *Don Juan*.' Fawkes las voor:

Don José and the Donna Inez led
For some time an unhappy sort of life,
Wishing each other, not divorced, but dead.

'Het was een opzienbarend ongelukkig huwelijk. En terecht. Al die tijd had Lord Byron een seksuele relatie met zijn eigen zuster. Of halfzuster, Augusta Leigh.' Hij wees naar een punt achter in de zaal, waar Persephone haar plaats naast de jongen met het rode haar weer had ingenomen. 'Miss Vine, wilt u zo goed zijn?'

Persephone stond op.

'Hij neemt zijn halfzuster mee op zijn huwelijksreis, en maakt daarmee een van de ellendigste en meest sadistische ménages à trois in de geschiedenis van de literatuur onsterfelijk; het zaad van Brontës Heathcliff. Het hoeft geen betoog dat ik er veel plezier aan beleef. Byron is veel oprechter: *For thee, my own sweet sister, in thy heart / I know myself secure, as thou in mine.* Hij verwekt een kind bij die lieve zuster...'

Rebecca, nog in haar rol, kreunde.

Fawkes grinnikte. 'En nu Byron een nationaal schandaal heeft gecreëerd gaat hij echt in ballingschap, in Zwitserland en Italië, en na heel wat vrouwen te hebben afgewerkt wordt hij verliefd op gravin Guiccioli. Wil je opstaan, Amanda?' Een forsgebouwd meisje dat een paar rijen achter Andrew zat, stond blozend op.

'In Byrons leven komt zijn verhouding met Teresa Guiccioli het dichtst bij een waardevolle, ondersteunende, volwassen relatie. Geen stormen, geen driftbuien, geen dwaasheid. Toch slaat Byrons latere liefde, evenals zijn poezië, om van somber naar komisch, en dit huwelijk is een salonklucht. Om te beginnen – hoe kan het anders – is ze getrouwd. Byron speelt het op de een of andere manier klaar zich te laten uitnodigen om bij graaf en gravin Guiccioli te komen wonen in hun villa bij Ravenna. Als volwassen man scharrelt hij door het huis als een tiener, in een poging plekjes te vinden waar ze kunnen vrijen zonder betrapt te worden. Je zult begrijpen waarom hij daarna koos voor politiek martelaarschap. Hij is naar Griekenland gevlucht om daar te vechten voor de vrijheid. En daar vinden we hem. Ongeneeslijk ziek ligt hij op een stromatras. Waar is onze munitieman? Hugh!' Hugh stond op. 'De proloog, graag.'

Hugh schraapte zijn keel en begon met een heldere, welluidende stem te praten. Andrew keek naar hem en nu begreep hij waarom de anderen in de Lot hem plaagden; de jongen had lange wimpers en ronde, sproetige wangen, het toonbeeld van een verleidelijke koorknaap. Hugh begon aan het verhaal, hij zette het stuk neer met zelfvertrouwen en een gemaakt Cockneyaccent. Er daalde een stilte neer over de groep.

Als deskundige in mijn vak, vernietiging,
Met als werktuigen dynamiet, nitroglycerine,
Had ik nooit gedacht te zullen samenwonen met een beroemdheid.
Toch ligt hier de persoon van Lord Byron, die zelfs ik, een ongeletterd man, ken.
Toen ik het mijn lieve moeder schreef om het haar te vertellen, vermaande ze me dat ik bij hem vandaan moest blijven.
(Daarna vroeg ze me naar veel details – is hij zo knap als men zegt?
Is hij mank, of is zijn voet gespleten? Is hij gevlekt door ziekte? Of glanst hij met de oppervlakkige volmaaktheid van de Vijand van God? Ze vraagt niet naar zijn poëzie.)
Ik vertel haar niet dat we een kamerpot delen.
Byron verwaardigt zich mijn metgezel te worden.
Vertelt me verhalen over de Levant en de misdaden van Lord Elgin. Drinkt tot laat in de avond, tot hij wordt bevangen door dichterlijke dwaasheid (en draagt dan langdurig uit zijn eigen werk voor).
Waarschuwt voor Italiaanse vrouwen, en let zelfs hier op zijn gewicht.
Althans, dat deed hij. Nu is hij ziek. En dit is een armzalige plaats om ziek te zijn:

Opgesloten in een bunker; omringd door moerassen, muskieten, Turken;
Ik wis zijn voorhoofd af. We wachten op een dokter.
We wachten overal op. Kruit. Kogels. Droog voedsel, schoon water.
Om de tijd te verdrijven is hij – wanneer hij bij bewustzijn is – ertoe overgegaan te biechten;
De geheimen uit zijn leven prijs te geven, om de overgang naar de dood gemakkelijker te maken.
Mijn moeder schrijft dat ik niet naar hem moet luisteren, anders zou ik horen over een liefde die ongepast is voor mijn positie: hoe ik lief zou kunnen hebben als een baron, die in paleizen en goten op zoek gaat naar veroveringen; hoe ik vrouwen hun echtgenoot kon laten bedriegen.
Toch hebben ook zij die verdorven zijn en heel rijk, vrienden nodig, bij het naderen van de dood.
Ik zal met eigen oren, in dit kleine theater –
Een vierkant van koud pleisterwerk, waar het vocht in de hoeken opkruipt –
Luisteren naar de daden van een man die in zekere zin een held is, uit zijn eigen mond.
Waarom zou hij me de vernederende waarheid besparen?
Zijn gezicht wordt wasbleek. Hij heeft nog kort de tijd. Hij spreekt!

En opeens richtte Fawkes – met zijn treurige, uitpuilende ogen – zijn ogen op Andrew, en wees naar hem. Iedereen keek hem aan. Hij kreeg het erg warm. Hij greep de pagina's van het script zo stevig vast dat ze kromtrokken, vochtig werden in zijn bezwete vingers, en hij begon te lezen.

De groep stommelde opgewonden naar buiten via de smalle gang van de Sprekerskamer. Het stuk was vrolijk, leuker dan ze hadden verwacht. De acteurs waren tevreden met hun rol, iedereen geloofde stilletjes dat die van hem of haar de beste was, van de nerveuze, magere en pukkelige Lady Caroline Lamb tot de lange, heel serieuze atleet die was gekozen om Hobhouse, Byrons beste vriend, te spelen. Andrew had het er vrij goed afgebracht, hoewel James Honey hem in verlegenheid had gebracht door hem, waar iedereen bij was, twee keer te vertellen dat hij zou moeten werken aan zijn voordrachtskunst en zijn accent. *Lord Byron kan niet uit Connecticut komen,* had hij gezegd. Hugh had Andrew na afloop staande gehouden en hem gezegd dat hij *het helemaal niet slecht* had gedaan, *echt niet.* Na de tekstlezing was hij met de anderen in het gedrang meegegaan. Hij bleef echter staan in de gang, waar hij in het donker bleef wachten. Hij hoorde buiten de wind bulderen; hij zag gele blaadjes dansen aan de spichtige takken en hij hoorde de regen tegen de stenen kletteren. Eindelijk kwam Persephone de zaal uit. Toen ze hem zag bleef ze in de deuropening staan. Zij stond in het licht, hij in het donker. Toen schoof ze langs hem heen, op weg naar de regen.

Hij volgde haar. Dikke druppels sloegen hem in zijn gezicht. Op de trap die naar de straat leidde haalde hij haar in.

'Waarom ben je kwaad?' riep hij haar na.

Ze draaide zich om en ze keek hem aan, haar gezicht stond somber en strak. Ze omklemde haar boeken om ze te beschermen tegen de regen, maar zelf werd ze nat, het witte Harrow-overhemd vertoonde grijze plekken.

'Ik dacht dat we vrienden konden zijn, dat is alles,' zei ze. 'Maar ik zie dat je liever bij hen bent.'

'Wie zegt...'

'Ik hoorde jou en Rebecca wel. Ik ben niet doof.'

'Rebecca,' hakkelde Andrew, met een rood hoofd.

'Je weet precies waar ik het over heb.'

Ze liep door, de straat in, worstelend met de regen, de wind en de koude. Daarna nam ze de kortste weg tussen twee gebouwen aan High Street door, naar een steile trap die omlaag leidde tot aan het glooiende park achter de school.

Andrew volgde haar. De hoge muren van de kapel en de bibliotheek aan weerskanten beschermden hen tegen de wind, maar de regendruppels kletterden op daken en muren en spatten tegen hen op. Andrew huiverde.

'Ik heb niets tegen Rebecca gezegd,' riep hij tegen haar rug.

'Je hoeft niet te doen alsof,' zei Persephone, nog steeds met haar boeken tegen haar borst geklemd. 'Ik heb vier jaar bij die heksen op school gezeten. Ik weet hoe ze over me denken. Ik had alleen gedacht dat ik, door hiernaartoe te komen, met een schone lei kon beginnen. Dat was volslagen stom.' Ze bleef staan en ze keek hem aan. 'Jij bent nieuw hier. Word hun vriend. Ze zullen je populair maken. Ze zullen je pr-bureau zijn. Zoals ze het voor mij lijken te zijn.' Ze liep weer door en Andrew zag dat ze bij de rand van Harrow Park waren gekomen.

'Ik wil Rebecca niet als vriendin,' zei hij, terwijl hij probeerde haar bij te houden. 'Ik wil dat wij vrienden zijn.'

'Dat lijkt me niet waarschijnlijk.'

'Jammer,' zei hij.

Toen aarzelde hij. Hij kon maar een moment of twee haar aandacht vasthouden. Hij zou het haar vertellen, hoewel hij zich had voorgenomen het tegen niemand te zeggen. Maar Persephone was anders. Hij haalde diep adem en daarna gooide hij het eruit. 'Er is iets raars gebeurd sinds Theo is gestorven.'

Ze trok haar neus op. 'Theo? Dat moet je niet als excuus gebruiken.'

Hij stikte bijna in de volgende woorden. 'Ik heb hier niemand iets over verteld. Ik was er te bang voor.'

'Waarom zou je het dan aan mij vertellen?'

'Ik wil dat je begrijpt dat ik niet zo ben als de anderen. En ik vertrouw jou omdat... jij ook anders bent. Dat heb je net zelf gezegd.'

Onderzoekend keek ze hem aan. 'Goed dan. Ga mee,' zei ze ten slotte geërgerd. 'Ik vries bijna dood.'

Ze nam hem mee om de fundering van de kapel heen naar Classics Schools, waar ze een deur opendeed op de begane grond. Het was een rechthoekig klaslokaal en in het bijna-donker kon Andrew een lange, ovale tafel onderscheiden die in het midden stond, en een met corduroy beklede leunstoel in de hoek. Op het schoolbord was een regel in het Latijn gekrabbeld, gevlekt door pogingen het ritme aan te geven.

CONUBIIS SUMMOQUE ULULARUNT UERTICE NYMPHAE

'De deur is nooit op slot,' verklaarde Persephone. 'De klas van Mr Toombs. Hier kan ik me verstoppen voor Sir Alan.'

Omdat buiten de nacht viel over het met regen doordrenkte park, zouden de plafondlampen de kamer in het licht laten baden en zouden ze op een kilometer afstand gezien kunnen worden. Daarom bleven ze, als bij stilzwijgende afspraak, staan in het gevlekte licht dat naar binnen filterde uit de nabijgelegen tuin van de rector. Persephone wrong rillend de regen uit haar haren. Andrew pakte snel haar blauwe jasje, dat ze over haar arm gedragen had, met de bedoeling het om haar schouders te wikkelen. Ze griste het uit zijn handen.

'Ik doe het zelf wel.' Ze liep een paar passen bij hem vandaan. 'Nou, wat is je verhaal?'

'Ik...'

'Schiet op,' snauwde ze. 'Ik had me voorgenomen nooit meer tegen je te praten.'

'Yeah... oké... er is dus iets gebeurd. Alleen... ik heb het zo-even verkeerd gezegd. Het was niet sínds Theo stierf. Het was tóén hij stierf.' Hij sloeg zijn armen over elkaar, omdat hij ook stond te rillen. 'Ik heb iets gezien.'

'Je hebt hem gevonden. Dat weet ik. Ik vind het erg voor je.'

'Ik zag hem.' Hij hield haar blik vast. Hij wilde dat hij het haar kon vertellen zonder gedwongen te zijn het in woorden uit te drukken. 'Ik zag dat hij vermoord werd,' zei Andrew fluisterend, hoewel er niemand was die hen kon afluisteren. 'Hij werd gewurgd.'

'Wát?' Haar ogen zochten fel zijn gezicht af. Maar ze zag niets dan oprechtheid. 'Door wie?'

'Een... man.'

'Heb je het aan de politie verteld?'

'Nee.'

'In vredesnaam, Andrew, waarom niet?'

'Daarom niet.' Hij rolde met zijn ogen, met een nerveus en wanhopig lachje. 'Omdat de moordenaar verdween.'

'Verdween.'

'Het ene moment was hij er, en het volgende niet meer.'

Ze aarzelden allebei.

'Hou je me voor de gek, Andrew?'

'Was het maar waar.'

'Dus je ziet dingen.' Haar stem was scherp, afstandelijk. 'Heb je hier met Dr Rogers over gesproken?'

Hij snoof. 'Waarom? Omdat ik wel gek moet zijn?'

'Ik wilde alleen...'

'Nou, en áls er nu eens dingen zijn die je kunt zien?' ging hij driftig door. 'Ben ik dan nog steeds gek? Laat maar. Ik dacht dat je het zou begrijpen. Blijkbaar heb ik me vergist.'

Persephone werd zich bewust van het feit dat ze hem enkele ogenblikken geleden beschuldigingen naar zijn hoofd had geslingerd omdat hij conventioneel was, omdat hij geloofde wat anderen hem vertelden. Dit zou op haar terrein moeten liggen. Ter inleiding haalde ze diep adem.

'Ik probeer je te helpen,' wierp ze tegen. 'Ik zal er niet over oordelen. Ga door.'

'Meen je dat?'

'Ik zweer het.'

Andrew liep naar de met corduroy beklede stoel. Hij moest gaan zitten.

'Ik heb die man weer gezien,' zei hij.

'Weer? Hier op school? Wie is het?'

'In de Lot,' zei hij. Hij keek haar aan. 'Hij werd gepest. Hij was een leerling van deze school. Lang geleden, misschien.'

'Hoeveel jaar geleden?'

'Heel, heel lang geleden.'

Persehone sperde haar ogen nog iets wijder open toen ze begon te begrijpen waar dit naartoe ging.

'Wacht eens even... Denk je dat het een geest is?'

'Er is iets met hem gebeurd,' vervolgde Andrew. 'Hij was normaal, tenminste, hij leek normaal toen ik hem in de Lot zag. Maar daarvoor, met Theo...' Andrew fronste zijn voorhoofd. 'Hij was uitgemergeld... als een kadaver.'

Andrews ogen brandden in die van haar: grijs, ijskoud, smekend om hulp. Krankzinnig of niet, deze jongen is volslagen alleen, besefte ze. Hij heeft niemand, hij is kilometers ver weg van de mensen die hij kent, *en jij intimideerde hem,* verweet ze zichzelf. In twee stappen was ze bij hem. Ze knielde naast hem neer en legde aarzelend een hand op zijn schouder om hem te troosten. Het regenwater, opgezogen door de vezels van zijn wollen jasje, was koud.

7

De wolf kan des te beter jagen

Die nacht lag Andrew te rillen onder zijn dekens. De regen leek door zijn kleren gelekt te zijn tot op zijn huid, en daar vast te kleven. Vanaf het moment dat hij Persephone in vertrouwen had genomen, had hij het gevoel gehad dat iets kouds hem in zijn greep had. Alsof deze koude een soort straf was, een waarschuwing. Hij zette die gedachte van zich af. Het was paranoïde, ongezond. Maar toen hij in slaap viel waren zijn dromen koortsachtig. En toen hij later wakker werd, in een donker en stil huis, werd hij vervuld van een doffe angst.

Het was stil in huis. De ochtend was nog niet aangebroken.

Andrew luisterde. Hij hoorde niets. Maar opeens – was het er aldoor geweest? – merkte hij het schijnsel op. Een perzikkleurige streep onder zijn deur. Lange tijd bleef hij ernaar staren. Zijn hart klopte snel. Hij kon niet verklaren wat hij zag. De gloed had de verkeerde kleur, te warm om van de ganglamp afkomstig te zijn. Kon er brand zijn? Ten slotte kwam de redelijke gedachte bij hem op: hoe sneller hij erachter kwam wat het was, des te eerder hij weer kon gaan slapen. Ondanks de waarschuwing die hij in zijn hoofd hoorde, stond hij op. Het koude linoleum prikkelde zijn voeten, en hij deed zijn deur open.

Voor zijn kamer was een kaars neergezet, die brandde in een kandelaar. Zacht, oranje, de bron van het perzikkleurige licht. *Als een aanbod. Een uitnodiging.*

Hij keek naar beide kanten de gang in. Geen hollende voetstappen. Geen giechelende grappenmaker. Hij bukte zich om de kaars te pakken en daarbij stapte hij de deur uit.

Andrew wankelde.

Voor zijn drempel strekte zich een grote slaapzaal uit, vol bedden. Bedden met verkreukeld beddengoed, tientallen, in slordige rijen. De bedden bevatten lichamen. De bedden en de lichamen waren verspreid over een grote zaal van ruim tien meter lang. Andrew vreesde dat hij in een of andere afschuwelijke doodsscène beland was, maar toen hoorde hij de geluiden. De ademhaling, de opstijgende kreten, het gesnurk van tientallen mensen.

Snel draaide hij zich om. De deur van zijn kamer was er niet meer. In plaats daarvan zag hij een rij ramen met rafelige gordijnen.

Hij keek de zaal weer in. Helemaal achterin zag hij iets flikkeren.

Nog een kaars, die verdween door een deuropening.

Nu rook hij de geuren. Hij deinsde terug. God, wat een stank. Heel veel urine, vuile kleren, beschimmelde matrassen, de stank van as en rook. Eén lucht overheerste alle andere. Die was moeilijk te omschrijven; zoutig, hooiachtig en zuur tegelijk. Wat was het? Een nu bekend gepiep uit de hoeken bracht hem het antwoord. *Rattenkeutels.* Hij zag hun schaduwen. Tientallen ratten, snuffelend, langs de wanden schuifelend in harige groepjes, hun poten deden *tik tik tik* op de plankenvloer.

Hij kon niet terug. Hij wilde niet in zijn ondergoed in deze kille, door ratten onveilig gemaakte ruimte blijven staan. Hij pakte de kandelaar, kromde zijn hand om de vlam om die te beschermen, en daarna baande hij zich een weg door de zaal, achter het schijnsel van de andere kaars aan. Wie het ook mocht zijn – en dat kon hij wel raden – wilde ongetwijfeld zeggen dat hij hem moest volgen.

Andrew haastte zich naar de opening aan de andere kant van de slaapzaal. Die leidde naar een trap met dikke notenhouten leuningen en lage krakende treden. De andere gedaante moest hier naar beneden zijn gegaan. Hij volgde. Na een aantal steile afdalingen kwam hij bij een deur. Onheilspellend, met een koperen knop vol deuken. Hij gooide de deur open. Uit steen gehouwen treden, glad van het vocht, verdwenen voor hem in de diepte. Hij deed een stap naar voren. De temperatuur daalde pijlsnel.

Voorzichtig daalde hij de trap af en kwam terecht in een ronde kamer die uit massieve rots was gehakt. De muren waren ruw en kartelig. Er droop water overheen uit een stuk of tien gaten die in de muur waren uitgespaard. Het water verzamelde zich op een schuine vloer die naar het midden afliep. Daar lag een soort diep bassin, als een meer. De zwarte mond gaapte, aan de rand gekarteld als gebarsten droge lippen, en zoog al het water op: een cisterne. Andrew staarde ernaar. *Je zou er zo in kunnen vallen.* Het bassin was meer dan drie meter diep. Een blikken emmer met een touw eraan stond ernaast, om vers water te putten. Hij was zo gebiologeerd bij het zien van de waterput dat hij niet onmiddellijk het schijnsel van de andere kaars opmerkte.

'Jaag kleine kinderen angst aan, mijn heer, met geschilderde duivels,' klonk een stem. 'Ik ben te oud voor zulke nodeloze nonsens.'

Andrew zag hem staan, rechts van het bassin. De tengere jongen die hij gezien had in de douches, zijn witblonde haar (nu droog en herkenbaar) achter zijn oren weggestopt. Hij had een nachthemd aan. Zijn stem klonk onnatuurlijk, trillend en onweerstaanbaar, de stem van een jongen die zich voordeed als een vrouw, geladen met kristalheldere wreedheid en met een overweldigende hooghartige minachting.

'Want je namen van hoer en moordenares, ze komen uit je voort – alsof een man tegen de wind in spuwt: de vuiligheid waait terug naar zijn gezicht.'

Daarna werd een lagere, krassende, onzekere stem hoorbaar.

'Ben je je tekst weer vergeten?' fluisterde hij. '*Je kampioen is verdwenen.* En dan zeg ik: *Dan kan de wolf des te beter jagen.* Dat vind ik mooi. Ik heb geen idee wat het betekent. Maar het klinkt kwaadaardig.'

De wat, vroeg Andrew zich af. *Dan kan de wolf des te beter jagen?* Was zelfs taal verwrongen en verwarrend op deze plek? Verbijsterd en zonder erbij na te denken zette hij de laatste stap omlaag, de koude kamer in.

De jongen liep behoedzaam om de verraderlijke waterput. Toen hij Andrew had bereikt legde hij zijn handen op Andrews borst – een volwassen gebaar; meer toneelspel, alleen speelde de witharige jongen deze keer dat hij een maîtresse was, of een vrouw die in elkaar zakte tegen de borst van een geliefde echtgenoot van wie ze lang gescheiden was geweest. Andrew bleef doodstil staan, hulpeloos bij de confrontatie met deze wisselende personages.

'Vergeet je het altijd?' vervolgde de jongen met het witte haar. *'Dan kan de wolf des te beter jagen.* Haar kampioen is Bracchiano. Ik neem aan dat het de bedoeling is dat de kardinalen de wolven zijn. Maar ik denk dat zij de wolf is. Een *wolvin.*'

Kardinalen? Wolven? Verward en geschrokken rukte Andrew zich los.

'Jij,' bracht hij uit. 'Jij hebt Theo vermoord.'

Nu flikkerden de ogen woest – het masker werd afgerukt. Het gezicht van de jongen was verwrongen.

'Wie was het?' krijste hij. *'Zeg het me!'*

Andrew deinsde terug. Struikelend viel hij tegen de trap. De jongen kwam hem achterna en wierp zich op Andrew. Maar niet als aanvaller. Iets anders. Weer een gedaanteverwisseling. Terug naar de onderdanige maîtresse.

'Je bent gekomen, je bent gekomen,' zei hij dweperig, en hij drukte zijn wang tegen Andrews borst. Tot zijn verrassing merkte Andrew dat hij zich even overgaf aan het gebaar; hij besefte hoe weinig hij op school werd aangeraakt. Niemand omhelsde hem; er werden nauwelijks handen geschud; niets. Zonder hem te raadplegen reageerde zijn lichaam op de jongen, genoot van de druk van een ander lichaam. Hij voelde een zwoel verlangen, voelde zich geborgen, verbonden.

Nu hing de jongen over Andrew heen en staarde hem in zijn gezicht, bedwelmd door hun samenzijn. De mond van de jongen viel open. Hij haalde zwaar adem. Andrew deed moeite om in beweging te komen. Zijn benen waren verlamd, zijn armen werden vastgehouden. Zijn ogen puilden uit zijn hoofd. *Laat me los!* wilde hij roepen, maar hij kon het niet. De jongen sloot zijn ogen en drukte zijn dunne, geopende lippen op Andrews mond. Daarna ging hij met zijn handen omlaag zodat ze niet meer te zien waren, hij kronkelde, en Andrew voelde dat er aan zijn ritssluiting werd getrokken, en een gewriemel bij hun tegen elkaar gedrukte heupen. De jongen haalde een zakdoek te voorschijn. Opwinding en angst en walging vlogen door

Andrews lichaam. Met een grimas van zowel concentratie als soepele behendigheid ging de jongen schrijlings op Andrew zitten, en kneep. Andrews ogen vlogen open – wauw, wat gebeurde er – en de jongen wikkelde de zakdoek om Andrews nek en trok die strak aan. Andrew lag vastgeklemd tegen de stenen trap terwijl de jongen, nog altijd met die vastberaden grimas, snel heen en weer wreef. Andrews ogen en gezicht en schedel voelden strak aan door de druk van bloed en opgehoopte lucht in zijn hals, en daarna, zonder dat hij het wilde, bouwde het genot zich op en kreeg Andrew bijna het gevoel dat hij viel. De jongen lette nu scherp op Andrew, hij hing over hem heen met die zwarte oogkassen gloeiend, verrukt, nieuwsgierig en observerend, zijn hand hield de zakdoek nog steeds stevig vast. Andrew begreep dat hij zich niet meer zou kunnen beheersen – en dat kon hij ook niet. Hij kreunde. Een verbazingwekkende dankbaarheid overviel hem, nog geen seconde later gevolgd door schaamte. Toen werd de zakdoek nog strakker aangetrokken en werd zijn wereld zwart.

Hij werd wakker in een smalle gang met versleten rode vloerbedekking.

Het was dag.

Hij moest dringend ergens naartoe. Hij kwam overeind, zwaar ademend. Hij had hard gelopen. Hij liep nog steeds hard. *Hij moest hem inhalen.*

Om hem heen klonk een dreunend geluid, zo hard dat hij dacht dat hij er gek van zou worden. Gebulder als van branding.

Hij wankelde vooruit, tot hij bij een trap kwam. Hij liep de trap op – steil, geverfd, van hout – de leuning brak bijna af in zijn hand, hij hees zich eraan op als een bergbeklimmer.

Met uiterste inspanning, ondanks de pijn, bereikte hij de bovenste trede. Hij was nu in een andere gang. Andrew leunde tegen de muur om op adem te komen, maar opnieuw werd hij aangevallen door het verschrikkelijke geluid dat als hamers op zijn hoofd beukte.

En daar was hij, hij stond een eind verder in de gang.

Zijn prooi.

Grijs, bukkend in de schaduwen, ontsloot hij een deur met een sleutel die om zijn nek hing.

Het moment was aangebroken.

Andrew liep op de gedaante af. Het lawaai dreunde. Het nam toe. Knarsend, onverdraaglijk.

Andrew werd schreeuwend wakker in zijn kamer. Hij kon het voelen, een monsterlijk, angstig voorgevoel van wat er zou gaan gebeuren. Een inzicht dat hij van zich af wilde duwen, maar hij kon het niet.

Hij wist dat het geweld afschuwelijk zou zijn.

Rhys verscheen, in een groene boxershort. *Wat gebeurt er?* Hij knipte de lampen aan. Toen kwam Roddy binnenstormen, hij greep Andrew bij zijn schouders en drukte hem op het bed, en zei tegen hem *dat je je, verdomme, kalm moet houden, je maakt het hele huis wakker.* Maar Andrew kon niet kalmeren omdat het was gekomen, het moment waarop er iets verschrikkelijks zou gaan gebeuren. Hij had het niet gezien, maar hij had het voelen aankomen, en de enige manier waarop hij het van zich af kon zetten – dat wist zijn lichaam ook, al wist hij het zelf niet – was door te gillen, telkens en telkens weer te gillen, zo hard zijn longen het toelieten. Roddy liet hem los, nerveus lachend stopte hij zijn vingers in zijn oren, hulpeloos tegen Rhys grinnikend. *Andrew krijst moord en brand!*

8

De Witte Duivel

Fawkes stak de gravel van de oprit over. Hij beet op zijn nagels, omdat hij zich zorgen maakte over gin en slaap. Wanneer zou hij die eindelijk krijgen?

Zijn handen trilden. Hij geeuwde. Hij kon nauwelijks wakker blijven tijdens zijn lessen. De jongens maakten er opmerkingen over, op die luchtige, arrogante, maar toch onfeilbaar oplettende manier: *Sir, vervelen we u?* (Elk onrespectvol gemompel, merkte hij op, kon aanvaardbaar gemaakt worden door er *sir* aan toe te voegen.) Hij moest het stuk afmaken, en dat zou hij nooit kunnen, in dit tempo. De woorden wilden niet komen wanneer hij niet kon slapen. Dan zat hij voordat de ochtend aanbrak, achter ramen die nog zwart waren, naar de pagina te staren zonder dat er iets in hem opkwam – geen muziek, geen stuwend ritme – niets dan de kronkels van een blootgelegd brein. Hij had uren wakker gelegen en voor de zoveelste keer aan Theodore Ryder gedacht.

Had hij maar meer kunnen doen. Had hij de jongen maar in zijn kamer opgezocht. Was hij na die eerste bijeenkomst maar nagebleven in plaats van weg te vluchten als een kakkerlak, dan had hij misschien een bleke tint op het gezicht van de jongen gezien en gezegd: *Ryder, ik denk dat je naar de ziekenboeg moet gaan...*

Hij herinnerde zich de diepe ellende van de familie. De bedroefde gezichten. De wanhoop. De grote blonde pater familias die nog zo vriendelijk was geweest om tegen hem te zeggen: *natuurlijk is het niet uw schuld.* Dat 'natuurlijk' sloeg een diepe wond. Tommy Ryder moest eens weten wat een verwoesting zijn woordkeuze voor Fawkes had betekend.

En dus had hij, keer op keer, naar de gin gegrepen: na het schrijven in de ochtend, om zijn evenwicht te hervinden; om drie uur, om op gang te komen voor zijn les van vier uur; om halfzes en daarna, om verdoofd te raken en om te slapen.

Het hielp echter niet. Hij kon niet slapen.

Onder het lopen beet hij zijn nagel te kort af, en zijn vinger begon te bloeden.

Hij moest het stuk afmaken.

Gisteren had hij zijn uitgever gebeld, een hele show opgevoerd van gezondheid en zelfvertrouwen. Hij had zelfs gegrinnikt terwijl hij sprak, in de hoop dat ze hem kon horen lachen.

Tomasina, je spreekt met Piers Fawkes.

Piers Fawkes! Hij kon horen dat ze met van alles tegelijk bezig was; voelde dat ze haar aandacht van de e-mail naar de telefoon verplaatste; in gedachten zijn bestand opende terwijl ze het deed. Haar Italiaanse accent was duidelijk hoorbaar toen ze zocht naar iets typisch Engels om hem te begroeten. *Dát is lang geleden!*

(*Muts!* Zó lang nu ook weer niet.)

Hij had geprobeerd haar het hele Byron-project te verkopen, het stuk, zijn eigen verhaal over het lesgeven op Harrow – hoe het hem buitengewoon veel inzicht in het materiaal had gegeven. *En een toneelstuk,* zei hij, terwijl hij zonder succes probeerde de wanhoop uit zijn stem te wringen. *Ik denk dat het een spannend project zou zijn voor een uitgever.*

(*Je overdrijft,* zei hij waarschuwend tegen zichzelf. *Sinds wanneer noem je het uitgeven van gedichten 'projecten'... of noem je iets anders dan koude, droge gin 'spannend'.*)

Weet je, een toneelstuk, vervolgde hij, *zou iets heel anders zijn. Een soort van comeback. Zoals Auden en Isherwood. Maar dan zonder Isherwood.*

Ik wist niet dat Auden ooit een comeback nodig heeft gehad, zei ze nuchter.

(*Muts en nog eens muts,* dacht hij vloekend.)

Ze hadden het gesprek beëindigd en ze had elke belofte om het stuk uit te geven, of het ook maar te lezen, ontweken. Ze had het gedaan zoals uitgevers het doen, haar weigering klonk vriendelijk, verstandig zelfs. En het wás verstandig. Voor haar. Tomasina, een vrouw met lange benen en een olijfkleurige huid, die aan de Universiteit van Oxford had gestudeerd, altijd gekleed in een of ander eenvoudig kort jurkje dat vijfhonderd pond had gekost. Er lagen altijd stapels werk op haar bureau; ze had een rijke echtgenoot, een bankier bij een private bank die zijn tijd besteedde aan het steunen van groene projecten en Tomasina's weinig winstgevende uitgeverscarrière. In het verleden was ze een reddingsboei voor Fawkes geweest. Ze had zijn laatste twee bundels uitgegeven, hem behandeld alsof hij belangrijk was nadat alle anderen hun interesse voor hem hadden verloren. Maar nu... Ze had onverschillig geluisterd naar zijn gestuntel. Fawkes onderdrukte een golf van paniek. Hij zou een borrel pakken. Hij zou iets bedenken. Hij zou het stuk afmaken en Tomasina laten zien hoe goed het was. Of een andere uitgever zoeken. Wat wist ze trouwens van poëzie? *Leeghoofd.*

'Hoi.'

Hij schrok. Er stond een jongen op zijn veranda.

'Hallo, Andrew,' zei hij, zich dwingend om het opgewekt te laten klinken. 'Wacht je op mij?'

'Ja, sir,' mompelde hij.

'Laat dat "sir" vandaag maar zitten,' verzuchtte Fawkes.

'Sorry, sir. Ik bedoel, sorry.'

De Amerikaan hield zijn boeken stevig in zijn armen geklemd. Zijn gebruikelijke norsheid had plaatsgemaakt voor een nerveuze spanning.

'Alles goed?' vroeg Fawkes. 'Je ziet eruit zoals ik me voel.'

'Ik wil liever binnen met u praten, als u het goedvindt.'

St John Tooley kwam met grote stappen aangelopen door de grote poort aan High Street, een massa lawaaierige jongens achter zich aan. Ze werden stil toen ze Andrew en Fawkes bij elkaar zagen staan.

'Alles goed, sir?' riep St John met een spottende ondertoon.

'Ja, dank je, St John,' bromde Fawkes. Hij ontsloot de voordeur terwijl Andrew en de groep bewoners van de Lot nijdige blikken wisselden.

Fawkes was die ochtend vergeten op te ruimen. Er hing nog een zware rooklucht, die in beweging kwam toen hij de deur opendeed. Hij zette de luiken en de ramen open. Hij gooide een volle asbak leeg in de afvalbak en legde twee cocktailglazen in het sop dat nog in de gootsteen stond.

'Wat heb je op je hart, Andrew?' zei Fawkes, met een zijdelingse blik op zijn bezoeker. De jongen hield nog steeds zijn schoolboeken vast; hij pakte een stoel maar ging stijf rechtop zitten, alsof hij tegenover een examinator zat. Zenuwachtig. 'Kom je om advies over de rol? Over Byron?' Fawkes kon geen handdoek vinden en veegde zijn handen af aan zijn broek. 'Je vindt het zeker moeilijk om een legende te spelen?' zei hij, teruglopend naar de zitkamer. 'Net zo moeilijk als om erover te schrijven. Je moet je dwingen om hieraan te denken: Byron was een menselijk wezen, hij ging naar deze school, hij woonde in dit huis, net als jij. Je hebt evenveel kijk op hem als iedereen. Meer.' Fawkes stak een sigaret op en ging tegenover Andrew zitten. Hij vervolgde plechtig: 'Wat motiveerde hem? Misschien wist hij zelf niet eens...'

'Mr Fawkes,' viel Andrew hem in de rede, 'ik moet ergens met u over praten.'

Fawkes vond *Mr Fawkes* nog erger dan *sir.* 'Waarom zeg je geen Piers tegen me?' stelde hij ijzig voor.

'Ik wist niet zeker of ik wel naar u toe zou gaan.' Andrew praatte tegen zijn schoot.

'Je bent er nu. Zeg op.'

'Gelooft u in spoken?' vroeg Andrew.

'Sorry? Of ik...?'

'Een rare vraag, vindt u niet?'

'Dat hangt ervan af,' zei Fawkes. 'Waarom vraag je dat?'

'Ik, eh...' Hij zweeg. Herpakte zich. 'Als ik u iets vertel, kan het dan tussen ons blijven? Of misschien... Kunnen we erover praten als een hypothese? Gewoon, over een situatie? En kunt u me dan raad geven?'

Fawkes stak een nieuwe sigaret op.

'Het zou fijngevoelig en vriendelijk zijn om ja te zeggen en je door te laten ratelen tot je ervan overtuigd bent dat je me kunt vertrouwen. Maar ik ben echt niet slim genoeg om in code te praten, Andrew. Als je weg bent, zou ik er de volgende week nog steeds mee bezig zijn om die te ontrafelen. Dus waarom vertel je het me niet gewoon in simpel Engels. Wat is er aan de hand?'

Andrew zakte onderuit op zijn stoel, in een poging zich voor zichzelf te verbergen. In de korte tijd die hij op deze school verbleef had hij de tientallen minder vleiende benamingen voor 'homoseksueel' gehoord, de scheldwoorden die de jongens die de pech hadden dat het al aan hen te zien was, naar hun hoofd kregen (Hugh, of die magere in Rendalls, een lid van het Gilde omdat hij zo goed pianospeelde). Ze werden in het openbaar lastiggevallen, er was geen controle op; de miauwende geluiden en de spotternijen werden zelfs op hen afgevuurd in de Sprekerskamer, waar de leraren bij waren, alsof er op een plein met stenen naar hen werd gegooid. Deze jongens waren eenvoudigweg homo, ze hadden de vrouwelijke gebaartjes ontwikkeld, de sissende stemmen, die overvloed aan signalen in gebaar en stem die aangaf: *ik spreek een andere taal dan jij.* Andrew had, na enig zelfonderzoek, niet het gevoel dat hij een van hen was. Toch vond hij ook niet dat hij er trots op moest zijn bij de andere groep te horen: de rugbyspelers met hun vierkante schouders en hun Philathletic-uitrusting, of de jongens die opvielen door hun gebrek aan fijngevoeligheid, de St Johns en de Vaz'en, die als gevolg daarvan vermoedelijk als hetero werden beschouwd. En omdat hij ertussen gevangenzat, knaagde er bezorgdheid aan hem.

Toen begonnen Andrews gedachten op een dood spoor te raken.

Misschien is deze angst die ik voel de natuurlijke angst die *iedereen* voelt wanneer hij met de waarheid over zichzelf wordt geconfronteerd. Misschien is dit ontkenning.

Als hij hier nu maar doorheen kwam zou hij er aan de andere kant uit komen... als de persoon die hij hoorde te zijn!

Maar dit voelde gewoonweg niet goed. Andrews lichaam was aangeraakt door de woeste, lenige jongen, maar het was zijn geest die gewond was geraakt.

Ik ben iemand die door andere mensen dingen met zich laat doen.

Hij was niets anders dan een ontvanger (ondanks de fysieke details van de handelingen van de jongen met het witte haar), een vat; hij hoorde niet bij een groep.

En dan was er de grote vrees dat hij gewoon gek was. Dat hij de jongen was die *dingen zag.* Geestelijk gestoord. Of althans zo getraumatiseerd dat hij er schade door had opgelopen.

Dit alles beheerste Andrews gedachten terwijl Fawkes hem aanstaarde, zijn ogen half dichtgeknepen tegen de rook van zijn sigaret.

'Ik heb een soort nachtmerries gehad.' Andrews mond was droog.

Fawkes bromde: 'Ik heb zelf moeite met slapen. Weet niet precies waar het door komt. Het stuk, het begin van het schoolseizoen. Heb jij dat ook?'

'Eh...' Andrews gezicht stond verwrongen, alsof de ene helft probeerde de woorden te dwingen eruit te komen, en de andere helft ze wilde binnenhouden.

'Is het om Theo?'

Andrews ogen vlogen wijd open.

'Ja, ik dacht al zoiets.'

'U bent toch met zijn lichaam meegereden naar het mortuarium?' wierp Andrew tegen.

'We hebben het over jou.'

'Yeah, oké.' Andrew zuchtte. 'Na vannacht,' zei hij, 'moet ik het iemand vertellen.'

'Wat is er vannacht gebeurd?'

'Ik heb gedroomd.'

'Ah. Een van die soort-nachtmerries. Kun je iets preciezer zijn?'

'Ik heb dingen gezien. Zoals in een droom? Maar sommige leken... te echt. Meer dan echt.'

Fawkes fronste sceptisch zijn voorhoofd. 'En vannacht?' drong hij aan.

'Ik zag... Nee, dat is niet waar,' verbeterde Andrew zichzelf. 'Ik *voelde*... een, een moord. Voelde dat die ging plaatsvinden. Ik werd gillend wakker. Rhys en Roddy kwamen. Ik voelde... Het was...' Hij gebaarde met zijn handen. *Het was er.*

'Het stond te gebeuren?'

Andrew knikte.

'Dat is... verontrustend,' zei Fawkes, die niet wist wat hij van dit verhaal moest maken. 'Een moord, in de Lot?'

Andrew verduidelijkte het. Hij had rondgezworven in een huis en hij wist zeker dat het de Lot was – maar in het verleden.

Hij had een jongen met wit haar gezien in een kamer die hij niet kende, in het souterrain.

Hij was meegevoerd naar een plek waar, daar was hij zeker van, een moord zou plaatsvinden. Het was alsof de jongen met het witte haar hem de moord liet zien.

'En die jongen met wit haar is... wat? Een soort spook?' vroeg Fawkes.

Andrew haalde zijn schouders op en hij knikte.

Fawkes dacht hierover na, verre van tevreden. 'Hij liet je iets uit zijn leven zien, vermoed ik,' vervolgde hij. 'Die jongen... werd hij vermoord of was hij de moordenaar?'

'De moordenaar,' antwoordde Andrew snel. Daarna begon hij onwillekeurig te huiveren.

Fawkes sloeg hem nauwkeurig gade. 'Daar lijk je heel zeker van te zijn.'

'Ja, sir.'

'Waarom?'

Andrews ogen smeekten om begrip.

'Je hebt hem al eerder gezien?' raadde Fawkes.

Andrew knikte.

'Je maakt me een beetje bang, Andrew. Wanneer heb je hem gezien? In je dromen, of in werkelijkheid?'

'In werkelijkheid.'

'Dezelfde jongen?'

'Ja,' antwoordde hij schor.

'En hij leek... een gewelddadig type?'

'Ik heb gezien dat hij Theo vermoordde,' zei Andrew eindelijk.

Fawkes verstijfde, zijn mond viel open. 'Sorry? Je zag...'

'Op de heuvel. Die ochtend. Toen ik hem gevonden heb,' legde Andrew uit, in een stortvloed van woorden. 'De jongen met het witte haar was er. Ik zag hem, terwijl hij Theo wurgde. Maar daar was hij anders. Zijn gezicht was helemaal... ingevallen. Ik zag hem en toen was hij verdwenen. Ik kon het niet tegen de politie zeggen. Maar nu...'

'Ga door.'

'Ik ben bang dat er iets anders zal gebeuren, als ik het níét aan iemand vertel.'

'Iets anders? Zoals?'

'Nog een moord.'

De askegel aan Fawkes' sigaret was erg lang geworden. Hij drukte de peuk uit in de vuile asbak op de salontafel. De huismeester kreeg opeens veel, heel veel dorst. In gedachten proefde hij de smaak van de heldere vloeistof in de keukenkast. Met ijs erin werd die heerlijk stroperig, en wanneer je het glas naar je lippen bracht leek de kou je terug te kussen...

Om die beelden uit zijn hoofd te zetten stond Fawkes op. Hij begon te ijsberen.

'De meest voor de hand liggende verklaring is dat je getraumatiseerd bent door de dood van Theo. Je verstand kan de bezorgdheid niet aan, dus je onderbewuste verzint deze figuur – deze jongen met wit haar. Híj wordt het middelpunt van je angst.'

'Maar ik wist nog niet dat Theo dood was, toen ik hem zag,' wierp Andrew tegen.

'Hm.' Fawkes stak zijn handen omhoog in een gebaar van overgave. 'Dat is waar. Ik ben slecht in dit soort dingen. We moeten je ouders bellen.'

Andrew schrok. 'Nee, niet doen.'

'Waarom niet?'

'Dan halen ze me van school af.'

'Ah. De spreekwoordelijke overbezorgde Amerikaanse ouders. Je denkt niet dat ze iets zouden begrijpen van een ouderwetse Engelse spookgeschiedenis?'

'Ze zouden niet proberen het te begrijpen. Ze zouden mij de schuld geven en me naar huis halen.'

'Waarom?'

'Op mijn oude school was ik niet bepaald een modelleerling.'

'Nee? Je lijkt het hier toch goed te doen.'

'Ik heb een paar beoordelingsfouten gemaakt.'

'Op je zeventiende?' zei Fawkes. 'Dat kan ik me bijna niet voorstellen.'

'Als ik het nog een keer verpest gooien ze me het huis uit.'

'Ouderlijke dreigementen die ze toch niet waarmaken?'

'Deze keer niet.'

'Wat heb je gedaan?' vroeg Fawkes.

'Ik had problemen met verdovende middelen,' moest Andrew toegeven.

'Juist. Dus ze betrappen je met een paar joints, en ze sturen je naar deze chique afkickkliniek die zich voordoet als een school. En ze zeggen: "Nog één misstap en we trekken onze handen van je af." Geen trotse bezoekers op Sprekersdag. Geen reisje naar Frankrijk wanneer je geslaagd bent. Niets dan keiharde liefde.'

Andrew zakte somber onderuit op zijn stoel. 'Zoiets, ja.'

'Het lijkt erop dat je mijn probleem bent,' verzuchtte Fawkes. 'Ik denk dat ik iets moet drinken.'

Hij liep naar de keuken, schonk gin over een paar ijsblokjes en nam een slok. Hij wachtte een moment tot het zijn bloedstroom bereikte. Dit was eigenlijk helemaal verkeerd, moest hij erkennen; om twee uur 's middags gin drinken waar een student bij was die zojuist had toegegeven dat hij een drugsprobleem had. Maar nog terwijl hij dit dacht drongen de eerste alcoholische dampen door tot zijn hersens en hij lichtte op als een niet opgeladen apparaat dat zijn eerste stroomstoot krijgt. *Ahh.* Hij kon het. Hij kon het volhouden. *Vooruit dan.* Hij ging terug naar de zitkamer.

'Gelooft u me?' Andrew staarde hem nerveus aan, wachtend op het oordeel.

Fawkes nam nog een slok en hij smakte met zijn lippen. Een ogenblik bleef hij nadenken. 'Ik geloof dat jij gelooft wat je zegt.'

'Maar u weet het niet zeker.'

'Hoe zou ik dat kunnen weten?'

'Ik zou niet kunnen verzinnen wat ik u net verteld heb,' zei Andrew verontwaardigd.

'Ja, maar dat is nog geen bewijs.'

'Mijn spook citeert poëzie.'

'Wat, Edgar Allan Poe?'

'Nee... ouderwets. Misschien is dat het bewijs. Hij citeerde dichtregels die ik nog nooit gehoord heb.'

Fawkes stak weer een sigaret op. 'Goed, je hebt mijn belangstelling gewekt – afgezien van het feit dat ik je op je woord moet geloven als je zegt dat je die poëzie nooit eerder hebt gehoord. Dit is mijn vakgebied. Ik zou in de positie moeten zijn om iemand die probeert een lichtgelovige iets wijs te maken, te ontmaskeren.' Hij zweeg even. 'Mag ik hopen dat je je iets van die poëzie herinnert?'

Andrew bleef een ogenblik zwijgen. '*De wolf... dan kan de wolf des te beter jagen.* Hij leek die regel mooi te vinden.' Hij pijnigde zijn geheugen. 'En iets over een hoer. En spugen.'

'Wanneer was dit? Citeerde je spook dichtregels tijdens de moord?'

'Nee, ervoor. In het souterrain. In die kamer met de waterput.'

'*De wolf kan des te beter jagen.* En dat had je niet eerder gehoord? Zie je, het zou autosuggestie kunnen zijn, of zoiets.'

Andrew schudde zijn hoofd. Fawkes dacht na over de regel. '*De wolf kan des te beter jagen.* Nee, ik ook niet. Of misschien wel. Lang geleden.' Hij sprong overeind. 'We zullen de techniek te hulp roepen.' Hij liep naar de laptop op zijn bureau en zette die aan. Fawkes opende Google en begon te typen. 'De wolf kan des te beter jagen,' mompelde hij. Een moment lang bleef hij naar het scherm staren. Hij toetste nog een paar letters in.

Daarna bleef hij even zwijgend lezen.

Hij wierp Andrew een veelbetekenende blik toe en draaide de laptop om zodat Andrew het scherm niet kon zien.

'Ik ga je een paar vragen stellen, Mr Taylor,' zei Fawkes. 'En ik waarschuw je, ik ben dichter en ik heb groot respect voor de Waarheid. Hier op aarde ben ik de vertegenwoordiger van Apollo. Begrijp je me?'

'Ja, sir. Ik bedoel, ja... Piers.'

'Wie is John Webster?'

'Eh...' Andrew kon het zich niet herinneren. 'Ik weet het niet. Zit hij hier op school?'

Fawkes lachte spottend. 'Laten we het nog een keer proberen. Heb je in Amerika iets over Shakespeare geleerd?'

'Natuurlijk.'

'Welke toneelstukken?'

'Julius Caesar... Macbeth.'

'Nog iets anders?'

'Ik heb *Midsummer Night's Dream* een paar keer gezien.'

'Ooit iets gelezen van Shakespeares tijdgenoten? Thomas Kyd? Christopher Marlowe?'

'Ik heb wel eens van Marlowe gehoord.'

'Probeer het eens iets later. Iets uit de tijd van Jacobus I?'

Andrew fronste zijn voorhoofd.

'John Webster?' drong Fawkes weer aan.

Andrew schudde zijn hoofd.

Fawkes draaide het scherm om zodat Andrew het kon lezen. Andrew schoof zijn stoel dichterbij en hij tuurde naar het witte scherm: een pagina uit Google Books. De pagina liet een wetenschappelijke verhandeling over een toneelstuk zien. De woorden in het midden van het scherm waren met geel opvallender gemaakt, als gevolg van het zoeken door Fawkes.

VITTORIA: *De wolf kan des te beter jagen.*

Er waren meer regels, toegeschreven aan andere spelers met Italiaans klinkende namen. 'Dat is het!' riep Andrew uit. 'Dat zei hij!'

'Dit,' verklaarde Fawkes, en hij draaide het scherm weer naar zich toe, 'is *The White Devil*, door John Webster. Een tragedie uit de tijd van Jacobus I. Ik herinner me nu dat ik een keer een opvoering ervan gezien heb, in het Barbican. Kleding uit 1920, rokkostuums. Weet je zeker dat je dit stuk nooit hebt gelezen, of hebt zien opvoeren?'

'Heel zeker,' zei Andrew, die nu enthousiast begon te worden. 'Wat is *The White Devil*? Wie is Webster?'

'John Webster is een soort zeventiende-eeuwse goth. Jacobus I was de opvolger van koningin Elizabeth I. Net na Shakespeares tijd. Webster schreef bloederige stukken over nare mensen. *The White Devil* gaat, als ik het goed heb, over een hertogin die haar echtgenoot bedriegt en dan de zondebok wordt voor een stelletje heel gemene kardinalen. In een stuk van Webster is de gemiddelde kardinaal moreel ongeveer even gezond als een maffioso. Aan het eind gaat ze dood. Ze wordt gewurgd, geloof ik. Ik heb het sinds Oxford niet meer gelezen.'

'Hij had het over kardinalen.'

'Wie? Je spook?' vroeg Fawkes.

'Wat betekent het?'

'Het stuk?'

'Dat het spook eruit citeert.'

'Ik heb geen flauw idee,' antwoordde Fawkes.

Andrew draaide de laptop naar zich toe om de pagina nog eens te bekijken. 'Deze regels hier... *Verleend aan uw meester...* dat is allemaal... niet wat de blonde jongen zei. Hij citeerde iets, maar,' vervolgde hij terneergeslagen, 'de rest hiervan past er niet bij.'

'Je zei iets over *spugende hoeren*?'

'Spuug en hoeren, afzonderlijk.'

'Laten we spuug proberen. Hoeren komen heel vaak voor in tragedies uit de periode van Jacobus I. Maar spuug...'

Andrew wachtte terwijl Fawkes door de pagina's klikte.

'Wacht, wat is dat?' zei Andrew, toen hij iets opving.

Fawkes liet de pagina staan.

'Daar, dat is het!' Andrew wees naar de tekst op het scherm. '*Moordenares... hoer...* dat zijn de regels! Daar!' Fawkes sprak de woorden fluisterend uit.

> *'Want je namen van 'hoer' en 'moordenares',*
> *Komen uit je voort – alsof een man*
> *Tegen de wind in spuwt: de vuiligheid waait terug naar zijn gezicht'*

'Ik ben niet gek!' zei Andrew opgewonden. 'Dat is toch zo? Ik bedoel, het stuk bestaat. Die woorden zijn echt!'

'De vraag is...' mompelde Fawkes, naar het scherm starend. 'Nou, ik heb heel veel vragen.'

Andrew bleef aandachtig naar de tekst kijken. 'Ik vraag me af waarom hij dit gedeelte heeft overgeslagen,' zei hij, en hij wees naar een plaats op het scherm.

Fawkes dacht hier een ogenblik over na. Toen wees hij zelf iets aan.

'Jouw spook heeft deze regels opgezegd? *Jaag kleine kinderen angst aan* en *De wolf kan des te beter jagen?* Maar niet wat ertussenin staat?'

'Dat klopt.'

'Weet je het zeker?'

'Ja. Waarom?'

'Die regels worden gesproken door Vittoria.'

'Wie is zij?'

'Ze is de lichtzinnige hertogin over wie ik je daarnet heb verteld.' Nu was het Fawkes duidelijk. Hij richtte zich tot Andrew. 'Je begrijpt het toch wel? Jij bent juist degene die het zou moeten begrijpen.'

Andrew schudde zijn hoofd.

'Je spook was bezig met repeteren.'

'Was hij acteur?'

'Acteur, ja... en als hij een jonge jongen was, in de Lot, dan was hij ook een leerling van deze school.'

Andrew knikte.

'Dus hij moest gerepeteerd hebben voor een toneelstuk dat op school werd opgevoerd.' Fawkes leunde achterover op zijn stoel en hij begon weer op zijn nagels te bijten. 'Net als jij.'

Regen kletterde op de straatstenen die naar de Vaughan-bibliotheek leidden. De vensters, smal als de hoge ramen van een kathedraal, gloeiden in de mist. Andrew moest zijn hoed stevig op zijn hoofd drukken vanwege de regen en de wind. De avondmaaltijd was afgelopen en het begon donker te worden. Op aandringen van Fawkes was Andrew hiernaartoe gekomen *om iemand te ontmoeten die je kan helpen.* Fawkes had eraan toegevoegd: *Laat je niet bang maken door haar.* Sinds die eerste dag had Andrew geen voet in de bibliotheek gezet. Maar er waren veel herinneringen aan die eerste dag uitgewist doordat hij Theo koud en stijf op de heuvel had aangetroffen. Het was een van die oude Harrow-gebouwen die hoofdzakelijk waren bedoeld voor ansichtkaarten en reclamefoto's, dacht hij.

Hij duwde de zware, met houtsnijwerk versierde deuren met hun enorme koperen ringen open, waarna hij de lange zaal met zijn hoge plafond binnenstapte. Een Vijfdeklasser zat achter de informatiebalie boeken te sorteren.

Andrew liep naar hem toe. 'Ik zoek Judith Kahn,' zei hij. 'Eh, Dr Kahn?'

De jongen sperde zijn ogen open en zonder een woord te zeggen wees hij met één vinger langs Andrew.

Andrew draaide zich om.

Ze was achter hem binnengekomen. De Dr Kahn van de rondleiding voor nieuwelingen. Haar weelderige oranje haardos vertoonde grijze strepen, haar zwarte pakje omsloot haar lichaam als een wapenrusting. Ze keek nijdig.

'Je bent te laat,' verklaarde ze. Daarna stoof ze zonder te waarschuwen langs hem heen, over de brede stenen tegels van de bibliotheek in de kleuren donkerrood, blauw en ivoorwit; grote vierkante stenen als de vakken op een reusachtig schaakbord. Andrew moest draven om haar bij te houden.

'Mr Fawkes,' protesteerde hij, 'had me niet gezegd dat hij een tijd had afgesproken.'

'Ik ben niet verantwoordelijk voor wat Mr Fawkes je al dan niet heeft verteld. We houden hier vaste tijden aan. We gaan niet mee met de grillen van dichterlijke inspiratie.' Ze blafte het zo luid dat het echode tegen de balken van het plafond en de roosvensters, en hoewel Andrew wist dat het háár bibliotheek was kromp hij in elkaar bij het geluid.

'Ik denk niet dat hij besefte...'

'Je hoeft hem niet te verdedigen. Piers Fawkes is kinderlijk, zoals alle kunstenaars kinderlijk zijn. Ze worden enthousiast om niets, en ze vinden hun eigen kleine niets uit wanneer er niet voldoende niets bij de hand is. Niet het temperament dat vereist is in een historicus, een academicus, eigenlijk in alle volwassenen die iets tot stand willen brengen wat te maken heeft met het echte leven. En dat is wat ik bestudeer: het echte leven. Ik ben archivaris. Een onderzoekende bibliothecaris. Niet iemand die boeken opzoekt. Wanneer Fawkes voor literair-historische detective gaat spelen, is hij even lachwekkend als een jongen die zich verkleedt en zijn vaders schoenen en hoed aantrekt, of nog beter, een Sherlock Holmes-pet opzet en een pijp rookt. Hij heeft er geen idee van dat wat hij vraagt heel moeilijk te vinden is. En ik heb veel te lang in deze bibliotheek gezwoegd om zonder bericht vooraf bladzijden om te slaan wanneer Mr Fawkes een vlaag van inspiratie krijgt. Ik ben verdomme Google Books niet,' bulderde ze, en een half dozijn studenten tilde hun hoofd op om Andrew en Dr Kahn voorbij te zien stormen, om bij het zien van de spreekster haastig weer hun hoofd te buigen. 'Daar heeft hij zijn *aanwijzing* gevonden, nietwaar?'

Andrew gaf geen antwoord. Ze kwamen bij een van houtsnijwerk en beslag voorziene deur aan het eind van de grote leeszaal. Dr Kahn haalde een sleutelbos uit haar zak en maakte de deur open. Erachter liep een donkere trap omlaag. De geur van stof en lijm en een diepe stilte zweefden omhoog.

'Hoe laat is het?' wilde ze weten.

'Eh, halfacht,' antwoordde Andrew verbaasd.

Ze stak haar hand uit in het donker. 'Een halfuur.' Hij hoorde de klik van een tijdschakelaar voor de lamp die werd ingesteld, gevolgd door het wegtikken van seconden. 'Licht is schadelijk voor de boeken,' verklaarde ze. 'We gebruiken alleen wat we nodig hebben. Rupert,' brulde ze achterom naar de Vijfdeklasser achter de informatiebalie. 'Ik ben in de catacomben.'

Rupert keek naar hen en hij bracht twee vingers naar zijn hoofd als teken dat hij het begrepen had; maar het leek meer op een saluut.

Achter Dr Kahn liep Andrew de trap af, verrassend moderne metalen treden die hol klonken onder hun voeten. Ze kwamen in een lange kamer met een laag plafond, waar op enige afstand van elkaar gele lampen aan hingen. De wanden bevatten planken met archiefdozen, en boeken die als mummies in plastic gewikkeld waren en op hun rug lagen.

'Hier links liggen brieven. OH's,' merkte Dr Kahn op toen ze langs een plank liepen. *Oude Harrovianen,* vertaalde Andrew voor zichzelf. 'Dit hier is een goede afdeling. Winston Churchills brieven aan zijn huismeester. Vlak na Gallipoli. Volslagen sentimenteel. Churchill had een ellendige tijd op Harrow.' Ze klopte op een andere doos. 'Hierin zit een manuscript van een vroeg toneelstuk door Rattigan. Met een open einde.' Ze kreunde. 'De grillen van belangrijke mannen. Hun scholen weten wie ze werkelijk zijn. Wij zien hoe het product ontstaat. Overigens, wat jij zoekt is hier, achterin.'

Ze liep door tot achter in de kamer, naar een plank met een rij in leer gebonden boeken, zo groot als grafstenen. Andrew keek bezorgd naar de titels. Die waren allemaal hetzelfde.

HARROW REGISTER.

'Mag ik erin kijken?'

'Ja.'

Andrew sjouwde een van de boeken naar een lage tafel en sloeg het voorzichtig open bij de eerste pagina.

RECTOR

REV. JOSEPH DRUDRY, D.D.

LIJST VAN HARROW-LEERLINGEN, OKTOBER 1800

(volgens een lijst die in het bezit is van Miss Oxenham)

'Mr Fawkes vertelde me dat je geïnteresseerd bent in de opvoering van een toneelstuk,' zei Dr Kahn.

'Dat klopt.'

Andrew sloeg de pagina's om. Er stonden namen op, gevolgd door *zoon van*, schoolprestaties, functies als mentor, huisoudste, naar welke universiteit ze waren gegaan, en het onvermijdelijke *Overleden*, met het bijbehorende jaar. Er waren lange levens bij, korte levens, allemaal met dezelfde necrologie in telegramstijl. Hij kon een gevoel van verbazing niet onderdrukken – dat hij zo'n oud boek aanraakte dat namen van de doden bevatte – en hij voelde ontzag voor de geschiedenis en de beginselvastheid van de school. De excentrieke namen waarom hij had gegrinnikt voor hij op Harrow aankwam – *Shells, Removes* – stonden hierin, en het gebruik ervan ging terug tot 1800. De namen van de huizen ook. *Headmaster's. Headland. De Lot.*

TOWER, CHARLES (De Lot). Zoon van C. Tower Esq. (OH), Weald Hall, Brentwood. Vertrokken 1802. Univ. Coll. Oxf, BA, 1805. Auteur van diverse religieuze werken en een Tamil woordenboek. Overleden 25 sept. 1815.

'Ga je me nog vertellen welk toneelstuk?' onderbrak Dr Kahn zijn gesnuffel.

'Natuurlijk,' zei hij. '*The White Devil*, van Webster.'

'Ga je me ook vertellen waarom je zoekt naar *The White Devil*, van Webster?'

'Ik...'

'Ja?' Dr Kahn keek hem indringend aan.

'Research,' zei hij zwakjes.

'Natuurlijk. En ben je voor je *research*,' ze sprak het uit op de Engelse manier, met de klemtoon op de tweede lettergreep, alsof ze hem wilde verbeteren, 'van plan om elke pagina van elk van deze boeken te lezen?'

'Ik...'

'Dan heb je meer tijd nodig dan dertig minuten.'

Andrew draaide zich om en bekeek de lange rij boeken. Ze besloegen een eeuw.

'Heeft Mr Fawkes je duidelijk gemaakt wat mijn titel is?' vroeg ze streng.

'Titel?' Andrew begreep het niet. 'Eh, bent u *Dame* of zo?'

Ze keek hem strak aan, met een nijdige blik. Toen bewogen haar lippen, vechtend tegen een glimlachje.

'Dat,' zei ze, 'is misschien het domste wat iemand me op deze school ooit gevraagd heeft. En de competitie is fel geweest. Nee, ik ben geen dame. Ik ben *Doctor* Judith Kahn.'

Andrew overwoog of het beter zou zijn om iets te zeggen, of om zijn mond te houden.

'Ik sta bekend als Dr Kahn,' vervolgde ze, 'omdat ik doctor in de filosofie ben. Ik heb in het verleden een *D.Phil.* gehaald. Op Cambridge, als je het weten wilt.'

Andrew deed zijn mond open.

Ze stak haar hand op. 'Zeg niets meer. Ik weet niet zeker of ik dat zou kunnen verdragen,' zei ze. 'Laat me je helpen.' Ze wachtte, daarna herhaalde ze: *'Ik zei, laat me je helpen.'*

'O,' zei hij snel. 'Ik snap het. Kunt u... me helpen? Om het te vinden? Ik zoek naar *The White Devil...*'

'Van John Webster, ja, ja,' zei ze. '1804.'

'Werd het opgevoerd in 1804?'

'De enige keer dat het opgevoerd werd, voor zover ik weet, op het toneel van de school.'

'U... weet dat gewoon?'

'Ik heb het opgezocht. Dat is mijn werk,' zei ze. 'En je was niet alleen geïnteresseerd in het stuk, volgens Mr Fawkes?'

'Nee. Ik zoek iemand die er misschien in heeft gespeeld.'

'Ik heb geen tijd gehad om dat uit te zoeken, ondanks de dringende boodschap van je huismeester. Een mannen- of een vrouwenrol?'

'Een vrouw,' stamelde Andrew. 'Hoe wist u dat u dat moest vragen?'

'De meeste stukken hebben rollen voor mannen en vrouwen. Daar hoef je niet naar te raden. Maar als we gaan zoeken naar je leerling, moeten we het jaar weten waarop hij op deze school kwam, ongeveer. En om dat jaar te weten moeten we weten hoe oud hij was in 1804. En als hij de rol van een vrouw heeft gespeeld...'

'Zou hij jonger zijn geweest,' vulde Andrew aan. 'Voor hij de baard in de keel kreeg.'

'Heel goed.'

'1803?' opperde Andrew.

'Laten we het proberen.' En daarna, tot Andrews verbazing, glimlachte ze.

Naast elkaar stonden ze het Harrow Register door te bladeren, de pagina's afzoekend naar namen. Elke bladzijde die ze omsloegen joeg stof op, en de geur van eeuwenoud papier, dik en broos als kalfsperkament. Ze gingen er een tijdlang mee door, tot Dr Kahn eindelijk iets aanwees.

'Daar is onze jongen.'

HARNESS, JOHN (De Lot). Vrijgestelde leerling. Northolt, Harrow.
Drama: The White Devil, Beggar's Opera. Vertrokken 1807. Overleden juli 1809.

'Hoe weten we dat hij het is?' zei Andrew.

'Het register zou alleen melding maken van een toneelstuk als de jongen een belangrijke rol erin had. Fawkes vertelde me dat jouw jongen de hoofdrol speelde.'

Andrew keek naar de inschrijving. 'John Harness,' fluisterde hij, starend naar de woorden. 'Nu weet ik je naam.'

'En daarnaast nog veel meer,' merkte Dr Kahn op.

'Zoals?'

'Zeg jij het maar.' Ze zei niets meer, en ze bleef Andrew aankijken.

Andrew liep de regels nog eens langs. 'Eh... Northolt, Harrow. Hij kwam hier uit de buurt.'

'Goed.'

'Hij stierf twee jaar nadat hij van school was gegaan.' Andrew dacht aan de bleke huid en de diepliggende ogen. Kon dat het gezicht van iemand van twintig geweest zijn?

'Je hebt de twee belangrijkste woorden over het hoofd gezien. En je hebt ook twee belangrijke woorden gemist die hier niet in voorkomen.'

Verbaasd keek Andrew haar aan.

'De twee belangrijkste woorden: *vrijgestelde leerling*. Die gaan terug naar de oorsprong van de school. Harrow werd opgericht als een liefdadigheidsinstelling, om de plaatselijke armen onderwijs te bieden. Tot de leraren ontdekten dat ze rijk konden worden door inwonende studenten aan te nemen. Ze konden veel geld vragen voor kost en inwoning, de jongens in ellendige omstandigheden laten wonen, en de winst in hun zak steken.'

'Hebben leraren dat gedaan?'

'Schokkend, vind je niet?'

'Ellendige omstandigheden,' herhaalde Andrew. 'Zoals ratten die door de slaapzalen rennen.'

'Je hebt een levendige fantasie – en ja, dat is het idee. De inwonende studenten werden, omdat ze niet uit de naaste omgeving afkomstig waren, *buitenlanders* genoemd. Ze kwamen uit heel Engeland. Vaak van adel. Altijd rijk. Ze subsidieerden de hele opzet. Je kunt je voorstellen hoe ze de vrijgestelde leerlingen behandelden.'

'Hoe dan?' durfde Andrew te vragen.

Dr Kahn liet haar ogen over de pagina dwalen en ze raakte even de plaats aan waar *Harness, John*, gedrukt stond. 'Als verrot afval. Ze noemden hen *town louts*. De mishandelingen werden zo ernstig...'

'Dat ze ze hoeren noemden en ze verkrachtten,' zei Andrew, zonder erbij na te denken.

Toen werd het stil. 'Je zit er niet ver naast,' zei Dr Kahn, terwijl haar ogen zich nieuwsgierig in hem boorden. 'Ik had willen zeggen dat de mishandelingen zo ernstig werden dat uiteindelijk niemand meer van het fonds gebruikmaakte. Niemand wilde dat. Naar Harrow gaan als vrijgestelde leerling was zo ongeveer een doodvonnis. John Harness moet destijds een van de laatsten zijn geweest.'

Andrew dacht terug aan het voorval in het bad van de prefect, dat hij had gadegeslagen.

'Wat zijn de twee ontbrekende woorden?' vroeg hij na een lange pauze.

'Kijk naar de andere vermeldingen,' droeg ze hem op.

Andrew bekeek ze oplettend, daarna riep hij uit: *'Zoon van!'*

'Hierna ga ik beter denken over het Amerikaanse onderwijs. Heel goed. *Zoon van* ontbreekt. Wanneer je de zoon bent van een plaatselijke winkelier, of nog erger: de lantaarnopsteker of de man die met een kar paardenmest ophaalt, kan het niemand een bliksem schelen wie je vader is. Standsverschil was groter dan in het hedendaagse Engeland – waar de een zijn inkopen doet bij Harrods en de ander bij Oxfam – meer zoals in de derde wereld. De rijken in comfortabele huizen, met voldoende brandstof en voedsel. De armen op elkaar gepropt in kleine huisjes, hele families die bij elkaar in één bed sliepen, samen met de kakkerlakken en ander ongedierte. Leven op brood en kool, alles aangelengd om er langer mee te kunnen doen, aluin als gist in je brood. Varkens op de binnenplaats. Niet vaak in bad. Verstelde kleren. Ramen dichtgeplakt om de warmte binnen te houden, maar daarmee ook de stank en het roet. Wat ons bij een andere aanwijzing op deze bladzijde brengt: 1809.' Ze keek Andrew aan. 'Jouw Mr Harness is jong overleden. Onder deze omstandigheden stierven de lagere standen als vliegen.'

'U kunt uit een paar woorden veel opmaken, Dr Kahn.'

'Mijn vader was zijn hele leven de Joodse assistent-financieel directeur op Harrow. Niemands assistent; hij was de enige financieel directeur. Maar hij assisteerde de regenten, en hij was onderdanig; vandaar de titel.' De woorden waren scherp en bevatten zowel verbittering als trots. 'Hij hield de school financieel op de rails. Eerlijk en oprecht. Ik doe hetzelfde, op mijn manier. Alles draait om accuratesse.'

'Dat heb ik gemerkt.'

Hij was te ver gegaan door ervan uit te gaan dat hij ongedwongen kon spreken. Dr Kahn nam haar zure houding weer aan om hem op zijn plaats te zetten. 'Ik kan je niet verder helpen zonder context, zonder these voor je research. Jij en Mr Fawkes hebben me tot dusver weinig gegeven,' zei ze kwaad.

Andrew overwoog wat hij kon zeggen. 'We zijn nog bezig... een these voor de research te ontwikkelen.'

Ze sloeg haar armen over elkaar, niet tevredengesteld. 'Je bent betrokken bij Fawkes' toneelstuk, heb ik gehoord?'

'Ja.'

'Wel,' vervolgde ze ongeduldig, 'houdt dat hier verband mee?'

'Waarom zou het?'

Haar ogen vlogen bijna uit haar hoofd. '*Waarom zou het?* Het stuk gaat immers over Byron? Zie je deze jaartallen?'

Andrew keek naar de pagina: 1807.

'Byron begon zijn studie in 1804. Hij moet een aantal jaren tegelijk met deze jongen hier op school hebben gezeten. Ik dacht dat jullie tweeën bezig waren met belangrijke research. Is dit niet meer dan een gril?'

'Nee, mevrouw.'

'Waar gaat dit dan om? Heb je een rol in Fawkes' stuk?'

'Ja, mevrouw.'

'Wie speel je?'

'Ik ben Byron,' zei Andrew.

Op dat moment hoorden ze een klik en werden ze in duisternis gehuld. Dr Kahn bleef een ogenblik zwijgend staan tot haar ogen eraan waren gewend. *De tijdklok. Maak je geen zorgen, ik kan de weg blindelings vinden,* zei ze. Maar Andrew reageerde op een andere manier. Het leek alsof het gevoel zich al uren geleden in zijn borst had genesteld, sinds zijn bezoek aan Fawkes, sinds de vorige nacht, sinds hij dat verschrikkelijke tromgeroffel had gehoord en de kracht en de woede van ophanden zijnd geweld had gevoeld en de angstige en onvrijwillige getuige was geweest – *onvrijwillig – was hij onvrijwillig geweest bij alles? – hij had zich overgegeven aan de zakdoek die om zijn keel gewikkeld werd* – en dat het enige wat ervoor nodig was om het naar boven te halen die zachte klik was. In het donker greep hij Dr Kahn bij haar arm. *Doe het licht aan doe het licht aan,* herhaalde hij, zijn stem niet meer dan een panisch gefluister. *Het komt goed,* antwoordde ze. *Blijf hier.* Een ogenblik bleef hij staan, hij klampte zich aan het tafelblad vast om een houvast te hebben, luisterend naar haar voetstappen tot ze kletterden op de metalen treden. Toen hoorde hij de klik van het licht en het aanhoudende tikken van de tijdklok. Ze kwam terug.

'Je staat te trillen,' merkte ze op. 'Wat is er aan de hand?'

'Sorry.'

'Sorry? Is dat alles wat je te zeggen hebt? Je bent zo wit als een spook!'

Bij het horen van dat woord keek Andrew haar aan – te snel.

Ze begreep het. Nu nam ze hem scherp op, taxerend, berekenend. Andrew sloeg zijn ogen neer. Hij onthulde te veel. Hij schaamde zich. Hij moest zich beheersen. Maar de adrenaline joeg door zijn lichaam; zijn benen schokten en trilden. Ze zag het aan, haar ogen werden steeds ronder en haar mond verstrakte tot een dunne streep.

'Mr Taylor,' begon ze. 'Is er iets wat ik zou moeten weten?'

Hij bleef naar de grond kijken.

'Er is hier een aantal verdachte elementen – dat begrijp ik nu. De plotselinge haast. Het achterstevoren verzoek. In plaats van "Vertelt u me alstublieft alles wat u weet over de school in Byrons tijd," vraag je naar iets onduidelijks, één enkel afzonderlijk feit: wie speelde de vrouwelijke hoofdrol in *The White Devil.* En misschien kun je uitleggen,' ging ze verder, 'hoe het komt dat je zo veel lijkt te weten over het leven op Harrow van tweehonderd jaar geleden?'

Andrew voelde dat zijn gezicht begon te gloeien. 'O, dat heb ik hier op school gehoord,' blufte hij.

'Van wie?' wilde ze weten.

'Eh...' Hij begon te hakkelen. 'U weet wel, dingen die ik in het huis gehoord heb.' Dat was tenminste waar.

'Mr Taylor,' zei ze nog eens. 'Ik vraag me af of jij en Mr Fawkes volkomen openhartig tegen me zijn geweest. Zou je me willen vertellen waarom je daarnet zo reageerde?'

'Liever niet.'

Opnieuw sloeg ze haar armen over elkaar. 'Je kwam hier om mij om hulp te vragen. Als je die wilt krijgen moet je me de waarheid vertellen.' Ze keek op haar horloge. 'En de bibliotheek sluit over vijfentwintig minuten, dus ik stel voor dat je een beetje opschiet.'

9

Hongerig

Andrew keek op zijn horloge. Hij was alleen in zijn kamer; met zijn jasje aan en zijn das om zat hij op een stoel, leunend over zijn bed, dat hij als bureau gebruikte, de manier waarop hij het liefst studeerde. Hij hield de aan elkaar geniete pagina's van het script vast en las mompelend de tekst hardop. Opnieuw keek hij op zijn horloge. Er waren twee minuten voorbij. De tijd was veranderd voor Andrew. Vroeger, op Frederick Williams, verstreek de tijd met horten en stoten, en sleepte zich soms wreed voort. Hij mat de tijd in sigarettenpeuken en flarden van gesprekken die hij oppikte en meteen weer vergat in de gemeenschappelijke zitkamers, als een provinciaal die voor de honderdste keer naar een winkel teruggaat om er rond te neuzen. Dan begon de tijd opeens te dringen. Een examen. Een opstel dat ingeleverd moest worden. Alsof tijd een of andere boosaardige kermisattractie was, die op gang gebracht werd door een schurk die zijn snor opdraaide. Maar op Harrow maakte zijn isolement – minder lessen, minder vrienden – dat de tijd langzamer verstreek en een heel ander element werd. Op FW was het vuur geweest: hypnotiserend, en dan opeens verterend. Op Harrow was het water: op- en neergaand, compact, doelbewust. Nadat hij de naam van John Harness onder zijn vingertoppen had gezien, werd elk moment nu angstig gebruikt om aan zijn eigen zintuigen te twijfelen. Was een afgeluisterd gefluister echt, of het laatste signaal dat de werkelijkheid verwrongen was? Wat was erger, vermoeden dat je een spook had gezien, of het bevestigd zien met harde feiten?

Of misschien was het het vooruitzicht Persephone die middag alleen te zien te krijgen, dat ervoor zorgde dat de minuten omkropen.

Het is beter dan de kunstjes van onze oudeheer. Hij zei de woorden hardop met zijn nieuwe Engelse toneelaccent.

Hij keek weer op zijn horloge. Verdomme. Hij ging nu. Hij zou te vroeg zijn. Hij kon er niet tegen nog langer te wachten.

Hij stond met zijn script in een lege High Street te wachten, onder de loodgrijze hemel. Achter hem leidde de trap naar Classics Schools, waar hij en Persephone een paar avonden geleden hadden geschuild. Ze hadden afgesproken elkaar daar weer te ontmoeten: een goede plek om te repeteren. Een ogenblik later werden stemmen hoorbaar, een woordenstroom. Toen verscheen een ongeregelde troep Harrow-hoeden. De les van twee uur was afgelopen.

Persephone, met haar boeken in haar hand, stak eindelijk de straat over, nadat ze hem had geroepen. Op FW zou het een triomfantelijk moment geweest zijn om gezien te worden met het knapste meisje van de school. Maar wanneer je op Harrow gezien werd met het enige meisje van de school veroorzaakte dat jaloezie en pesterijen. Een groepje klasgenoten van de Lot liep Andrew voorbij. Moroney, Mims, Hugo en Cumming, vier van de chagrijnigste Zesdeklassers.

'Miiiiauw, Andrew, heb je een vriendinnetje?'

'Gaan jullie naar de kapper, meisjes?'

Hugo maakte een gek sprongetje. 'Gaan jullie naar de sssauna? Maak er een mooie dag van!'

Andrew schudde glimlachend zijn hoofd. Harrovianen waren artiesten als het op beledigen aankwam. Ze hadden op deze manier nog een uur kunnen blijven improviseren, en dat zouden ze waarschijnlijk doen ook, buiten gehoorsafstand.

'Je bent populair vandaag,' mompelde Persephone.

'Ik niet, jij,' zei Andrew kreunend.

'Hé, sodemieter op,' riep ze tegen de jongens.

'Ooo, dat is niet erg ladylike,' was de reactie.

'Jij bent de enige lady hier, Cumming,' riep ze terug.

Dat werd begroet met uitbarstingen van luid en spottend gelach, en een beschaamd rood hoofd van Cumming.

Andrew en Persephone wilden juist de trap afdalen, toen Andrew zo'n harde duw in zijn rug kreeg dat de pagina's van zijn script alle kanten uit vlogen.

'Klootzak, wat moet dat, verdomme!' Andrew draaide zich kwaad om.

Daar stond Vaz, de gigant. Verscheidene makkers – deze keer niet St John maar andere, ruigere knapen met een brede borst – stonden dreigend achter hem.

'Het was een ongelukje,' zei Vaz rustig.

Nog niet bereid om terug te krabbelen beet Andrew hem toe: 'Ja, dat zal wel.'

Vaz' zwarte ogen namen Persephone op. 'Een mooi stel zijn jullie. Een stuk uitschot en een slet.'

'Wát zei je?' snauwde Andrew.

'Je hebt me wel gehoord. Nu is hij opeens een echte gentleman,' zei Vaz grinnikend, en hij wandelde weg. 'Zorg dat je niets van hem oploopt,' riep hij achterom naar Persephone, terwijl hij verder High Street in stampte, gevolgd door zijn grinnikende vrienden. 'Straks eindig je nog in een lijkzak.'

Moedeloos liepen Andrew en Persephone de klas in. Persephone smeet haar boeken op de tafel met een harde bons.

'De altijd charmante Harrowjongens.'

'Nu begrijp ik waarom je zo deed toen we elkaar voor het eerst ontmoetten,' zei Andrew.

'Hoe deed ik?'

'Vijandig.'

Ze nam een ogenblik de tijd om eraan terug te denken. 'Omdat ik dacht dat je een van hen was.'

'Nu niet meer?'

'Je bent anders,' gaf ze toe. 'En als ik dit stuk niet had denk ik dat ik gek zou worden. Piers is het enige normale element van deze hele school.'

'Vind je Fawkes normaal?'

'Jij niet dan?'

'Hij is intelligent. Hij heeft veel tot stand gebracht. Maar hij is een soort wrak van een ontspoorde trein.'

'Hij is tenminste niet gemummificeerd.'

'Maar hij doet zijn best zichzelf te balsemen.'

Ze kreeg een enorme lachbui. 'Zoals ik al zei, je bent slimmer dan je eruitziet.'

Andrew voelde zich smelten. In dezelfde kamer te zijn met haar, alleen, met haar witte blouse die vanboven openstond... hij had er een paar momenten niet aan gedacht, afgeleid als hij was door zijn boosheid om Vaz' beledigende woorden... maar nu...

'Kom, laten we beginnen,' zei ze. 'Ik wil niet langer aan die dikke Vasily denken dan nodig is.'

'Yeah,' zei hij, terwijl hij snel weer tot zichzelf kwam. 'Yeah.'

Andrew begon te schuifelen, zoals altijd, alsof hij probeerde de juiste plek te vinden om te gaan staan. Persephone wachtte, rechtop, met het script in haar hand, geoefend.

'Ben je zover?' vroeg ze.

'Ja,' zei hij. 'Ja. Oké.'

Ze begon.

AUGUSTA
Je vader veroverde mijn moeder
Bij die andere Engelse jacht
Niet door blauwbloedigen, maar voor hen...

Andrew probeerde haar bij te houden. Haar stem leek te zingen: vol, rond en vanuit haar middenrif. Die van hem leek lomp, nasaal, gonzend van de resonantie. Ze beeldde de emotie van de scène uit (flirtend, sexy, maar ook vol verbazing over het ontdekken van elkaar – zoals de twee Dromeo's in *Comedy of Errors*, had Honey gezegd, zonder dat ze er veel aan hadden). Hij deed zijn best om zich de volgorde te herinneren.

SAMEN
Jij moet, net als ik

Afstammen van Mad Jack
Laten we ons verdiepen
In overspel

BYRON
Maar waarom daar ophouden

AUGUSTA
Dat doet een zuster niet

SAMEN
Incest voegt iets pittigs toe
En voldoet aan onze bestemming

AUGUSTA
Geneukt worden door een broer?

BYRON
Laten we eerlijk zijn

SAMEN
Het is beter dan de kunstjes van onze oudeheer.

Ze draaiden om elkaar heen – twee boksers die elkaar taxeren in de ring – daarna kwamen ze bij elkaar en pakten elkaars handen. Het eind van de scène. Persephone liet Andrews hand los en ging een stap achteruit.

'Goed,' zei ze, tevreden.

'Het, eh...' Andrews hoofd werd leeg, alsof hij nu op het toneel stond, starend in de lampen. Hij tastte naar zijn script en deed alsof hij erin las, hoewel de laatste regieaanwijzingen voor deze scène de enige woorden waren die hij uit zijn hoofd had geleerd. Ze waren hem bijgebleven vanaf het moment dat hij het script kreeg. 'Er staat: *Ze komen bij elkaar, tot elkaar aangetrokken... laten elkaar vol afkeer los... geven zich daarna over aan de verleiding en kussen elkaar hongerig.* Elkaar vol afkeer loslaten. Dat kan niet zo moeilijk zijn,' grapte hij, wanhopig onzeker.

‘Een soort van gefascineerde benadering,’ merkte Persephone nadenkend op.

Ze greep zijn hand, zorgde dat ze hun vorige positie weer innamen, daarna deed ze twee langzame stappen in zijn richting, haar ogen hielden hem vast, ze stond op het punt hem te kussen... maar nee, het was toneelspel. Hoe doet ze dat, vroeg Andrew zich teleurgesteld af.

Bereidwillig deed hij haar na.

‘Nu de afkeer,’ zei hij.

Ze draaide zich om, over haar schouder kijkend, spijtig en angstig tegelijk, alsof hij een dreigende gedaante was die ze plotseling op straat was tegengekomen.

‘Dat was goed,’ zei hij.

‘Dank je.’

‘Nee, echt, je bent een fenomenale actrice.’

‘Vergeleken bij wie?’ zei ze lachend.

‘Nu zouden we...’

‘Je wilt hongerig kussen?’

Hij werd met stomheid geslagen door deze vraag.

‘Het zal moeilijk uit te leggen zijn als er iemand langskomt.’ Ze knikte in de richting van de ramen.

‘Er komt niemand.’ Zijn stem werd hoger. God, hij smeekte er bijna om.

Ze kwam dicht bij hem staan. Theatraal. Ze hield haar hoofd schuin. Ze drukte haar gezicht tegen dat van hem.

Andrew onderging haar kus, met open ogen. Hij hoorde haar door haar neus ademhalen. Het ging allemaal te plotseling, te mechanisch, en toch was het een pure kwelling. Het was wat hij wilde, maar het had geen gevoel, geen betekenis. Ze deed niet meer dan toneelspelen, en ergens was hij nog steeds doodsbang. (Hij had een stuk of zes meisjes gehad, hield hij zich voor; hij had ze gestript als etalagepoppen en hun muffe vaginale geur geroken en was doorgestoten naar dronken bevrediging in lege slaapkamers tijdens mijn-ouders-zijn-weg-bierfeestjes. Maar aan die bravoure had hij hier weinig.) Hij probeerde zijn trillende rechterbeen tot rust te brengen. Wat mankeerde hem? Hij had hierover nagedacht, over haar, veel te vaak. Nu had hij zijn prijs gewonnen, de kus gekregen... maar moest het zó zijn? Een droog tegen elkaar aan drukken van gezichten, zonder dat hun lippen elkaar raakten, volgens een script? Schaamte en verontwaardiging borrelden in hem op, alsof ze hem tergde.

Ze lieten elkaar los.

'Ik vraag me af,' kon hij nog juist uitbrengen in de gênante stilte, 'of dit hongerig genoeg was.'

'We moeten eraan werken. We zouden elkaar vast kunnen grijpen. Dat zou eigenlijk best leuk kunnen zijn.'

'Leuk?' Zijn hart verschrompelde.

'Ja, een soort komische –'

Hij viel haar in de rede. Zijn stem klonk bitter. 'Eigenlijk ben ik teleurgesteld.'

'Teleurgesteld? Waarom?'

'Door de kus,' zei hij schouderophalend.

'Hoe bedoel je?'

'Ik bedoel... jíj...'

'Hoezo, ik?'

'Jij zou hier goed in moeten zijn.'

'O, ja?' Ze werd vuurrood. 'Volgens wie?'

'Volgens...' Iedereen met een greintje verstand en ervaring zou op dit moment zijn mond hebben gehouden en zijn tactiek hebben herzien. Andrew wist het, maar nu was hij vastgelopen in een bepaald spoor en wist hij niet hoe hij eruit moest komen. 'Nou, je hebt gehoord wat Vaz zei.'

'Noem jij me een slet?' Stomverbaasd knipperde ze met haar ogen. 'En hoe zit het dan met jou? Waarom noemt Vaz jou uitschot? Is hij opeens een deskundige?'

Andrews mond werd droog. Ze maakten echt ruzie. Hoe had hij het zo snel zo ver laten komen? 'Omdat ze me ervan beschuldigden dat ik Theo drugs gegeven had,' mompelde hij. 'Het gerucht ging dat hij was overleden aan een overdosis.'

'Ja, dat heb ik gehoord. Absolute nonsens. Theo was clean.' Ze sprak het woord uit op beschuldigende toon, alsof Clean een subklasse van Harrowleerlingen was. 'Maar waarom zouden ze jou beschuldigen, of bén je misschien een soort drugsdealer?'

'Ik doe niet aan drugs. Niet meer,' liet hij erop volgen.

Andrew vond het vervelend dat het gesprek deze wending nam. Hij mocht blij zijn dat ze niet kwaad was weggelopen. In zijn wanhoop besloot hij zijn stomme opmerkingen goed te maken door te onthullen hoeveel erger het met hem gesteld was dan met haar.

'Mijn vader heeft ervoor betaald om me hier op school te krijgen,' begon hij.

'Iedereen betaalt toch?' zei ze, nog steeds nijdig.

'Ik bedoel dat hij een schenking heeft gedaan. Een aanzienlijke. Er was geen andere manier om voor elkaar te krijgen dat ze me toelieten. Ik heb drugs gebruikt. Ik werd van school gestuurd, in Amerika, ongeveer drie weken voor mijn eindexamen.' Hij aarzelde. 'Heroïne.'

'Heroïne?' zei ze.

'Mijn vriend Daniel en ik hebben het gebruikt. Twee keer.' Andrew zuchtte. 'Hij kende een dealer in Bridgeport. Ik was bang. De eerste keer nam ik een heel kleine dosis. Maar het was... fantastisch. Ik bedoel, het *voelde* fantastisch. Dus we zouden het nog eens doen. Het was op een zaterdag. We hadden de hele dag vrij. Wat ik niet wist was dat Daniel het pas een paar keer had gebruikt. Hij deed alsof het... zijn ding was. Dus we snoven uit zakjes, in mijn kamer in het studentenhuis, en ik nam maar een beetje... maar hij gebruikte bijna alles wat in het zakje zat. En na een tijdje kijk ik naar hem, en ik zie dat hij... doodsbleek is. Hij kon nauwelijks ademhalen.'

'Wat heb je toen gedaan?'

'Mijn mobiel gepakt en 911 gebeld. Dat is het alarmnummer,' verduidelijkte hij. 'Ik zei dat ik op de tweede verdieping was van Noel House, op de Frederick Williams Academy, en dat mijn vriend doodging aan een overdosis heroïne. Toen probeerde ik hem wakker te laten blijven tot ik de sirenes hoorde, maar tegen de tijd dat de ambulance kwam was ik... heel ver heen. High.' Andrew wreef over zijn voorhoofd.

'Wat gebeurde er toen?' Persephones stem klonk nu zachter.

'Ze hebben hem gered.'

'Dankzij jou.'

'Hm. We werden allebei van school gestuurd,' zei hij zakelijk. 'Daniel ging naar een afkickkliniek. Ik kreeg een taakstraf. Om de paar weken moest ik mijn urine laten controleren. De aanbiedingen van universiteiten werden ingetrokken. Dus... ik moest iets totaal anders gaan doen. Volgens mijn vader,' voegde hij eraan toe. 'Het land uit. Mijn vader had een heel verhaal bedacht: ik was met de verkeerde mensen in aanraking gekomen... ik had nooit eerder drugs gebruikt... ik had hoge cijfers. Maar Harrow voert een zerotolerancebeleid als het om drugs gaat. Ten slotte eisten ze een schenking, cash. Ik heb zelfs een document getekend om te beloven dat ik er nooit ook maar aan zou dénken om drugs te gebruiken. Dus, hier ben ik.'

Hij plukte aan een pluisje op zijn broek, vol afkeer over zichzelf – omdat hij om zo'n slappe reden op Harrow zat; omdat hij zo'n waardeloos verhaal had verteld; en vooral omdat hij het had móéten vertellen.

'Daar was moed voor nodig,' zei Persephone, op een heel andere toon. 'Dat je om hulp gebeld hebt voor je vriend.'

Andrew merkte schamper op: 'Hij is toch doodgegaan.'

'Wát? Je vriend, Daniel?'

'Ja.' Zachter liet hij erop volgen: 'Na de zomer. Hij had een overdosis genomen.'

'O, god, Andrew,' zei Persephone, vol medelijden en afkeer. 'Ik dacht dat je zei dat hij naar een afkickkliniek was gegaan.'

'Dat was ook zo. Hij begon weer te gebruiken.'

'Nou, dat kon jij toch niet voorkomen.'

Andrew reageerde niet.

'Andrew?' zei ze met nadruk. 'Dat is jouw schuld niet.'

'Nee, ik weet het.' Het klonk afwezig, terughoudend.

'En,' vervolgde ze, 'je was dapper.'

Verrast keek hij Persephone aan. 'Dat heeft nog nooit iemand tegen me gezegd.'

'Nu dus wel. Je zag dat je vriend stervende was en je kwam in actie. Je zette je studie op het spel om te doen wat juist was.'

Andrew kreunde, hij wilde niets liever dan van onderwerp veranderen. 'En jij?'

'Ik?' zei ze. 'O, ik ben alleen maar een slet.'

Hij wilde niet alleen de afgelopen vijftien minuten, maar de afgelopen vijf jaar van haar leven terugdraaien, zoeken naar momenten waarop ze zich om de verkeerde redenen had opgeofferd voor de verkeerde mensen en ze samenvatten in een hoopvol, ridderlijk gebaar; Persephones tijd terugdraaien; al die schade die ze zichzelf had toegebracht ongedaan maken en verzachten. Opeens wilde hij pijnlijk dringend dat ze zichzelf zag zoals hij haar zag: vroegrijp, briljant, hartverscheurend mooi. Hij kon echter slechts een paar woorden uitbrengen, met alle warmte die hij in zich had.

'Nee, dat ben je niet.'

'Ja, dat ben ik wel,' zei ze.

Een ogenblik bleven ze elkaar aanstaren.

'Bijvoorbeeld,' zei ze, 'als je me nu zou kussen zou ik niets doen om je tegen te houden.'

Andrews hart bonsde. Persephone omklemde de rand van de tafel achter haar, alsof ze op een richel van een hoog gebouw stond en dreigde te vallen. Maar hij voelde dat het geen toneelspel was. In twee stappen was hij bij haar, aarzelde, en kuste haar daarna voorzichtig. Zijn linkerhand vond haar krullen, hij schoof de vingers van zijn rechterhand in haar hand, en hij drukte zich tegen haar aan. Deze keer kreeg hij alles, de geur en de warmte van haar lichaam en de welving van haar buik en haar borsten; hun eenzaamheid als een elektrische lading tussen hen in. Ze waren uitgehongerd. Ze kusten dwingender. Hun tongen streelden elkaar; hun tanden gingen vaneen en stootten tegen elkaar aan. Zeker tien minuten verslonden ze elkaar, daarna maakten ze zich eindelijk los, hijgend en met verdoofde lippen.

10

Mokers

Fawkes zat onder het afdak van de veranda, met een leren notitieboek op schoot en een ballpoint in zijn hand. Regendruppels kletterden op het ijzeren tafeltje dat de vorige huismeester had achtergelaten, en dat Fawkes van hem had overgenomen omdat hij wist dat hij te lui zou zijn of het te druk zou hebben om zijn eigen tuinmeubels te kopen. Het opstuivende water maakte vlekken in zijn notitieboek, het papier bolde op, de inkt vormde blauwe plasjes. Maar Fawkes bleef zitten. Dit hoekje was zijn toevluchtsoord, regen of geen regen. Er waren geen ramen die erop uitzagen. Hier kon Fawkes zich volgieten met koffie, roken en woorden neerkrabbelen. Hier nam het oude instinct het over, een gewoonte van dertig jaar. Hij keerde terug tot een primitieve status, hoorde het ritme van alles wat hij in zijn leven had gelezen als het dreunen van één grote, gezamenlijke smidse; rijen dichters die hete beklemtoonde en onbeklemtoonde lettergrepen in de juiste vorm smeedden. Het tweede bedrijf van het stuk vloeide uit zijn pen, sneller dan hij kon schrijven. Zijn vingers trilden van opwinding, niet van de gin, hield hij zich voor, die zijn lichaam teisterde. Hij herlas het. De muziek was er. Het moest bijgeschaafd worden; er zaten zwakke plekken in. Maar dat was herschrijven, niet meer dan zeven. Het belangrijke was dat hij een goudader had gevonden.

Hij klapte het boek dicht, liep met grote stappen naar het midden van de veranda en liet zich doorweken door de druppels, hij hief zijn gezicht op en liet het nat worden, zijn grijze sweatshirt raakte doordrenkt. In zijn hoofd galmde het ritmische gedreun nog steeds na.

'Sir?'

Fawkes schrok. 'Lieve god! Wat doe jij hier? Hoe laat is het, Andrew?'

'Een paar minuten voor acht.' Andrew stond, in zijn blauwe jasje en zijn das, bij de openslaande deuren. 'Sorry. Ik heb gebeld, maar er werd niet opengedaan.'

'Dat betekent dat er niemand thuis is.'

'Maar u bent toch thuis?'

'Nee!'

'Ik heb de naam gevonden,' zei Andrew enthousiast. 'Van... u weet wel...'

'Ah,' zei Fawkes, die nu probeerde nonchalant te doen. Hij bleef midden op de veranda staan, deed alsof de regen hem niet hinderde. 'Heeft Judy je geholpen? Mooi zo. De machtige Kahn weet wat ze in haar archief heeft, hè?'

'Zal ik... naar u toe komen?'

'Eh, nee.' Fawkes schoof langs Andrew naar binnen, waar hij in de keuken een handdoek van een stoelleuning pakte om zich af te drogen.

'Waar was u mee bezig?' vroeg Andrew.

'Ik communiceerde met de goden.'

'Hoe gaat het met ze?'

'Ze zijn terug.' Fawkes ging hem voor naar de zitkamer. Hij liet zich op de bank neerploffen en stak een sigaret op. 'Dat is in niet geringe mate aan jou te danken, Andrew.'

'Echt waar?'

'Mm. Ik begin het te begrijpen: toneelschrijvers halen energie uit hun cast. Een echte Byron hebben... en je bent een heel, heel goed evenbeeld, dat weet je toch? Nou, dat is verdomd inspirerend.'

Fawkes begon te grinniken. Andrew begreep dat Fawkes zijn uiterste best deed om te doen alsof hij een grapje maakte, wat ervoor zorgde dat hij geloofde dat Fawkes feitelijk de waarheid sprak.

'Nou,' zei Andrew, 'dat is mooi.'

'En, wat heb je van Lady Judith gekregen? Heb ik een borrel nodig om het nieuws te kunnen verwerken?' Fawkes stond op en hij liep naar de keuken, waar hij met een halfvolle blauwe fles gin begon te draaien, als een pitcher met een honkbal op de plaat.

'Piers,' zei Andrew, 'het is nog niet eens negen uur.'

Fawkes trok een lelijk gezicht. 'Ik maakte natuurlijk een grapje.' Het duurde lang voor hij zijn hand van de fles kon losmaken. 'Wat heb je gevonden?'

Andrew keek op het papiertje waarop hij haastig aantekeningen had gemaakt. 'De jongen,' zei hij, 'was de enige die in de Lot woonde én die optrad in *The White Devil.* Zijn naam is John Harness. Hij is in 1807 van school gegaan. Dus het stuk moet zijn opgevoerd in...'

Fawkes schrok. Zijn hand, nog vlak bij de fles, maakte een onverhoedse beweging, waardoor de fles omviel en in stukken uit elkaar spatte op de tegelvloer.

Fawkes vloekte. Hij liet zich op een knie vallen en begon de scherven op te rapen. Andrew sprong overeind en kwam met een vuile theedoek om de gemorste drank op te dweilen.

'Zei je nou John Harness?' riep Fawkes uit. Hij omklemde de kapotte bodem van de fles als een alcoholische kroon. 'John Harness?'

'Ja. Weet u wie hij is?' antwoordde Andrew.

'Weet je zeker dat hij zo heet? Heeft Judy het bevestigd?' De berg glasscherven verdween met luid gerinkel in de afvalbak.

'Ja, ze heeft me geholpen bij het zoeken.'

'Wéét ze iets over hem?' Fawkes was opgestaan, hij torende nu boven Andrew uit en keek toe terwijl de jongen de rest opruimde.

'Of ze iets weet...?' Andrew keek op naar Fawkes. Hij was een tikje bleek geworden. 'Ze – ze zei dat hij een vrijgestelde leerling was.' Hij stond op en veegde het glas van zijn hand af boven de afvalbak. 'Vrijgestelde leerlingen waren arme studenten uit de stad. Ze werden gepest...'

'Gepest, ja. Maar deze werd verdedigd door een oudere jongen, die berucht was om zijn driftbuien. *Als iemand je pest, zeg je het tegen mij en dan sla ik hem in elkaar als ik de kans krijg.*'

Andrew aarzelde. 'Dat heeft ze me niet verteld. Maar ze heeft wel gezegd dat Harness misschien Byron gekend heeft. Dat ze elkaar overlapten.'

'Overlapten?' zei Fawkes spottend. Daarna staarde hij door het keukenraam naar de aanbrekende grijs-witte ochtend.

'Eh... Mr Fawkes? Piers?'

Fawkes voelde kippenvel omhoog kruipen langs zijn ruggengraat en over zijn rug als een colonne harige spinnen. 'Of dit bewijst dat je spook bestaat kan ik niet zeggen, Andrew,' zei hij haperend. 'Maar het is verschrikkelijk vreemd.' Daarna begon hij weer uit het raam te staren.

'Is er iets?' vroeg Andrew.

Fawkes kwam in beweging. 'Kom.' Hij liep met Andrew naar de zitkamer terug, waar hij driftig laden begon open te trekken. Toen hij niet vond wat hij zocht knalde hij ze vloekend weer dicht. 'Ga mee.'

Andrew volgde Fawkes de smalle trap op. Hij voelde er niet veel voor om Fawkes' privéwoonruimte te zien, gezien de toestand van de kamers waarin hij gasten ontving. De bovenste regionen van het huis waren schemerig en muf. Op de vloer van de badkamer, waarvan de deur openstond, lag een handdoek. Er plakten haren in de wastafel en op het porselein lag een tube tandpasta zonder dop, als een gewonde soldaat die was achtergelaten. Ze passeerden de slaapkamer (onopgemaakt bed; een vuile onderbroek op de sprei) en gingen Fawkes' studeerkamer binnen, een kleine kamer met rolluiken, vrijwel ongemeubileerd en zo te zien ongebruikt. In een hoek lag een stapel kartonnen mappen, een stuk of tien, van verschillende dikte. Fawkes ging er op zijn hurken bij zitten. Daarna kwam hij overeind en stak Andrew een dunne map toe. Behoedzaam sloeg hij het gezicht van de jongen gade.

'Wat is dat?' vroeg Andrew.

'Dat is het dossier van John Harness,' verklaarde Fawkes. Andrew zette grote ogen op. 'Ik heb dossiers gemaakt van alle belangrijke minnaars van Byron.'

'Zijn minnaars?' vroeg Andrew verbijsterd, terwijl hij de map aanpakte, die fotokopieën van gedichten bleek te bevatten.

'Niet van allemaal. Alleen de voornaamste. Hij had er honderden.' Fawkes keek naar de stapel mappen op de vloer en hij zuchtte. 'Dat doe je wanneer je last hebt van writer's block. Research. Feiten zijn de omweg naar de waarheid.'

'Maar waarom hebt u een dossier van deze John Harness? Ze waren schoolvrienden, geen minnaars.'

'Ah, jullie naïeve Amerikanen toch,' zei Fawkers. 'John Harness wás Byrons minnaar. Op Harrow,' voegde hij eraan toe, bij het zien van Andrews geschokte gezichtsuitdrukking. 'Het was gebruikelijk in die dagen. Kleine affaires van de jongens. Harness en Byron "trokken met elkaar op". Dat was destijds de uitdrukking ervoor. Wat Byron aantrok was het feit dat Harness ook mank liep. Ongeluk in zijn jeugd. Harness' mankheid genas op den duur. Maar in de eerste jaren was Byron zijn verdediger. De oudere, stoere schooljongen beschermde de jongere. Weer zoiets waardoor Byron moeilijk valt in te schatten.

De bodyguardrelatie ging over in een romantische. Ze schreven elkaar hartstochtelijke jaloerse briefjes. Al weer, niets bijzonders. Wat wel ongewoon was, waarom we het belangrijk vinden, is dat het uitgroeide tot iets anders. Ze gingen beiden naar Cambridge. En toen ging het over in liefde. Echte liefde. Geleerden hebben het een eeuw lang genegeerd omdat het element van homoseksualiteit het tot een taboe maakte. Tegen die tijd was het meeste bewijsmateriaal verdwenen.' Fawkes klopte op de dunne map. 'Maar Harness is er nog, onmiskenbaar, in de gedichten en de brieven. Een gezicht dat ons aanstaart vanaf de pagina.'

Andrew hield de map vast alsof die van uranium gemaakt was. 'Harness is de jongen met het witte haar,' zei hij.

'Als John Harness je spook is,' ging Fawkes door, 'bevind je je in een heel vreemde positie.'

Andrew vond het gebruik van het woord 'positie' niet prettig. Hij keek Fawkes achterdochtig aan, alsof Fawkes wist wat er tijdens die ontmoeting met de jongen bij de waterput was voorgevallen.

'Hoe bedoelt u dat?' vroeg Andrew.

'Nou... hij is Harness. Jij bent Byron.'

'Ja, in het stuk... Wacht even, sorry?'

'Persephone zag de gelijkenis onmiddellijk.' Fawkes leunde tegen de muur, hij sloeg zijn armen over elkaar en keek Andrew aan. 'Begrijp je het niet?'

'Nee,' zei Andrew koppig.

'Misschien denkt dit spook *dat jij Byron bent.*' Fawkes' bovenlip krulde om in een geboeid, vaag lachje.

'Denkt hij dat ik zijn vriend ben?' zei Andrew, opzettelijk ongelovig.

Fawkes begon in de kleine werkkamer heen en weer te lopen. 'Misschien is hij daarom teruggekomen. Hij zag je. Hij voelde je. Wat dan ook. Hier. Hij zocht contact met je. Denk je dat hij je dingen zou kunnen vertellen? Over Byron? God, dit is een griezelige, maar fascinerende gelegenheid voor research!' Fawkes lachte opgewonden. 'We zouden een seance kunnen houden om John Harness op te roepen. Toen Byron *Manfred* schreef, heeft hij toen, voor zover je weet, daar iets over gezegd?'

'Ik ga hem niet oproepen,' antwoordde Andrew nors. 'Ik heb gezien dat hij Theo vermoordde.'

Fawkes fronste zijn voorhoofd. 'Juist. Ik moet zeggen dat dit me niet helpt om Theo's dood vanuit jouw standpunt te bekijken. John Harness een moordenaar? De arme plaatselijke homoseksuele jongen met zijn kreupele voet? Niet mijn idee van een koelbloedige moordenaar.'

'Waarom? Wat was Harness dan?' vroeg Andrew.

'Harness werd altijd als een soort slachtoffer behandeld. Byron speelde een tijdlang met hem en daarna dankte hij hem af.' Schouderophalend vervolgde Fawkes: 'In elk geval wordt nergens iets vermeld over een moord. Hoewel ik moet toegeven dat er weinig over zijn leven bekend is.'

'Ik dacht dat u me geloofde,' zei Andrew nors.

'Ik geloof dat je iets gezien hebt,' zei Fawkes. 'Maar alleen omdat je zág dat John Harness Theo doodde... betekent dat niet dat hij Theo werkelijk vermoordde. De lijkschouwer heeft zijn uitspraak gedaan. Sarcoïdose, of hoe het ook mag heten. Wil je naar de politie gaan? Of misschien naar de rector? Wil je hun vertellen: Theo Ryder is vermoord door een spook! Naam: John Harness. Verblijfplaats: het Hiernamaals. Nee, dat ligt niet in Middlesex.'

Andrew rolde met zijn ogen. 'Dat kunnen we niet zeggen.'

'Precies wat ik bedoel,' was Fawkes' reactie.

Andrew dacht diep na. Terwijl hij stond te piekeren voelde hij een soort zwaarte over zich komen; iets ziekelijks; een sterk gevoel van onbehaaglijkheid, twijfel aan zichzelf, boosheid; zo tastbaar dat het zijn zintuigen binnendrong als een afschuwelijke geur; het geestelijke equivalent van een lijkenlucht. Hij werd slaperig en bang tegelijk. De lucht in de kamer was warm en muf geworden, hij zou een dutje willen doen in die ongezonde mist. Andrew keek naar Fawkes. Fawkes staarde met wijd open ogen naar hem terug.

'Voelt u ook iets?' zei Andrew. Spreken kostte moeite. Zijn woorden leken te sterven in de benauwde atmosfeer.

Fawkes knikte. 'We moeten uit deze kamer weg,' verklaarde hij, eveneens met moeite.

Andrew liet de map met het dossier van Harness vallen. Hij bukte zich om de kopieën op te rapen die eruit gevallen waren. Ze hadden namen als *The Cornelian* en *To Thyrza.* Andrew raakte gebiologeerd door de titels. Verstrooid begon hij te lezen.

'Vooruit.' Fawkes trok Andrew aan zijn elleboog mee. Andrew drukte het stapeltje fotokopieën tegen zijn borst en liet zich de kamer uit sleuren, de smalle gang in. Hier konden ze iets gemakkelijker ademhalen. Fawkes holde kletterend de trap af. Hij was al beneden voor hij zich omdraaide en zag dat Andrew boven was blijven staan. Weer dromerig, afwezig.

'Andrew!' schreeuwde hij.

Andrew kwam weer bij en hij volgde Fawkes. Samen bleven ze onder aan de trap staan, omhoogkijkend naar de overloop, waar ze zojuist vandaan waren gevlucht.

'Dat was heel vreemd,' zei Fawkes.

Ze bleven staan, alsof ze verwachtten dat iets hen zou volgen. Maar er gebeurde niets.

'Ik... vond dat niet prettig,' waagde de huismeester te zeggen. 'Is dat wat jij hebt meegemaakt?'

Andrew knikte. 'Yeah.'

'Je bent moediger dan ik achter je gezocht had. Laten we even gaan zitten.'

Dat deden ze, in de zitkamer. Allebei op de bank, waar ze niets anders deden dan staren terwijl hun zintuigen zich herstelden.

'Ik denk niet dat ik die kamer voorlopig zal gebruiken.' Fawkes trok een lelijk gezicht.

Andrew reageerde niet. Er volgde weer een moment waarop ze beiden onheilspellend voor zich uit bleven staren. Toen begon Fawkes onverwachts zangerig te reciteren, met een diepe bariton; een stem die wist wat poëzie was, wist hoe de klinkers lang aangehouden moesten worden tot het klonk als muziek; een stem in sterke tegenstelling tot de sarcastische wellustigheid van zijn normale gesprekstoon.

Laat de mens niet weten
Dat hij, op droog land, het gelukkigst leeft,
Luister hoe ik, beklagenswaardige, op de ijskoude zee
Blootgesteld was aan de winter.

'Is dat Byron?' vroeg Andrew na een pauze.

'Pound,' verbeterde Fawkes.

'Wat betekent het?'

'Ah, kinderen, die willen weten wat gedichten betekenen. Ze betekenen niet. Ze drukken iets uit. Het zijn liederen. Wanneer je ze aanvoelt gaan ze iets betekenen, hier.' Hij tikte op zijn hoofd. 'Dit is een gedicht dat "The Seafarer" heet. Het gaat over naar zee vertrekken, lang geleden, toen er nog geen navigatiemiddelen waren, geen radio. Toen het betekende dat je volkomen, onherroepelijk, op jezelf was aangewezen.'

Andrew liet het op zich inwerken. 'Wij zijn op onszelf aangewezen?'

'In dit geval... ja.' Fawkes glimlachte dunnetjes. 'Welkom, Andrew Taylor, op de ijskoude zee.'

Een paar minuten later sloot Fawkes de deur achter Andrew. Zijn eerste gedachten waren voor de kamer boven. De wolk leek uit zijn appartement te zijn weggetrokken. Zou hij teruggaan naar boven, om het te controleren? *Nee, bedankt!* was de snelle reactie. Fawkes stak een sigaret op en terwijl hij in de zitkamer heen en weer liep wierp hij steelse blikken op de trap. Hoe moest hij vanavond, alleen, in zijn slaapkamer komen? Daarna, in een vlaag van medelijden en angst, drong het tot hem door: dat gevoel, die sensatie, hoorde niet in zijn studeerkamer thuis. Het hield verband met de jongen. Met de Amerikaan.

Nadenkend liet Fawkes zich op de bank vallen. God, wat een ellendig idee. Hoe kon hij de arme jongen beschermen?

Maar terwijl hij een tweede sigaret zat te roken, en daarna nog een, sloegen zijn gedachten een andere richting in. Hij drukte zijn derde sigaret uit. Hij aarzelde. Daarna pakte hij zijn snoerloze telefoon en toetste een nummer in Londen in. Hij sprak tegen een assistente. Hij was genoodzaakt verscheidene minuten te wachten. Daarna, opgewekt:

'Tomasina! Nog een keer met Piers. Weet je nog, mijn toneelstuk over...? Juist. Er is een aspect dat ik zo dom was weg te laten. Ik was ijdel, zoals gewoonlijk, en ik hoopte dat de poëzie alleen voldoende zou zijn. Maar als... als er ook een wetenschappelijk aspect aan zit? Kijk, ik heb nieuw materiaal gevonden over een van Byrons minnaars – een homo – dat net boven water is gekomen. Dan kunnen we het stuk publiceren als een soort literaire ontdekking.'

Tomasina wilde weten of het verhaal op feiten berustte, en of het echt nieuw was.

'Absoluut nieuw,' antwoordde hij. 'Ik werk nog aan het bewijsmateriaal, maar ik ben hier bij de bron, op Harrow, de school waar Byron zoals je weet op heeft gezeten. En het verhaal, wel... het blijkt dat een van Byrons vriendjes op Harrow, die ook zijn minnaar was, een moordenaar was. Dat was tot nu toe niet bekend.'

Tomasina reageerde enthousiast, terwijl ze praatte ging ze voor zichzelf al na hoe ze het zou promoten. *Dus we zouden dit kunnen behandelen als een wetenschappelijke uitgave en een literaire uitgave. We kunnen er een gekoppeld verhaal van maken...*

Fawkes liet haar praten, intussen bij zichzelf grinnikend. Hij liep met de snoerloze telefoon naar de keuken, en terwijl zij doorbabbelde over hoe ze het zou verkopen, schonk hij zich een borrel in.

Oude geschiedenis voelde als een dwangbuis. Boudica, loopgraven, oorlog voeren met speren, en de literaire stijl van Tacitus... Sir Alan Vine baande zich grijnzend een weg door de les, waarbij de klas werd ondergedompeld in het zuur van zijn nasale stem. Andrew zat achter zijn lessenaar in Leaf Schools, zo genoemd omdat het kleine bakstenen gebouw genesteld was in de met bomen begroeide noordelijke helling van de Hill. Hij zat te dagdromen en naar de bomen te staren. De doorweekte bladeren leken in de herfst vergiftigd te zijn door alle regen die er was gevallen. Hij wachtte verlangend op het moment dat Sir Alan op zijn horloge zou kijken en hen zou wegsturen. Eindelijk ging de bel. Andrew sprong overeind. Hij had een andere Vine in gedachten.

De hal liep vol met jongens. Hoeden, jasjes, gepraat. Vijftig tieners, dicht opeengepakt in de kleine ruimte, tegenstromen van klassen die binnenkwamen en vertrokken.

Vijftig jongens, vijftig blauwe jasjes – en één witte blouse. Andrews hart begon te bonzen. Hij drong door de menigte.

Kijk uit.

Heb je haast?

Toen hij bij haar was greep hij haar bij haar elleboog.

'Ik moet je iets vertellen,' siste hij haar toe.

'Andrew.' Persephones stem was luid, een waarschuwing. 'Ken je Seb?'

Andrew zag de Zesdeklasser van de toneelrepetitie, de jongen met het rode haar. Van dichtbij was hij zo mogelijk nog knapper – vierkante kin, atletisch gebouwd, en de koele, beledigde gezichtsuitdrukking van iemand die zojuist een koekje is afgepakt. De woorden van Rebecca, het meisje met de korte rok, kwamen bij Andrew op. *Ze kent veel jongens.*

Andrew fronste zijn voorhoofd. 'Hallo.'

'De beroemde Andrew Taylor,' zei Seb lijzig.

'Wil je ons excuseren?' zei Andrew.

'Natuurlijk. Ik zie u donderdag, Miss Persephone,' zei Seb met een spottende buiging, en hij tikte aan zijn hoed. Persephone begon te lachen. Haar geweldige ogen schitterden. Seb vuurde een scherpe blik af op Andrew. *Ik zie haar twee keer per week, voor het eindexamen Engels,* zei de blik. *Denk maar niet dat het hiermee afgelopen is.* Andrew keek Seb na, die met grote stappen wegliep. Hij was verdomd zelfverzekerd.

'Nieuw vriendje?' zei hij sarcastisch.

'Seb is de slimste leerling van mijn klas. We bespraken *The Pardoner's Tale.*'

'Het leek hem te spijten dat hij weg moest.'

'Ben je tegenwoordig mijn chaperon?' kaatste ze terug. 'Eens even kijken. Ik heb jongens in mijn klas bij Engels. En... kunst! En... biologie! Mijn god! Er zijn overal jongens! Andrew, dat is onveilig!'

Hij werd woedend. Ze bleven een paar stappen zwijgend naast elkaar lopen. Toen stormde hij vooruit. 'Het was belangrijk,' snauwde hij haar toe. 'Laat maar zitten.'

Andrew, riep ze hem achterna.

Hij lag op zijn bed naar het behang te staren.

Op de achtergrond van zijn gedachten vertrapte een stampede van snuivende buffels een landschap, ze scheurden graszoden los en schopten stenen weg. Ze raasden voort in een woeste, eindeloze aanval.

Op de voorgrond was hij zich bewust van de stilte in de kamer.

Verdomme, ik haat deze school.

Andrew hoorde voetstappen naderen. Hij maakte zich op voor een scherpe opmerking tegen Roddy. Iets bijzonder harteloos. Maar nadat hij op zijn gebruikelijke nonchalante manier had aangeklopt, om meteen daarop binnen te komen, zei Roddy op een heel andere toon dan anders: 'Sta op, man, je hebt damesbezoek.'

'Dank je, Roddy, je bent een heer,' zei een vrouwenstem. Roddy bloosde en daarna trok hij zich, genietend van het compliment, terug. Andrew bleef op zijn bed liggen.

'Moet ik weggaan?' zei Persephone toen de deur achter haar was dichtgevallen.

'Mag je eigenlijk wel hier zijn?'

'De ironie wil dat er zo weinig meisjes zijn die Harrovianen op hun kamer opzoeken, dat er geen regels zijn die het verbieden.'

Andrew kreunde. 'Dat is dan zo ongeveer het enige wat niet verboden is.'

'Gelukkig voor mij. En voor jou.'

De atmosfeer werd geladen, alsof de bliksem elk moment kon inslaan. Persephone straalde: haar witte blouse, haar krullen, haar kaarsrechte figuurtje; alles was levendig, mysterieus, vrouwelijk, geurig. Ze fleurde de rommelige kleine kamer op. Ergens had Andrew spijt van de vervelende manier waarop hij haar had behandeld. Toch voelde hij zich gedwongen zijn chagrijnige houding te bewaren. Zover was het al met hem gekomen.

Tot zijn verbazing ging Persephone naast hem op het bed zitten.

'Je hebt me daarstraks in de steek gelaten,' zei ze.

'Ik had iets belangrijks ontdekt,' zei hij verongelijkt. 'Het spook. Het is echt. Zelfs Fawkes gelooft het nu. Hij denkt dat het een vriendje is van Byron, uit de tijd dat ze hier samen op school zaten.'

'Fawkes?' vroeg ze verrast. 'Denkt hij dat?'

'Ja, Fawkes. Jij gelooft me nog steeds niet, hè?'

'Ik weet het niet zeker,' zei ze. 'Denkt hij dat het Byrons vriendje is? Dat is gek. Ik dacht dat Byron...'

'Hij at van twee walletjes. Een tijdlang, tenminste.' Andrew pakte de verkreukelde kartonnen map. 'Gedichten over de vriend.'

Ze pakte de map aan en bladerde die door. 'Deze hele obsessie van je is griezelig,' verklaarde ze.

Andrew leunde gekwetst achterover.

'Kan die deur op slot?' vroeg ze opeens.

'Nee,' bromde hij. 'Geen enkele deur...'

Haar lippen werden op zijn mond gedrukt. Een microseconde verzette hij zich, daarna reageerde hij door zijn mond open te doen. Hun tongen vonden elkaar. Andrew vergat zijn boze bui en hij ging rechtop zitten.

'Ik dacht dat ik griezelig was.'

'Een beetje,' zei ze. 'Misschien heel erg.' Ze begon te lachen.

'En Seb?' vroeg Andrew bitter.

Ze fronste haar voorhoofd. 'Bederf het nu niet.' Daarna merkte ze op: 'Als je normaal was zou ik je niet aardig vinden.'

Ze kuste hem opnieuw. Haar handen, blank, klein, bedekt met sproetjes, gingen naar haar blouse en maakten twee, drie, vier knoopjes los. Daarna tastte ze onder de stof om de haakjes van de lichtbeige beha los te wippen, en plotseling kwamen haar borsten tevoorschijn in het vervagende daglicht van zijn kamer – bleek, ook met sproetjes, en met grotere tepels dan hij had kunnen dromen. Ze werden hem aangeboden als een soort zoenoffer, alsof ze wilde zeggen: *Als je niet gelooft dat ik je graag mag, dan is dit het enige bewijs van mijn oprechtheid dat ik te bieden heb.* Als Andrew de tijd had genomen om na te denken, had hij dit aanbod misschien een beetje treurig gevonden. Waarom zou strippen, zich overgeven, haar eerste en intuïtieve middel zijn om zijn aandacht te krijgen? Maar hij dacht niet na. Toen hij weer adem kon halen ging hij op zijn knieën zitten en nam haar borsten in zijn beide handen, teder, ze voelden koel aan – en hij wist niets meer. Hij dook op ze af, greep ze, likte ze hongerig, als een uitgehongerde man die een schaal koekjes wordt voorgehouden. Ze hield zijn hoofd daar tot hij genoeg had gehad, en toen liet ze hem opstaan. *Kom hier.* Andrew drukte zich tegen haar aan, hij kuste haar, beet haar in haar hals, wanhopig wensend dat hier meer uit zou voortkomen. Ze maakte zich van hem los en stond op. Ze begon haar blouse dicht te knopen. Hij keek hunkerend toe.

'Waarom kom je niet naar mijn huis?' zei ze. Haar kattenogen gloeiden terwijl haar handen bezig waren met de beha en de knoopjes. 'Het volgende vrije weekend.'

'Je huis.' Spreken kostte hem moeite. 'Headland House?'

'Het huis van mijn moeder. In Hampstead. Ze is in Athene. Dan hebben we een weekendje samen.'

Een golf adrenaline racete door Andrews lichaam, en onverwachte angst. *Voor seks. Voor het moment van de waarheid.* 'Oké.'

Hij probeerde te vechten tegen de herinnering die bij hem opkwam. Aan het vernederende *(opwindend vreemde)* ritueel in het souterrain met John Harness – *nu kon hij hem een naam geven* – die hem had opgewonden. Meer dan dat. Die hem had laten klaarkomen.

John Harness was Byrons minnaar

Misschien denkt het spook dat jij Byron bent

Tegen wil en dank werd hij somber. En bang dat Persephone zijn gedachten kon lezen.

'Ik vind je heel aardig, Andrew.'

'Oké.'

'Is dat het enige wat je kunt zeggen?'

'Je maakt me zo ongeveer sprakeloos.'

Dat vond ze leuk. 'Mooi.'

Daarna gleed onzekerheid als een schaduw over haar gezicht. Misschien kon ze zijn gedachten lezen.

'Dus je komt?' zei ze, terwijl ze voor hem bleef staan.

'Natuurlijk. Ja.'

Ze glimlachte weer en daarna vertrok ze met de waardigheid van een actrice.

De laatste les van de dag, die om kwart over vijf eindigde, al bijna donker op deze noordelijke breedte. Frans. Een jongen uit Druries mishandelde een paar zinnen uit een dialoog, toen er aan de deur van het klaslokaal werd geklopt. Een jongen met een boodschap voor Andrew. Er volgde een uitbarsting van o's, ah's en gefluit.

Zijn huismeester moest hem dringend spreken.

Tijdens de wandeling naar de Lot kwamen alle mogelijke onheilspellende scenario's in Andrews hoofd op. Zijn vader had geen geld meer. Hij werd van Harrow af gehaald. Maar zodra Andrew de hal van de Lot binnenstapte werd duidelijk dat er geen sprake was van een van deze melodrama's.

Fawkes liep, in zijn zwarte toga, in de hal heen en weer. Zodra hij Andrew zag stortte hij zich op hem. Andrew werd onmiddellijk achterdochtig. Fawkes' ogen waren roodomrand; hij wankelde en zag er slordig uit, wat hij maskeerde met een gemaakte kalmte en een Mona Lisa-glimlach, ongetwijfeld bedoeld om zelfvertrouwen en zelfbeheersing uit te stralen. Dit had echter slechts tot gevolg dat het leek of Fawkes naar een ander gesprek luisterde, naar de altijd aanwezige, altijd charmante partner in zijn bloedsomloop.

Naast Fawkes stonden twee bouwvakkers te schuifelen, allebei verveeld (ze hadden lang moeten wachten) en achterdochtig (de huismeester was aangeschoten). In de buurt van deze drie mannen hingen verscheidene jonge jongens nieuwsgierig rond. Andrew begreep waarom. De twee bouwvakkers – in stoffige, met verf besmeurde spijkerbroeken en sweatshirts – hadden mokers bij zich. De stelen waren een meter lang en de ijzeren koppen zo groot als bakstenen.

Fawkes wenkte dat Andrew naar hem toe moest komen. 'Kom hier.' Over zijn schouder riep hij: 'Een momentje, mannen.'

Hij pakte Andrew bij zijn schouders, een kameraadschappelijk we-zijn-oude-vrienden-gebaar, in overeenstemming met zijn onconventionele aanpak van het hele gebeuren, bijna alsof hij de werklui moest bewijzen hoe dik bevriend hij was met Andrew. Hij nam hem mee naar de toegang tot een trap, waar ze vrijuit konden spreken. De oudste van de twee arbeiders rolde met zijn ogen. 'U zegt het maar, sir.'

'We hebben een halfuur voor de volgende les afgelopen is en het huis volstroomt met jongens,' siste Fawkes in Andrews oor.

'Oké...' zei Andrew onzeker. 'Wat is er aan de hand? Waarom hebt u me uit de les gehaald?'

'We gaan de kamer zoeken!' zei Fawkes met een stompzinnig gegrinnik.

'Zoeken...' Andrew begreep er niets van.

'Die kamer,' zei Fawkes ongeduldig. 'De kamer... in het verleden... waar John Harness je naartoe gebracht heeft. Die kan er nog steeds zijn. Hier in huis. Deze huizen zijn doolhoven. Als je hem kunt vinden, diezelfde kamer...' Hij maakte een weids gebaar. Andrew wachtte. Fawkes boog zich naar hem toe, zijn adem rook naar gin. *'Dat zou het bewijs zijn.'*

'Bewijs waarvan?'

'Dat het spook bestaat!'

Andrew wurmde zich los. 'Ik heb niet méér bewijs nodig.'

'Jawel. En ik ook. Al die dingen – *The White Devil*, Lord Byron, John Harness – kunnen verbeelding van je zijn. Vreemde toevalligheden, absoluut. Maar geen bewijs. Niemand weet precies hoe Harness eruitzag. Er zijn geen portretten. Het is nergens te controleren.' Fawkes kwam nog dichter bij hem staan. 'Denk aan wat we proberen tot stand te brengen met het stuk. Dit is een... *samenloop* die misschien één op de miljoen keer voorkomt. Een *ontdekking*. Het spook dat terugkeert? Probeert het ons iets te vertellen? Het zou belangrijk kunnen zijn. Heel, heel belangrijk.'

Andrew keek Fawkes aan. 'U bedoelt dat ú zich er heel belangrijk door zou voelen.'

Fawkes bond in, geraakt. Was hij te doorzichtig? Hij moest het een beetje rustiger aanpakken. Hij begon weer wanhopig te klinken.

'Dat geef ik toe. Ik wil dat het stuk uniek is. Ik wil dat het geweldig is. Ik wil dat het... uitgegeven wordt.' Hij lachte, een bitter lachje. 'Daar is niets mis mee. En jíj kunt daarbij helpen.'

De toon van de Amerikaan was wereldwijs en kleinerend. 'Ik ben niet meer dan een *acteur* in uw *stuk*.'

Fawkes' ogen schoten vuur. Hij mocht de woorden dan wel slordig uitspreken, maar zijn hersens werkten op volle toeren als gevolg van alcoholische inspiratie. Hij zag een invalshoek en aarzelde niet om die te gebruiken. 'We helpen niet alleen onszelf, Andrew. We helpen Theo.'

Andrew keek zijn huismeester scherp aan.

'Je hebt het zelf gezegd. Hoe hij is gestorven. Het is gebeurd. Het is echt. Maar niemand zal ons geloven,' vervolgde Fawkes. Vol vertrouwen legde hij zijn hand op Andrews schouder. 'Zijn we – jij en ik – het niet aan Theo verplicht om zekerheid te krijgen?'

Andrew voelde zich net een jachthond. Een hele sliert mensen liep hem achterna terwijl hij door het huis sjokte, geleid door een onzichtbaar geurspoor. De eerste aanwijzing was het zoeken van de juiste trap. Hij begon in zijn slaapkamer en liep daarna de gang helemaal af, maar bij het zien van de nieuwe constructie van de westelijke trap keerde hij om, zodat zijn gevolg zich mopperend door de smalle ruimte moest wringen. 'We krijgen een rondleiding door de Lot, Reg, boffen wij even,' grapte de oudste werkman, Dick, tegen zijn collega. De stelen van hun mokers bonkten tegen de muren, waar flinke krassen op ontstonden. Ten slotte daalden ze gezamenlijk de oostelijke trap af, terwijl Fawkes met zijn uitpuilende ogen elke beweging van Andrew volgde.

Onder aan de trap bleef Andrew staan. Langzaam draaide hij zich om, en weer moesten de weifelende mokersjouwers achteruit stappen. Die deur, met de gedeukte metalen knop, moest het zijn geweest...

'Hier,' zei hij.

'Weet je het zeker?' riep Fawkes.

Natuurlijk weet ik het niet zeker, dacht hij geïrriteerd. Maar hij hield zich in. De bouwvakkers hadden al opmerkingen gemaakt. *Ze hebben zoiets als sanitair uitgevonden, Mr Fawkes. Waterputten zijn niet meer nodig.* 'Ja,' zei hij hardop.

Ze kwamen tot stilstand, alle zeven, dicht opeengepakt op het kleine kruispunt van de gangen in het souterrain. Andrew, Fawkes, de twee bouwvakkers, en drie jongens die waren meegelopen om te kijken wat er hierna ging gebeuren: de jongen die tijdens de Franse les de boodschap van Fawkes had overgebracht, en twee van zijn vriendjes, alle drie Shells.

'Wat nu?' vroeg Dick weifelend aan Fawkes.

Fawkes aarzelde. 'Nu... breek je het open.'

'Openbreken? Een grapje, zeker?' De bouwvakker streek met zijn vlezige handpalm liefdevol over het crème oppervlak. 'Dit is nieuw stucwerk. Dat hebben we vorig jaar pas aangebracht.'

'Dick...' zei Fawkes met nadruk.

'Goed dan,' bromde Dick. 'Nieuwe verf, we moeten alles weer opnieuw doen...'

Nu ze hun opdracht hadden gingen Dick en Reg – echter niet zonder nog een laatste keer sceptisch hun hoofd te hebben geschud – aan de slag. Ze stapten het werkterrein af om te meten hoeveel ruimte ze hadden om te zwaaien. Ze haalden plastic brillen tevoorschijn. Ze gingen wijdbeens staan om meer kracht te kunnen zetten, grepen hun mokers en begonnen te hameren. Het lawaai was oorverdovend. Er verschenen deuken in de muur. Verf en pleisterwerk barstten en vlogen in het rond, eerst witte schilfers, daarna brokken en ten slotte hele stenen. Metalen stangen werden blootgelegd. De kleren van de mannen werden stoffig. Er verschenen meer studenten, ze bleven op de trap staan fluisteren, vroegen waar het om ging, kregen nietszeggende antwoorden. Oorspronkelijk waren het er drie, nu stonden er meer dan zeven jongens te kijken. Ze bleven komen, verzamelden zich in een rij op de trap. Fawkes lette niet op hen, hij hield zijn grote ogen geen seconde van de werkzaamheden af.

Tot Matron arriveerde.

'Allemachtig, wat gebeurt hier?' zei ze, terwijl ze zich een weg naar beneden baande. De jongens gingen voor haar opzij. 'Mijn appartement trilt alsof er een aardbeving is!'

'We doen onderzoek,' zei Fawkes.

'Onderzoek?' Ze nam de puinhoop in ogenschouw. 'Jullie slopen het huis!'

'We slopen het niet, Matron...'

'Deze vent zegt dat er iets achter deze muur is,' zei Dick. Hijgend van inspanning wees hij naar Andrew. 'Een oude waterput, zegt hij.'

'Hoe kan hij dat nou weten?' Matron keek nijdig naar Andrew, die wilde dat hij zijn hoofd onder zijn boord kon verstoppen. Daarna nam ze hem achterdochtig op. 'Ik hoop niet dat dit een of andere malligheid is over de geest van de Lot.'

Een moment flitste Fawkes' nerveuze blik over de gezichten van de bijeen gegroepte jongens. Op hun beurt staarden ze hem met wijd open ogen aan.

Dick grinnikte. *Nu heeft hij een probleem.*

'Het is van geschiedkundig belang,' verklaarde Fawkes, die zijn Engelse arrogantie terugkreeg. 'Het heeft niets te maken met geesten, Matron. Laat ons nu alstublieft doorgaan met ons werk.'

'Werk!' zei ze spottend. Mopperend liep ze de trap weer op. Fawkes gebaarde naar Dick en Reg dat ze moesten doorgaan.

Ondanks Dicks slome manier van doen was hij een gigant met een moker. Hij en Reg bewogen zich als zuigers, zwaaiend, beukend, in een harmonieus ritme. Bij de tiende klap verdween de kop van Regs moker half in de muur. Dick hield op met beuken. Een ogenblik lang konden ze niets anders doen dan staren. Fawkes' gezicht klaarde op. *Is dat het? Is dat het, Dick?* riep hij.

Nu kwamen de mokers sneller in beweging. Ze maakten een grote, ruitvormige opening in het pleisterwerk. Reg gaf er een enorme schop tegen met zijn gele laars met de dikke zool. De muur gaf mee. Er verscheen een gat van ongeveer anderhalve meter hoog en nog geen meter breed. Dick schoof zijn veiligheidsbril op zijn voorhoofd. Hij liet zich op een knie voor het donkere gat vallen en tuurde naar binnen. Zijn hoofd verdween. Toen hij het weer terugtrok stond zijn gezicht verbijsterd.

'Het lijkt erop dat u een nieuw souterrain hebt, Mr Fawkes.'

Ergens kwam een ladder vandaan, en een grote zaklantaarn met een oranje handvat. De ladder werd door het gat geschoven en vastgezet. Andrew trok zijn jasje uit en deed zijn das af. *Waarom gaat hij naar beneden?* vroegen de jongens. Reg daalde af, met de lantaarn. Hij riep naar boven dat de ladder betrouwbaar was.

Achterstevoren stapte Andrew door de opening. Nieuwsgierige jongens verdrongen zich voor de opening en tuurden naar binnen. Het laatste gezicht dat hij zag toen hij afdaalde was dat van Dick, gefronst en bezorgd.

Binnen was het een stuk kouder. Alles werd zwart. De op- en neergaande lichtstraal van de lantaarn onder hem bescheen de sporten.

'Ik heb je,' klonk de stem van Reg weergalmend.

'Hou je de ladder vast?'

'Ja.'

'Is het veilig daar, bij het water?' vroeg Andrew nerveus. Hij hield zich aan de spijlen vast en zette voorzichtige stappen tot hij voelde dat Reg hem stevig bij zijn onderbeen greep en hem naar de vloer leidde.

'Hoe wist je dat het nat was?' vroeg Reg.

Andrew volgde het licht. De vloer was bezaaid met onmiskenbaar twintigste-eeuwse bewijzen van hun sloopwerk: pleisterkalk, stof, spijkers, ijzerdraad.

'Hoe wist je dat het nat was?' herhaalde Reg.

'Nat?'

Andrew bleef de lichtstraal volgen. Hij zag de hellende vloer. De gaten die in de stenen muur waren geslagen. De glibberige vlekken van druppelend water. En de mond van de waterput, meer dan twee meter breed, met zijn gekartelde stenen lippen.

'Kijk daar,' mompelde Reg, en hij richtte de lichtstraal op het donkere gat. 'Als je daarin valt breek je je nek. Hé! Voorzichtig!'

Andrew liep om het gat heen, als gehypnotiseerd in de diepte starend. Aan de andere kant bleef hij staan. Reg zei iets. Hij vertelde de mensen die zich boven hadden verzameld wat ze hadden gevonden. Fawkes' gezicht verscheen in de opening. Hij riep naar Andrew. *Wat is het?* Nieuwsgierig en bezorgd. *Wat zie je daarbeneden, Andrew?* Maar Andrew luisterde niet. Daar, op de vloer, recht en strak alsof iemand hard aan beide kanten had getrokken, lag een schone witte zakdoek.

DEEL II

Wat zijn duizend levende geliefden
Vergeleken bij hen die de doden niet kunnen verlaten?

11

Verstikking

Dr Judith Kahn ging haar huis binnen. Het was een bescheiden woning met twee slaapkamers, aan Covey Lane, tien minuten lopen vanaf de school. Het was haar vaders huis geweest (haar moeder was overleden toen Judith jong was) en ze had het helemaal opnieuw ingericht, om het tot haar eigen huis te maken, niet meer het gevoel te hebben dat ze nog altijd in haar ouderlijk huis woonde. Nieuwe verf, nieuwe meubels. Maar dat was al dertig jaar geleden. Nu zag het huis er op een andere manier doorleefd uit. Slijtplekken op de muren, papieren op het bureau, te veel fotolijstjes op boekenplanken en vensterbanken, haar oude comfortabele kaftan over de rugleuning van haar favoriete stoel. Ze was er trots op dat ze er geen knus oudedameshuisje van had gemaakt; ze woonde liever in een artistiek-rommelig sfeertje. Haar vader had haar geleerd met geld om te gaan. Ze was eigenaar van de huizen aan weerszijden en die verhuurde ze, evenals een van de dichtbijgelegen winkelpanden op de hoek van Dudley Gardens en Lower Road. Als de opschepperige aristocraten van Harrow zouden weten hoeveel geld hun archivaris opzij had gelegd, zouden ze in shock raken.

Het lampje op het antwoordapparaat knipperde. Ze zag het wenkende oranje lichtje vanaf de plek waar ze stond, bij de voordeur. Ze toetste de code van het alarmsysteem in (een concessie aan het alleen wonen) en daarna liep ze de donkere kamer in, onderweg een lamp aanknippend, om naar de boodschap te luisteren. Het was Fawkes. Hij klonk zowel dronken als opgewonden. Ze glimlachte. Iedereen had een Fawkes nodig. Een fontein die overliep van ideeën. Of was het een overstromende badkuip die dreigde het huis onder te laten lopen? De laatste tijd was haar, naast zijn gebruikelijke narcisme, opgevallen dat hij zich steeds minder kon beheersen, en dat baarde haar zorgen. Zijn boodschap van vanavond was nog verwarder dan gewoonlijk. *Zou je ons nog een keer kunnen helpen?* vroeg Fawkes. Ze hadden in de Lot een verborgen kamer gevonden; wist zij er iets van? Hij dacht dat het allemaal terugging tot Byrons tijd, en hij vermoedde een bizar element. Dat waren zijn woorden: *een bizar element.* Dr Kahn fronste haar voorhoofd. Fawkes' stem sloeg over toen hij die woorden uitsprak. Alsof hij probeerde grappig te doen over iets wat hem van streek bracht en de spanning hem te veel werd. Dr Kahn pakte de telefoon om hem terug te bellen.

Haar vinger raakte de toetsen echter niet aan. Haar zenuwen tintelden en ze werd zich ervan bewust dat er een andere persoon in huis was. Of het kwam door een of ander nauwelijks hoorbaar geluidje of pure intuïtie kon ze niet zeggen, maar ze wist het onmiddellijk. Ze liep naar de haard, in een poging kalm te blijven, niemand aan het schrikken te maken. Ze greep de zware pook stevig vast en daarna draaide ze zich om, de pook voor zich uit houdend als een bajonet. Haar strategie was niet doordacht – wat zou ze doen wanneer ze de indringer in het nauw gedreven had? – maar ze was bang, en nieuwsgierig, en woedend. Hoe had iemand langs het alarm kunnen komen? En wat zou iemand in vredesnaam willen stelen? Boeken? Dr Kahn sloop naar de gang.

'Hallo?' riep ze. Haar stem was zwak. *Dat kun je beter,* zei ze bij zichzelf.

Maar nee. Haar zenuwen tintelden nu nog erger. Er was iets veranderd in het huis; ze voelde een drukkende wolk op zich neerdalen, de atmosfeer werd dichter. Het bemoeilijkte haar ademhaling. Haar bewegingen werden langzamer, alsof er een gewicht op haar ledematen drukte. Zelfs haar gedachten werden trager.

Ze liep de gang op de begane grond in. Ze had maar één lamp aangedaan in de zitkamer, dus het verste eind van de gang was in schaduwen gehuld. De deur naar haar slaapkamer stond half open. Zo had ze die niet achtergelaten, dat wist ze zeker. Het leek alsof iemand de deur een stukje dicht had getrokken, net voldoende om zich erachter te verbergen.

Dr Kahn voelde een aanwezigheid.

Een lichaam, iets, wachtte achter die deur. Toen hoorde ze het. Een onregelmatig gepiep; een gemurmel. Ze kreeg kippenvel op haar armen en in haar nek. Doodstil bleef ze staan, ontmoedigd. Was het een dier? Had ze een of ander beest in een hoek gedreven? Ze hoorde dat er scherp werd ingeademd – een menselijke ademhaling, gevormd door lippen, maar afschuwelijk, schor, haperend. Ze herkende het geluid. Het diepe ademhalen voordat iemand aan een lastige taak begon, bijvoorbeeld het doodslaan van de oude vrouw die hij wilde beroven. Ze zag vier witte rondjes om de rand van de deur verschijnen. Wat waren het? Haar hart sloeg een paar keer over voor ze het besefte. Vingertoppen. Ze voelde iets bij haar voeten. Ze keek omlaag. Nu begon ze te gillen.

Ratten hadden zich om haar voeten verzameld, vettig, een hele zwerm. Tientallen waren het er, in de gang, haar gang. Eentje ging op zijn achterpoten staan en staarde haar aan met ogen die oranje gloeiden in het gereflecteerde licht. Toen voelde ze achter zich iets bewegen. Ze besefte haar fout.

Ze stond met haar rug naar de slaapkamerdeur.

Ze wist niet hoelang ze daar had gelegen, maar ze kwam bij toen ze de telefoon hoorde overgaan. Het gerinkel ging maar door. Ze nam de schade op. Voelde aan haar hoofd – geen verwondingen. Er waren geen ratten in de gang. Er was helemaal niemand. De slaapkamerdeur stond wijd open, zoals ze hem die ochtend had achtergelaten. De pook lag bij de haard. Maar de grootste schok kwam toen ze de woorden hoorde op haar antwoordapparaat.

Judy, met Piers. Hoor eens, we hebben een ontdekking gedaan in de Lot. Een ruimte met een waterput, die was dichtgemetseld. Zou je ons nog een keer kunnen helpen? Om meer te weten te komen? Het houdt allemaal verband met elkaar. Met Byron, denk ik. Er zit een... bizar element aan. Meer hierover wanneer we elkaar spreken.

Het was Piers Fawkes, die hetzelfde bericht insprak dat ze had gehoord toen ze net het huis in was gekomen.

Moeizaam kwam ze overeind. Ze had het gevoel alsof er een grote golf over haar heen was geslagen, ze voelde zich murw gebeukt, maar alle bewijzen van dat geweld waren opgelost in zand en zee.

Ze deed de lampen in de keuken aan en daarna begon ze met trillende handen thee te zetten om tot rust te komen. Ze dacht na over Fawkes' boodschap. *Zou je ons nog een keer kunnen helpen?* Dat 'ons' bracht haar in verwarring. Maar de eerste slok hete thee bracht het antwoord. De Amerikaanse jongen.

De jongen die haar verteld had dat hij een geest had gezien.

Er was slechts vierentwintig uur voor nodig, na de expeditie naar het souterrain.

Fawkes ontving een brief, in de brievenbus geschoven. Geen postzegel, persoonlijk afgeleverd, dat kon zelfs hem niet ontgaan (wat kennelijk de bedoeling was). *Kom morgen na de lessen bij me,* stond er, in Colin Jutes hoekige handschrift.

En nu zat hij hier, in Jutes lange, veelhoekige rectorskamer met zijn vele ramen, als de hut van de kapitein op een oud schip. Bank en stoelen aan de ene kant, groot bureau aan de andere, uitzicht op Harrowpark erachter. Het bevond zich in het midden van de school, boven aan High Street; ingesloten door Headmasters' House.

Omdat hij zich nerveus maakte over deze bespreking had Fawkes de vorige avond te veel gedronken. Gin voor het eten, witte wijn tijdens het eten, en erna weer gin. Nu hij erop terugkeek was het een verschrikkelijk dom idee geweest, maar hij was de drank naar binnen blijven gieten, alsof zijn zenuwen een verstopte leiding waren die hij kon doorspoelen. De hele dag had hij moeten vechten tegen de misselijkheid.

Jute stond bij zijn bureau met papieren te ritselen, zijn hangwangen bewogen op en neer onder een dreigende frons. Hij begon te spreken zonder zijn ogen op Fawkes te richten. 'Ik heb vernomen van je activiteiten in het souterrain.' Hij spuugde het laatste woord uit alsof een souterrain het morele equivalent was van een stripclub.

Plotseling wist Fawkes precies waar dit naartoe ging, en hoe het zover was gekomen.

De jongens. Het moesten de jongens geweest zijn, de Shells, die op de trap hadden gestaan toen de bouwvakkers met hun mokers een gat ramden in de muur van hun eigen huis. Op een doorsnee dag, of zelfs in een doorsnee week, gebeurde er in de school niet genoeg om zo'n incident onopgemerkt te laten blijven. Die jongens zouden naar buiten zijn gekomen met hun verhalen, en onjuiste toelichtingen, en die rondgebazuind hebben. Ze zouden zijn overgebracht van de ene jongen op de andere, in de eetzaal, in klaslokalen, op High Street en in de snoepwinkel, als griepbacillen. En natuurlijk had je Matron nog, die zich binnen een halfuur beklaagd zou hebben bij de assistent-huismeester, Macrae.

'Je lijkt de weg kwijt te zijn, Piers,' zei Jute. 'Je huis heeft je meer dan ooit nodig. En jij begint het letterlijk te verwoesten.'

Zijn toon was niet eens kwaad, merkte Fawkes bedroefd op, maar kalm en sarcastisch. Fawkes leek geen boosheid, zelfs geen woede meer waard te zijn.

'De reden waarom ik je wilde spreken was het verhaal dat ik heb gehoord. Dat de Amerikaan daarbeneden een geest had gezien. Is dat waar, Piers? *De geest van de Lot?*' Jute trok rimpels in zijn neus. 'Oudewijvenpraat?'

Fawkes' gezicht werd rood. 'De jongen vermoedde,' bracht hij stamelend uit, 'dat er een... een deel van het oude huis was...'

'Dus toen ondernam jij zelf een archeologische zoektocht? Met mokers?'

'Ik wist niet wat ik zou vinden. Ik wist niet...'

'Had je gedronken?'

Fawkes stikte bijna. 'Pardon?'

'Mijn vraag was duidelijk genoeg.'

'De... Het was halfvijf.'

Jute staarde hem onheilspellend aan.

'Nee!' was Fawkes' reactie. Een intuïtieve leugen om zich te beschermen. 'Mag ik misschien weten waarom je me dat vroeg?'

'Je drinkt, Piers. Doe niet zo verdomd gechoqueerd. Er was een tijd dat de school dergelijk gedrag tolereerde. En ik veronderstel dat jij, als schrijver, denkt dat het deel uitmaakt van je aura. Maar die dagen liggen achter ons. We eisen van iedereen dat hij zich aan de professionele maatstaven houdt.' Hij zuchtte. 'Het staat op je gezicht geschreven,

Piers,' zei hij. 'Je ogen. Je neus. Bloeddoorlopen en rode adertjes. Het valt mensen op. Het valt mij op. Het valt de jongens op. Tijdens de lessen, heb ik gehoord,' voegde hij er verontwaardigd aan toe.

'Nooit.'

'Andere keren dan?' vroeg Jute. Zijn stem klonk nu rustig en zeker. Fawkes begreep dat hij een ernstige fout had begaan door op die laatste beschuldiging te reageren – één voorval ontkennen betekende andere erkennen. 'Een huisbijeenkomst? Controle van de kamers? Je hebt op de dag in kwestie al je lessen gemist,' zei hij, met een blik op zijn aantekeningen.

Fawkes deed zijn mond open, maar wachtte een seconde te lang voor hij iets zei.

'Ik heb genoeg gehoord,' besloot Jute resoluut, vol afkeer. 'Je krijgt een proeftijd. Die jongens hebben te maken gekregen met de dood van een van hun vrienden, man. Een Zesdeklasser, een populaire jongen. Ze hebben behoefte aan geruststelling, niet aan opgravingen. Of verdomde... *spookverhalen.* Ik wil geen verdere verstoringen meer, niet voor hen en niet voor de school. En ik wil niet dat een dronkaard de leiding heeft over tachtig jongens. Ik heb Sir Alan Vine, als een van de oudere huismeesters, gevraagd om je gedrag in het oog te houden. Over vier weken zal hij me een aanbeveling doen omtrent het eventueel voortzetten van je werkzaamheden. Dat is alles.'

De secretaresse stak haar hoofd om de deur. De frons van de rector veranderde in een zonnige lach. *Wat is er, Margaret?* Fawkes begreep de boodschap: loyale werknemers worden vriendelijk behandeld, slechte worden gestraft. Het was niet nodig te wachten tot hij te horen kreeg dat hij kon gaan. Hij drong zich langs de spichtige Margaret, die, toen ze de stemming van de rector aanvoelde, aan hem snuffelde alsof hij een hond was die ergens in had liggen rollen.

Fawkes kookte toen hij Headmaster's House verliet. Hij had het ergste verwacht. Hij had consequenties verwacht. Maar niet deze vernedering. Wie had tegen Jute iets over de geest gezegd? En die flauwekul over dat drinken. Iedere leraar dronk op school. Kijk maar naar Blake, aangeschoten bij elk feestelijk diner. Het bierrantsoen, de pub voor Zesdeklassers, de feestjes van de jongens die van school gingen... de hele school werd overstroomd door drank.

Hij slofte High Street af, regendruppels striemden zijn gezicht. Meer regen. Het hield maar niet op, sinds Theo was gestorven. Verdronken in zijn eigen longvocht, en vervolgens was de hele school een maand lang doorweekt. Geen wonder dat Jute prikkelbaar was. Het leek echt of de school gedoemd was, vervloekt. Fawkes zou boffen als hij weg kon. En gezien zijn vele fantasieën over een leven na Harrow zou Fawkes opgetogen moeten zijn. Hij had een arbeidscontract voor een volledig academisch jaar. Als hij werd ontslagen zouden ze hem tot juli doorbetalen. Tien maanden. In die tijd kon hij een magnum opus schrijven. Ontheven worden van werk waar hij de pest aan had, en dat hij slecht uitvoerde? Tijd krijgen om te schrijven? Dit was zijn geluksdag.

Hij werd overvallen door een vlaag van zelfmedelijden. Het stuk. Hij kon er alle tijd van de wereld aan besteden, maar niemand zou het willen hebben. Het kon niet uitgegeven worden zonder dat hij aan de school verbonden was. Paniek sloeg toe. En hoe moest het met Andrew Taylor? En John Harness? De waterput in zijn souterrain? Fawkes zou zijn bron van gegevens kwijtraken. Een paar dagen lang was Byrons leven duidelijk voor hem in beeld gekomen. Van deze zwakke, tweedimensionale gevangenis (dagboeken, brieven, wie gaf daar iets om; het was net zoiets als luisteren naar opnames van telefoongesprekken van mensen; wie interesseerde zich voor de alledaagse details; geef me de wrijving; neem me mee naar het uur waarop je je ellendig begon te voelen, je ziel verloor, je leven veranderde) was hij in de grimmige, driedimensionale werkelijkheid terechtgekomen; die rees voor hem op als een dik boek waarvan je de plaatjes kunt uitvouwen, in de vorm van de starende, treurige ogen van deze Amerikaanse jongen. Fawkes had de kans gekregen erin te komen. Alsof Andrew Taylor – mopperig of niet – lid was van een exclusieve club waar Fawkes, die van nature nergens bij wilde horen, nu wanhopig graag lid van wilde worden. Hij wilde tijd met deze jongen doorbrengen. En niet alleen vanwege het toneelstuk, moest hij zichzelf met tegenzin toegeven. Hij mocht Andrew eigenlijk wel. Hun gemeenschappelijke ontdekkingen waren het leukste geweest wat hij sinds lang had beleefd. De laatste tijd had Fawkes, met al dat lesgeven, de e-mails van de ouders, zijn administratieve taken, en schrijven, niet echt veel plezier gehad.

Proeftijd. Vier weken. Hij wist niet hoeveel tijd hij eraan wilde besteden, of nodig had, om zijn onafgemaakte zaken op Harrow af te handelen. Maar hij wist dat het langer zou duren dan vier weken.

Hij bereikte de Lot en zag dat de voordeur van zijn appartement openstond.

In de regen bleef Fawkes ernaar staan staren. Niet omdat hij bang was voor diefstal, of voor inbrekers. Maar omdat hij was vergeten zijn eigen verdomde deur dicht te trekken.

Een paraplu was hij ook vergeten. De regen drupte langs zijn neus.

Kleine dingen. Ze maakten hem opeens razend.

Vergeten zijn eigen deur dicht te doen! Als Jute meer bewijs wilde hebben dat iemand niet geschikt was om de zorg voor anderen op zich te nemen... nou, dan was dit het. *Doe er iets aan,* zei Fawkes nijdig in zichzelf. Hij schopte de deur wijd open en zag de treurige berg peuken en de overige troep. Alle andere gedachten werden verdrongen door een onmiddellijke, diepgewortelde walging. Fawkes klemde zijn tanden op elkaar, kwaad op Jute, op de school. Op zichzelf. 'Doe er iets aan,' snauwde hij, deze keer hardop. Hij stampte naar binnen en smeet de deur achter zich dicht. *'Dóé er dan iets aan!'*

Beneden, in de kamer met de waterput, was het erger geweest dan Andrew had gevreesd. Eerst was hij, toen hij de zakdoek zag, een beetje duizelig geworden. Hij wilde het niet laten merken waar Reg bij stond met zijn werklaarzen en zijn met verf bespatte broek. Maar daarna was Andrew bijna omgevallen. Hij kon zich nog net staande houden tegen de ladder. Een vreemd gevoel overspoelde hem, alsof er een verdovende vloeistof in zijn aderen was gespoten. Hij probeerde het van zich af te schudden door het toe te schrijven aan de afdaling langs de ladder. Aan de disoriëntatie die het gevolg was van de inktzwarte duisternis. *Nogal... nogal griezelig hier,* mompelde hij zinloos tegen Reg, in de hoop dat hij de koude werkelijkheid kon oproepen door een gesprek te voeren. Reg bromde alleen maar. Toen Andrew een paar minuten later weer omhoog geklommen was, naar het licht en de vrolijkheid van zijn nieuwsgierige huisgenoten in de gang, werd het gevoel sterker in plaats van te verdwijnen.

Hij knikte bij hun vragen, schonk Fawkes een geforceerd glimlachje, en daarna ging hij de trap op naar zijn kamer. Elke stap bracht hem dichter bij bewusteloosheid: een warm, verwelkomend, behaaglijk gevoel, zoals gezegd wordt van de slaap die poolonderzoekers krijgen wanneer ze wegglijden in de vriesdood. En nu had hij niet de kracht om te ontkennen wat hij beneden had gevoeld: de heerlijke atmosfeer van fysiek verlangen, zo overweldigend dat hij er bijna ziek van werd. Een overdosis heimelijk genot in die kamer met de waterput.

Terug in zijn kamer, terwijl hij zich uitkleedde, zwom hij in ongewenste associaties.

Als iemand je pest, zeg je het tegen mij en dan sla ik hem in elkaar als ik de kans krijg.

Andrew zag het bad van de prefect.

Het staat hier vol stoom.

Een jongen met wit haar komt uit het water omhoog: bleek, volmaakt, tenger, zijn borstspieren welgevormd maar zacht. Zijn huid is glibberig. Hij komt overeind, komt naar hem toe...

Andrew wankelde en hij ging liggen. Hij moest naar bed. Voelde zich niet goed. Hij lag te dommelen in het vervagende licht, vergat de avondmaaltijd, was zich slechts vaag bewust van de knerpende gravel en het gebabbel onder zijn raam, het geluid van jongens die op weg waren naar de eetzaal.

Ten slotte kwam het, toen de zon was ondergegaan. De ademhaling. Ongetwijfeld echt. Het vocht en de beweging van lippen, op korte afstand van zijn oor. Hijgend, verlangend, hortend. Een paar seconden worstelde Andrew met zijn gevoelens – *ik ben alleen in de kamer,* zei hij hardop, *er is hier niemand* – maar hij kon het niet laten ophouden. Hij kon zijn armen en benen niet bewegen. Hij kon niet ontsnappen, en hij wilde het trouwens ook niet. Hij lag daar, in zijn boxershort, passief en zo vervuld van vrees als een verdoofde gevangene die verwacht dat hij overweldigd wordt.

Je bent naar me toe gekomen.

Een hand greep zijn borst, ijskoud. Andrew kreeg een schok, hij hijgde, kromde zijn rug – *word ik aangevallen of geliefkoosd – is dit angst of een soort van* – hij kon het niet benoemen, een soort opwinding, een onwillekeurig gekreun. De kilte verspreidde zich door zijn borstkas, zwol in hem op. Hij gaf zich eraan over.

Eerst hoorde hij het.

Het donderende geraas dat hij had gehoord – wanneer? In die droom. Weken geleden.

Hrr hrr hrr hrr hrr hrr

De droom waaruit hij gillend was ontwaakt.

Het geluid veranderde.

Krch... krch...

Hrr hrr hrr hrr hrr hrr

Eerst had hij gedacht dat het een geluid was dat van buiten kwam, een gedreun of gedonder, alsof hij werd overvallen door een onweersbui. Nu besefte hij dat het iets anders was. Iets kleiners, iets gewoners, maar dan enorm versterkt: de ademhaling die hij had gehoord op de Hill.

Het haperende gegorgel van de uitgemergelde jongen met het witte haar.

Alleen dichterbij. Nee, niet dichterbij. *Vanbinnen.*

Hrr hrr hrr hrr hrr hrr... inademen

Krch... krch... uitademen

En toen kwam het visioen.

Hij is weer in het trappenhuis.

De versleten rode vloerbedekking is hetzelfde. De gammele leuning, de kaarsen.

Hij loopt om de hoek van het trappenhuis. Hij klimt, energiek. Het geluid houdt aan. Het licht is schemerig.

Hij heeft het warm, is kwaad. Glibberig van het zweet. Hij is er klaar voor om iets verschrikkelijks te doen, maar zo opwindend dat hij beeft. Geen tijd om stil te staan. Hij slaat de laatste hoek om.

De gedaante.

Daar is hij.

Net als de laatste keer. Hij staat aan het eind van de gang.

Er zijn hier veel deuren, met regelmatige tussenruimtes. De gedaante bukt zich naar een van de laatste, aan het eind. Het is een vreemd gebaar.

Er moet een sleutel om zijn hals hangen, begrijpt Andrew. Hij ontsluit een deur.

De gedaante richt zich op, hij doet de deur open en gaat naar binnen.

Andrew krijgt een beklemd gevoel op zijn borst wanneer hij de gedaante door de deur ziet verdwijnen. Andrew stormt naar voren om hem te volgen.

Is het de goede deur?

Hij klopt aan. Het geluid wordt harder.

Tot zijn blijdschap gaat de deur onder de aanraking van zijn hand open. Hij was niet opnieuw afgesloten. Zijn hart bonkt.

Andrew stapt naar binnen. Hij kijkt de kamer rond – een slaapkamer, met een klein bureau, en een wastafel in de hoek. Het is er halfdonker, de schemering is vroeg ingevallen en er hangen dikke gordijnen.

De gedaante is er. Draait zich verrast om.

Wie ben je?

Andrew verstijft. In een fractie van een seconde denkt hij: hij mag niet nog iemand vermoorden. Dan is de gedachte weg. In twee stappen is hij bij hem. Andrew grijpt hem bij zijn keel. Een snelle uitroep van protest. Andrews vingers tasten naar het strottenhoofd en knijpen, terwijl hij zijn lippen optrekt zodat zijn tanden zichtbaar worden. Hij geeft zich over aan een primitief, dierlijk genot – *vechten, winnen* – tot de echte strijd begint. Niemand geeft zijn leven gemakkelijk op. Hij schenkt nauwelijks aandacht aan het gezicht: jongensachtig met fijne trekken, knap, maar nu lelijk door de worsteling.

De jongen spartelt tegen. Hij krijgt een klap naast zijn oog, er komt bloed uit de wond. Een nieuwe strategie: de jongen laat zich achterovervallen. Een tafel valt om.

Straks hoort iemand het!

Andrew zoekt koortsachtig naar een manier om er sneller een eind aan te maken. Hij ziet het antwoord: een kussen op het bed. Hij grist het eraf. Laat zijn volle gewicht op de gedaante rusten

wat is hij licht en klein

en drukt het kussen op zijn gezicht. Nu komt het schoppen. Wilde uithalen met knieën en nagels. Andrew klemt zijn tanden op elkaar. Zijn vingers en armen raken verdoofd. Hij heeft bijna geen kracht meer, hij kan het niet veel langer volhouden. Hij leunt met zijn volle gewicht op het kussen. Langzaam gaat het schoppen over in stuiptrekken. Andrew duwt harder.

Kan het niet opgeven

Dan houdt het stuiptrekken op.

Ten slotte – geen beweging meer.

Uitgeput laat hij zich van het lichaam rollen. Zijn gezicht en nek zijn glibberig van het zweet. Zijn hijgende ademhaling lijkt zijn borst te splijten. Dat verschrikkelijke gedonder klinkt nu luider dan ooit. Hij hoest. Het foltert zijn ribben en verscheurt zijn keel. Maar de strijd is voorbij. *Het gezicht.* Hij moet het zien. Hij wankelt naar het raam, trekt de gordijnen open. De kamer wordt vervuld met een witte gloed. Hij pakt een hoek van het grijze, versleten linnen kussen. Hij trekt.

Andrew ging rechtop zitten. Hij drukte zijn beide handen op zijn mond om een schreeuw te onderdrukken.

Ze mochten hem niet nog eens horen. Dan zouden ze denken – zouden ze weten – dat hij gek geworden was.

Ik zie het weer.

Het leek alsof Andrew steeds dichter bij de werkelijke gebeurtenis kwam.

Mijn god, deze keer heb ik alles gezien.

Niet alleen gezien. Gedaan.

Hij was veel dichter bij wat er werkelijk gebeurd was. Een verwurging. Of feitelijk een verstikking. Precies wat hij met Theo had zien gebeuren, op de heuvel.

Het leek alsof de jongen met het witte haar, John Harness, hem halverwege had meegesleurd naar de Lot uit een andere tijd. Andrews bestaan in het Harrow van de eenentwintigste eeuw leek opeens te wankelen. Het leek erop alsof het nadat de muur naar de kamer met de waterput was opengebroken, veel gemakkelijker voor Harness was geworden om hem helemaal mee omlaag te sleuren, naar die koude, bedompte ruimte

dat wil hij

en misschien niet alleen naar de kamer met de waterput, maar nog dieper, misschien dat gat in, naar de zwarte hel die gezichten voortbrengt zoals dat wat hij op de heuvel had gezien

uitgemergeld en met diepliggende ogen
vol woede, vol van een bedroefde afschuw vanwege zijn eigen daden
daarom laat hij het me zien, hij kan het zelf niet eens verwerken.

Andrews overhemd was doordrenkt van het zweet. Hij kreeg het ijskoud. Hij wikkelde zich in zijn klamme lakens, en hij begon te rillen.

Piers Fawkes kwam naar de deur in een spijkerbroek en een wit T-shirt, zijn handen gestoken in knalgroene, tot zijn ellebogen reikende rubberen handschoenen.

'Ik weet niet zeker of ik wel naar het goede huis ben gekomen,' zei Dr Kahn na een verblufte pauze.

'Judy, kom binnen.'

De avond was gevallen. Oranje schijnsel van de straatlantaarns overspoelde de Hill. De geur van frituurvet en bier werd meegevoerd door een frisse herfstbries die de Hill schoonveegde. Een mooie avond om buiten te zijn. Geen regen.

Dr Kahn maakte haar sjaal los en ze stapte Fawkes' appartement binnen. Daar bleef ze staan, ongelovig om zich heen kijkend. De vloer was gedweild. De asbakken waren geleegd – en afgewassen. Tijdschriften en kranten lagen keurig op een stapel. Er waren nergens meer vuile borden te zien, en verderop, in de keuken, stonden rijen borden in een afdruiprek, naast een emmer en een stokdweil. Uit de stereo-installatie klonk een song van The Police, luid en energiek.

'Nu weet ik zeker dat dit het verkeerde huis is,' herhaalde ze. 'Wat mankeert je? Komt er iemand op bezoek?'

'Sir Alan Vine.' Hij keek haar strak aan. 'Ik heb een proeftijd gekregen.'

'Je maakt een grapje.'

Hij schudde zijn hoofd.

'Ze geven jou toch niet de schuld voor de dood van de jongen?'

'Niet direct, natuurlijk. Maar als ik oplettender was geweest...'

'Dat is verschrikkelijk oneerlijk!'

Fawkes haalde zijn schouders op. Hij zette de muziek zachter en ging daarna naar de keuken om een ketel op te zetten. Dr Kahn gooide haar mantel op de bank en ze liep hem achterna.

'Wie heeft dat gedaan? Jute?'

'Wie anders.'

'Waarom heeft hij er dan zo verdomd lang mee gewacht?' zei ze verontwaardigd. 'Het is al weken geleden.'

'Er waren andere bijkomende factoren van recentere datum.'

'Zoals?' vroeg ze.

'Eens even kijken... het feit dat ik de muur van mijn eigen huis heb gesloopt, en de jongens bang heb gemaakt.'

'Ja, ik heb je bericht gehoord.'

'Heb je nog iets kunnen ontdekken?' vroeg hij, terwijl hij een doosje theezakjes uit de kast pakte. Dr Kahn zag dat zijn handen hevig trilden.

'Piers, ben je ziek?' onderbrak ze hem. 'Zal ik een andere keer terugkomen?'

Verbaasd keek hij haar aan. 'Nee, ik ben niet ziek. Ik wil graag dat je blijft.' Zijn gezicht stond treurig.

'Goed dan. Wel, ik heb een paar dingen vluchtig doorgelezen,' zei ze. 'De Lot is feitelijk gebouwd om de kern van het oude huis. Op dezelfde plek. Dat werd zo'n honderdvijftig jaar geleden gedaan, om de kosten voor slopen en herbouwen te besparen, denk ik. Wat jij gevonden hebt is ongetwijfeld een deel van dat oorspronkelijke huis.'

'Dus het is geen ontdekking,' zei hij teleurgesteld.

'Toch is het fascinerend. Ik zou het graag willen zien.'

'Jute denkt dat ik hysterie verspreid.'

'Hm,' zei ze, terwijl ze nog eens naar Fawkes keek, en naar zijn smetteloze keuken, waar schuurpoeder, keukenrollen en vuilniszakken overal verspreid lagen. 'Ik probeer nog steeds al dit schoonmaken te begrijpen, Piers. Je bent jezelf niet.'

Fawkes rukte de deur van een van zijn kasten open. Hij deed een stap opzij om zijn gast te laten zien dat de witte ruimte leeg was. 'Zie je iets?'

'Ik zie niets.'

'Precies. In deze kast stond gin, wodka, eau de vie, whisky, likeur... calvados...' Hij merkte Dr Kahns vragende blik op. 'Mijn nuchterheid werd in twijfel getrokken,' verduidelijkte hij.

Ze tuitte haar lippen. 'Juist.'

'Ik weet het, ik weet het. Je hebt me gewaarschuwd.'

'Heeft Jute dit gezegd?'
'Hij zei dat de jongens het merkten.'
'Heeft hij een of andere ontwenningskuur voorgesteld?'
Fawkes snoof. 'Jute is niet van de kuren.'
'Nee.'
'Hij zei dat we ons aan de professionele maatstaven moesten houden. Hij wil me kennelijk weg hebben.' Fawkes gooide de kastdeur met een klap dicht. 'Dus ik ben gestopt.'
'Gestopt met drinken!' riep ze uit. 'Jij?'
'Lach me niet uit, Judy. Ik sta verdomme al op het punt om in te storten.' Hij bracht zijn ene hand naar zijn voorhoofd en met de andere leunde hij op het aanrecht. 'Ik voel me als een ondeugdelijk stuk speelgoed. Alsof ik, *boing*, uit elkaar zal springen, alsof alle radertjes eruit vallen... alsof ik met plakband bij elkaar word gehouden.'
'Je beeldspraak lijdt er ook onder,' merkte ze wrang op, maar hij keek haar zo triest aan dat ze in lachen uitbarstte. 'O, Piers, ik plaagde je maar. Ik ben opgelucht. Je dronk veel te veel. Je zou voor je zestigste dood zijn geweest.'
Hij kreunde. 'Ik kan niet schrijven.'
'Je went er wel aan.'
'Ik kan niet slapen.'
Dr Kahn kauwde op haar lip. 'Piers,' zei ze ten slotte, op heel vriendelijke toon.
'Hm?'
'Het water kookt.'
'Ah!' Er wolkte stoom en pruttelend water uit de tuit. Fawkes pakte de ketel en brandde prompt zijn hand. Hij sprong achteruit, zoog aan de wond en hield zijn hand daarna onder de kraan in koud water. Dr Kahn draaide kalmpjes het gas uit, met een medelijdende blik op haar vriend.

Ze zaten aan Fawkes' keukentafel met twee dampende bekers thee voor zich. Fawkes deed vier scheppen suiker in zijn thee. Een ogenblik later nog een vijfde. Hij rookte. Hij hield zijn armen om zijn bovenlichaam geslagen. Zijn voet tikte op de vloer. Hij bood Dr Kahn voor de derde keer melk aan.

'Waar het om gaat, is dat ik hiervóór ook niet kon schrijven,' zei hij opeens.

Dr Kahn wachtte.

'Negen maanden kwam ik geen stap verder met dat verdomde toneelstuk. Pas toen die Amerikaan kwam opdagen kreeg ik een heel klein beetje inspiratie.'

'Waarom door hem?'

'Hij is Byrons evenbeeld! Dat is te zeggen, Byron op die leeftijd. Opstandig, zoekend. Bovendien is er iets... schichtigs aan hem. Is je dat niet opgevallen? Alsof hij, als je hem niet precies het juiste beetje aandacht schenkt waar hij behoefte aan heeft, zal instorten. Begrijp je wat ik bedoel?'

Ze knikte. 'Twee avonden geleden, in de bibliotheek, raakte hij echt van de kaart.'

'Hij heeft me op de een of andere manier weer op het goede spoor gekregen. Alsof ik een model heb gekregen om te schilderen. *Emotioneel uitgehongerde wees.* Olieverf op linnen.'

'Hoe denk je dat het komt?'

'Hm?'

'Waarom denk je dat Andrew je inspireert?'

'Het spookverhaal, om maar iets te noemen. Heeft hij het je verteld?'

'Ja.'

'Wat dacht je ervan?'

'Geloofwaardig,' zei ze, na een korte stilte.

Fawkes keek haar verrast aan.

'Ik heb iets vreemds meegemaakt toen ik gisteravond thuiskwam,' zei ze, ter verduidelijking. 'Toen je opbelde. Het was buitengewoon onaangenaam.'

'Jij ook?' Fawkes beschreef wat hij en Andrew in zijn studeerkamer hadden beleefd. 'Ik vroeg me af of het aan mij lag. Aan ons.'

'Met ons bedoel je...?'

'Andrew en ik.'

Ze kreunde. Daarna waagde ze te zeggen: 'Ik denk dat er een andere reden is waarom Andrew Taylor je inspireert.'

'En die is?'

'Ik denk dat hij een weerspiegeling van jou is. Omdat jij degene bent die emotioneel is uitgehongerd.'

'Ga je me psychoanalytisch onder de loep nemen?'

'Waarom begon je zo veel te drinken?' was haar reactie.

'Omdat ik dorst heb,' zei hij. 'Niet omdat ik uitgehongerd ben.'

'Nee, serieus.'

'Omdat er verdomme een tiener van mijn huis is gestorven!' barstte Fawkes uit. 'Omdat iedere familie binnen tweehonderd kilometer afstand me e-mails stuurt, antwoorden wil, verklaringen wil. Omdat de rector, en Theo Ryders ouders, mij de schuld geven! Ze zeggen: *O, natuurlijk, het is een moeilijk te herkennen ziekte,*' zei hij vlak, '*en jij bent geen dokter.* Maar je begrijpt de onderliggende betekenis. Het is de manier waarop ze naar je kijken. *Als je je werk goed had gedaan, zou het niet gebeurd zijn.* Maar natuurlijk! Hoe heb ik mijn Handige Huismeestergereedschapskist voor Onherkenbare Ziektes kunnen vergeten! Ik had de situatie kunnen redden!'

'Juist,' zei Dr Kahn koeltjes.

'Je praat met me mee. Ik heb alles voor hem gedaan wat ik kon, Judy,' zei hij. 'Ik heb hem verdomme naar het mortuarium gebracht.'

'Dat weet ik.'

'En toch krijg ik de schuld! Wat doe ik verkeerd?'

'Je bent,' gaf Dr Kahn als antwoord, 'een zelfzuchtige, narcistische lul.'

Diep gekwetst ging hij rechtop zitten. 'Is dat zo?'

'Ja.'

'Wil je zo vriendelijk zijn dat uit te leggen?'

'Er is een jongen overleden, Piers.'

'Daar ben ik me van bewust.'

'Wat doen we wanneer mensen doodgaan?'

'We drinken ons een stuk in de kraag.'

'Ja. En we laten het allemaal om ons draaien, en we maken er een groot drama van waar de rector bij betrokken wordt, en we besteden er een massa tijd aan om te zeuren over hoe het onze poëzie beïnvloedt,' zei ze scherp.

'Au,' zei Fawkes.

'Wat doen ándere mensen wanneer hun dierbaren overlijden?' Ze herhaalde de vraag retorisch.

'Ik heb er geen flauw idee van. Huilen. Jammeren. Zich de haren uit het hoofd trekken.'

'Is er van jouw naaste familie niemand overleden?'

'Mijn vader, een paar jaar geleden.'

'En?'

'Ik ging aan de boemel. Ik dronk en ik neukte zes weken lang alles wat ik te pakken kon krijgen. Ik kwam vijf kilo aan. Ik kreeg herpes,' voegde hij eraan toe. 'Dus ik begin volwassen te worden.'

Vol afkeer trok ze haar neus op. 'Het woord dat ik zoek is "rouwen", Piers.'

'"Ik zal dat lichte, onbetekenende ding zijn,"' reciteerde hij, *'"dat met allen glimlacht, en met niemand weent."'*

'Citaten. Daar zit je vol mee. Maar vanbinnen ben je een en al as en stro.'

'As en stro. Dat zal ik gebruiken.'

'Rouwen is een actief werkwoord. Dat zou jij toch zeker moeten weten. Je rouwt om iemand. Heb je om Theo Ryder gerouwd?'

'Ik kende hem nauwelijks,' bromde hij.

'Hij was een jongen in jóúw huis.' Dr Kahn hield hem scherp in het oog. Fawkes' gezicht was slap. Pafferig, bleek, vlekkerig. Hij zag er ziek en ellendig uit. 'Je zorgde voor hem. In alle opzichten.'

'Ja?'

'Ja,' zei ze met nadruk. 'Je hebt het goed gedaan.'

'Dank je, Judy.'

'Maar we hebben het nog steeds over jou, nietwaar?'

'Ik kende hem nauwelijks!' Hij hief zijn handen op.

Ze veranderde van tactiek. 'Toen Jute je een proeftijd gaf, waarom besloot je toen om te stoppen met drinken? Waarom ging je niet gewoon weer aan de boemel?'

'Ik moet het stuk afmaken,' mompelde hij.

'Omdat je beter bent dan Jute denkt. Dat heb je zelf gezegd. Je hebt alles voor Theo gedaan wat je kon, en als je nu weg zou gaan, dan bén je de huismeester die een jongen van zijn huis liet sterven, die het niet aankon. En zo ben je niet. En je hebt nu jongens die op je vertrouwen, die je nodig hebben. Andrew Taylor. Hoe noemde je hem ook weer? Een bedelaar? Een kwajongen?'

'Een wees.'

'Hij is Oliver Twist, die je zijn bakje toesteekt, bedelend. Jij bent niet het type om weg te lopen. Je denkt dat je het bent. Maar dat is niet zo, echt niet.'

'Andrew Taylor is enkel en alleen een middel voor me om Byron beter te begrijpen,' zei Fawkes koeltjes, terwijl hij zijn zoveelste sigaret van die dag uitdrukte. 'Ik wil van dit spookverhaal een succes maken. Ik wil het gebruiken voor het stuk. Zo niet in de feitelijke plot, dan om het stuk uitgegeven te krijgen. Andrew is de spil.'

'Zelfs jij bent toch niet zo op geld uit?' Dr Kahn keek hem onderzoekend aan. 'Of wel?' Hij gaf geen antwoord. 'Zeg me dat het niet waar is, Piers. Het is verachtelijk om iemand zo te behandelen.'

Hij ontweek haar blik. 'Natuurlijk meende ik het niet.'

'Help je hem?'

'Ik help hem bij zijn onderzoek,' zei hij.

Ze schudde haar hoofd. 'Je moet meer doen. Hij lijdt. Hij is je volgende Theo, Piers. Maar deze kún je redden.'

'Ik? Iemand anders redden?'

'Ik weet het. Het klinkt onwaarschijnlijk.'

Fawkes slurpte de suikerdrab uit zijn theekopje en zette daarna met een trillende hand het kopje neer.

'Hoelang is het geleden sinds je alcohol hebt gedronken?' vroeg ze meelevend.

'Zesenveertig uur.' Hij keek op de klok. 'En eenenveertig minuten.'

'Je hebt dat besluit op eigen kracht genomen, Piers. Je wist dat je moest veranderen. Dat betekent dat je er al mee bezig bent. Ik heb vertrouwen in je.'

'Ik heb het gevoel of ik honderd jaar ben.'

'Je ziet er verschrikkelijk uit,' moest ze toegeven.

'Bedankt,' lijsde hij sarcastisch. Om eraan toe te voegen: 'Trut.'

Ze glimlachte. 'Geef mij er eens een.' Ze nam het pakje en ze stak zelf een sigaret op.

'En als ik er nu eens niet de aangewezen persoon voor ben?' zei hij ten slotte.

'Waarvoor?'

'Om... je weet wel. Voor mensen te zorgen. Een menselijk wezen te zijn.'

'Natuurlijk ben je dat. Dat zijn we allemaal.'

'Jij niet,' zei hij beschuldigend.

'Wat afschuwelijk om zoiets te zeggen!'

'Jij en je archief,' vervolgde hij. 'Je assistenten afblaffen, de jongens doodsbang maken. Je bibliotheek bewaken als een draak.'

'Noem je me een draak?'

'Misschien zijn sommige mensen er eenvoudigweg niet voor geschikt om met andere mensen om te gaan,' besloot hij.

Ze pakten allebei hun kopje en namen nog een slokje thee.

'Wel,' zei ze, na een stilte, 'maar ik ben nu toch hier, of niet?'

Hun ogen ontmoetten elkaar en hielden elkaar vast. Fawkes' frons smolt weg en ging over in een onwillig lachje.

12

De Essayclub

'Taylor.'

De stem was een bevelende tenor, nasaal, afkomstig uit de grote, ronde borstkas van Sir Alan Vine. De andere jongens wierpen Andrew zijdelingse blikken toe, alsof ze naar een verkeersongeval keken, voor ze het klaslokaal in Leaf Schools verlieten, met hun hoeden schuin op hun hoofd en hun groen-met-witte door Harrow verstrekte schriften in de hand. Andrew keek hen jaloers na.

'Ga zitten.' Sir Alan wees naar een lege schoolbank.

Andrew wrong zich erin. De banken waren gemaakt voor de gemiddelde veertienjarige. Sir Alan bleef staan. Hij leunde tegen de lessenaar op het lage podium, waar hij altijd stond wanneer hij lesgaf. Onder zijn zwarte toga droeg hij een grijs pak.

'Ik ken je niet goed, Taylor,' begon hij. 'Maar ik wil eens even met je praten.' Hij liep naar de deur van het lokaal en deed die dicht. 'Alleen wij tweeën, een momentje.'

Andrew slikte. Persephone. Sir Alan was achter hun plannen voor zaterdag gekomen, hij wist het zeker.

De vorige avond had Andrew een paar sms'jes ontvangen:

Dit weekend is er niemand in mijn moeders huis in Hampstead. Zin om naar me toe te komen? Voorzichtig, voorzichtig. Sir A hoeft het niet te weten. Voor je het in het honderd laat lopen, haar naam is Fidias. Spreek het niet uit als fiddy-ass, met je Amerikaanse accent. Fie DIE ES.

Hij had de berichten verslonden, had ze allemaal gelezen als een roman. Hij was als een bezetene begonnen zich van alles voor te stellen. Dat hij Persephone spiernaakt zou zien, dat hij samen met haar als man en vrouw onder de lakens zou liggen. Dat ze konden genieten van hun onafhankelijkheid, bijvoorbeeld naar een dvd kijken, een maaltijd laten bezorgen, geen negenenzeventig jongens om je heen hebben die je tafel deelden en je toilet gebruikten, die schuim op de vloer van de badkamer achterlieten waar jij over uitgleed wanneer je wilde douchen. Hij wist dat ze beter zou zijn wanneer hij haar voor zich alleen had, en ze niet heimelijk klaslokalen of slaapkamers in en uit hoefden te duiken, maar een heel huis hadden om in te stoeien. Hij zou haar grote ogen zien knipperen zoals ze dat altijd deden, zich laten overspoelen door die vreemde vrouwelijke karaktertrekken... Hoe dan ook... Fuck. Nu was het verpest. Ze waren betrapt.

'Ja, goed. Wat is er aan de hand?' vroeg Andrew, in een poging dapperder te klinken dan hij zich voelde.

Sir Alan kromp in elkaar bij die familiaire toon, maar hij schudde het van zich af. 'Ik maak me ongerust,' zei hij. 'Over jou.'

'Waarom?'

'Het vergt aanpassing wanneer je naar een nieuwe school gaat, in een nieuw land. En je bent hier gekomen onder zeer ongewone omstandigheden. Het gebeurt op Harrow niet dagelijks dat er een Zesdeklasser overlijdt.'

Andrew keek somber.

'Ik kende Theo Ryder,' vervolgde Sir Alan nadenkend. 'Ik heb hem les gegeven voor zijn examens. Niet een van mijn beste leerlingen. Maar met de juiste instelling. Hij zou ver gekomen zijn. Ondanks wat we onze studenten hier voorhouden, is bekwaamheid bij de lessen niet altijd de grootste garantie voor succes. Sport is beter. Het betekent dat je prestatiegericht bent, dat je wilt winnen, dat je het aankunt om klappen op te vangen. Het betekent dat je een leider kunt zijn. Er zijn hier personen, en niet alleen studenten, die in dat opzicht tekortschieten.'

Andrew wachtte of er nog meer kwam. 'Wilde u me daarover spreken? Dat ik meer aan sport moet doen?'

Sir Alans wenkbrauwen schoten omhoog. Andrews toon was neutraal, maar er klonk iets brutaals door in zijn vraag. 'Niet over sport. Ik wil met je praten over je huismeester. Piers Fawkes.'

Andrew keek verrast op.

'Mr Fawkes is een dichter.' Sir Alan liet die uitspraak in de lucht hangen, de pauze wierp een schaduw over het woord. 'Daar is niets mis mee. Ik was advocaat voor ik leraar werd. We moeten allen ons kruis dragen.' Hij grinnikte, een brede gele lach. Andrew probeerde terug te lachen, maar in plaats daarvan merkte hij dat hij naar de grijze haartjes keek die naast de brug van Sir Alans neus groeiden, en de dikkere die in bosjes uit zijn oren staken. 'Ik evalueer zijn prestaties als huismeester.'

'Mr Fawkes' prestaties?'

'Na de dood van Theo moeten we een onderzoek instellen. Er staat te veel op het spel, met tachtig jongens in een huis. Een belangrijk punt van zorg is, eerlijk gezegd, zijn stabiliteit. Het is moeilijk wanneer een van je jongens een dergelijke tragedie overkomt. Ik heb een dochter. Zoals je weet. En de gedachte dat er iets met haar zou gebeuren... wel, zoiets kan de sterkste man uit zijn evenwicht brengen. Dat begrijp ik. Maar...' Zijn toon werd hoger, alsof hij de betekenis van wat er nu volgde, wilde verhullen. 'Ik begrijp dat jullie tweeën veel tijd samen doorbrengen, en... iets over de geest van de Lot. Kun je me dat uitleggen?'

Andrew probeerde tijd te rekken. 'Veel tijd?'

Maar Sir Alan was een te ervaren advocaat om daarin te trappen. Hij hield zijn mond stijf dicht en staarde Andrew strak aan, wachtend tot hij de oorspronkelijke vraag zou beantwoorden.

'Mensen in het huis hebben me verteld over de geest van de Lot...' stamelde Andrew.

'Mensen?'

'Matron.'

'Ga door.'

'Dus zo... zo weet ik ervan af.'

'Iedereen weet ervan af,' ging Sir Alan hardnekkig door. 'Ik wil weten wat jij ermee te maken hebt. Jij in het bijzonder.'

Andrew voelde dat hij een kleur kreeg. 'Op mijn eerste dag,' zei hij, 'heeft Matron me rondgeleid door de Lot, en toen dacht ik dat ik iets voelde, in het souterrain.'

'Zoals wat?'

'Een soort... huivering. Ik vond het griezelig, dat is alles.'

'Heb je een geest gezien?'

'Ik had last van jetlag,' zei Andrew snel. 'Ik denk dat ik een beetje bang werd.'

'Hoe raakte Fawkes erbij betrokken?'

'Ik heb het hem verteld. Hij was bezorgd.'

'Je hebt hem over de geest verteld?' vroeg Sir Andrew geïnteresseerd. 'Geloofde hij je?'

'Sir?'

'Je zei dat hij bezorgd was. Kwam het daardoor? Omdat hij geloofde dat je een geest had gezien?'

'Hij dacht dat ik overstuur was door... u weet wel... door de dood van Theo.' Andrew voegde eraan toe: 'Hij was bezorgd om mij.'

'Hij dacht dat je de geest gezien had... omdat je overstuur was door de dood van Theo.'

'Dat klopt, sir.' Het was een behoorlijk goede versie van de gang van zaken. Andrew was trots op zichzelf omdat hij het op deze manier gebracht had.

'Maar de eerste dag,' vervolgde Sir Alan, 'was Theo nog niet dood.'

Andrew deed zijn mond open.

'Dus je hebt de geest niet gezien omdat je overstuur was.'

Andrew aarzelde. 'Eh, ik heb het later aan Mr Fawkes verteld. Na de dood van Theo.'

'Bleef je dan al die tijd een geest zien?'

'Nee,' mompelde Andrew. 'Het was alleen... U weet wel.'

'Nee, ik weet het niet.'

Andrew zei niets. Sir Alan koos een nieuwe benadering.

'Leg me dan eens uit hoe jullie tweeën ertoe kwamen de muren van het souterrain in de Lot te slopen. Voor je antwoord geeft moet je weten dat ik van zes verschillende jongens in de Lot het verhaal heb gehoord dat jij en Fawkes op jacht waren naar een geest.'

'Op jacht naar een geest? Wat heeft dat te betekenen?'

‘Zeg jij het maar.’
‘U begon erover.’
Nu rook Sir Alan bloed en hij krabbelde niet terug. ‘Jullie tweeën hebben bouwvakkers opgedragen een muur te slopen. Waarom?’
‘Ik had gehoord dat er een paar oude ondergrondse ruimtes in de Lot waren.’
‘Jíj had dat gehoord? En toen heb je het aan Fawkes verteld?’
Andrew probeerde wanhopig alle aspecten te bedenken – waarom hij al dan niet hierop moest antwoorden. Maar er was geen tijd voor. ‘Ja,’ zei hij, en zijn gezicht werd nog roder.
‘En dit slopen van de muur hield verband met de geest.’
‘Nee.’
‘Je had gehoord dat er oude ruimtes in de Lot waren. Van wie?’
‘M-Matron,’ verzon Andrew.
‘Denk je dat Matron, als ik haar zou vragen te bevestigen wat je zojuist gezegd hebt, dat zou doen?’
Andrew slikte. ‘Dat weet ik niet.’
Sir Alan zweeg. ‘Je liegt, Taylor,’ zei hij een moment later. ‘Mijn dochter vertelde me dat je al een twijfelachtige reputatie hier op school hebt, en nu zie ik zelf wat voor type je bent.’
Andrews wereld stortte in. Persephone had met haar vader over hem gesproken? Hem slechte dingen verteld?
‘Je bent een doortrapte leugenaar, de ergste om te betrappen. Niet omdat het zo moeilijk is om de feiten te achterhalen, maar vanwege je houding. Je gelooft meer dan de helft van wat je zegt, omdat je weet dat je dat moet doen om te overleven. En je zult je tot het allerlaatst aan die leugens vastklampen. Ik heb het al zo vaak gezien. Het bewijs van een persoon die toch al geen goede naam heeft. Ik heb over je gehoord. Over de drugs.’ Hij wachtte even. ‘Ik heb het rapport gezien. Je weet dat we hier een zerotolerancebeleid voeren. Je weet dat je als je hier drugs zou gebruiken, *onmiddellijk* naar huis gestuurd zou worden.’ Sir Alan leunde over Andrew heen, zijn gezicht was zo dichtbij dat Andrew de koffiegeur van zijn adem kon ruiken. ‘Het is spijtig dat je vindt dat je me moet voorliegen. Maar zo gaat het soms. Jongens hebben geen respect voor de autoriteit van een leraar. Tenslotte zijn wij voor hen niet meer dan personeel. Een leraar zou de ouders

kunnen bellen, om van hen de nodige extra ruggensteun te krijgen. Maar zelfs dat is gevaarlijk terrein. Jongens kunnen zo verwend zijn, zie je, en de ouders zo misleid wat hun karakter betreft, dat de balans van de macht naar de andere kant kan doorslaan. Dan is het twee tegen een.'

Het kostte Andrew moeite zich voor te stellen dat zijn vader niet de kant van Sir Alan zou kiezen; Sir Alan leek echt zijn vaders type.

'Ik heb die fout al eens gemaakt, en dat doe ik niet nog een keer,' zei Sir Alan. 'Ik geef de voorkeur aan een andere benadering. Eerst een waarschuwende brief sturen. Dat de jongen in kwestie een *leugenaar* blijkt te zijn, en derhalve de kans loopt van school gestuurd te worden. Dan afwachten of de ouders in actie komen. Een smet op het blazoen van hun dierbare zoon! O, ze komen heel snel tot de kern van de zaak, en dan zijn er twee mogelijkheden: ik heb een lastige student over wie ik me druk moet maken, of niet.' Sir Alan grijnsde triomfantelijk tegen Andrew. 'Ik ga die brief aan je ouders sturen, Andrew. Ik zal ervoor zorgen dat je van deze school getrapt wordt.'

'Waarom?' was Andrews reactie, terwijl zijn frustratie en zijn boosheid toenamen.

'Omdat je liegt!' bulderde hij. 'Omdat je eigendommen van de school vernielt. Omdat je het moreel ruïneert. Omdat je de jongere jongens bang maakt. We zijn hier niet in Amerika, waar leerlingen hun scholen voor de rechter slepen. Hier bepaal ik wat er gebeurt.'

Andrew zag zichzelf al op JFK uit het vliegtuig stappen.

Je doet dit goed, anders hebben we het gehad met je.

'Maar zover hoeft het niet te komen, Andrew,' verzuchtte Sir Alan. Hij liep naar Andrew toe en wrong zijn forse gestalte in een van de bankjes naast hem. 'Het hoeft niet. Ik word gepassioneerd wanneer ik mijn school verdedig, omdat ik het nodig vind om die te beschermen, te verbeteren. We moeten de best mogelijke mensen hebben om voor de jongens te zorgen. Fawkes,' vervolgde hij, 'is totaal ongeschikt voor die rol. Dat is alles. Ik wil zijn carrière niet verwoesten. Hij heeft al meer succes dan ik ooit zal krijgen, als dichter dan,' zei hij. Het klonk onoprecht. 'Maar huismeester? Ik dacht het niet.' Sir Alan legde zijn hand op Andrews arm. Andrew staarde ernaar. 'Het enige wat je hoeft te doen is' – *knijp, knijp;* Sir Alan had een stevige greep – 'me de zuivere waarheid te vertellen over wat er in de Lot gebeurd is met de geest.' Hij kneep nog drie keer. Daarna leunde hij opzij en hield zijn hoofd schuin, zodat hij Andrew recht in zijn ogen kon kijken.

'Krijgt Mr Fawkes problemen, sir?'

'Mogelijk. Ik moet achter de waarheid komen.'

'Hij is een goede huismeester,' zei Andrew, hoewel hij het zelf niet helemaal geloofde. 'Voor mensen zoals ik, tenminste.'

'Wat voor mensen zijn dat?'

'Ik weet het niet. Artistiek.'

'Was Theo Ryder dan niet artistiek genoeg?' zei Sir Alan somber.

Opeens had Andrew er genoeg van.

'Ik moet weg, sir.' Hij hees zich uit het bankje. 'Ik zal proberen me meer te herinneren. Echt waar. Hoe kan ik het best contact met u opnemen? Gewoon bij Headland langskomen? Oké, dat zal ik zeker doen. Tot ziens, sir.'

Andrew haastte zich Leaf Schools uit voor Sir Alan hem kon tegenhouden. Hij draafde tegen de Hill op, verblind door zorgen en isolement.

'Zijn de rijkdom creërende krachten van een ware globale economie nu bewezen?' Het aristocratische Engelse accent, vol en arrogant, bespeelde de woorden als de snaren van een droefgeestige harp. 'Of wonen we slechts in een wereld zonder grenzen die toelaat dat allerlei besmettingen zich verder, sneller verspreiden? De instorting van het mondiale banksysteem. Burgeroorlogen en grensincidenten. Pandemieën zoals aids, SARS, vogelgriep, varkensgriep. Of ernstiger bedreigingen voor de beschaving.' De stem pauzeerde even voor het effect. '*Pop Idol* en zijn vele spin-offs.'

Er ging een waarderend gegrinnik door het vertrek.

Ze zaten om de ovale tafel. Twaalf jongens, mannen en vrouwen. De jongens – Zesdeklassers – droegen hun jacquet – de mannen en vrouwen pakken. Midden op de tafel – een oude, het hout had na tientallen jaren een zachte glans gekregen – stonden twee kandelaars. De kaarsen brandden met een hoge vlam. In dat schijnsel hadden de gezichten rondom de tafel een oranje gloed. De donkere kleding leek nog donkerder te worden, een clair-obscur, alsof de groep zich niet voor een groepsfoto had verzameld, maar voor een schilderij – en de aanwezigen in het flakkerende licht gezamenlijk trilden onder een schetsende hand. Voor ieder lid stond een zilveren bokaal, gevuld met madera. Aan het hoofd van de tafel las een jongen met lange armen, benen, en vingers die bestudeerde bewegingen maakten, zodat hij op een reusachtige bidsprinkhaan met een kuif leek, een getypt essay voor. Onder het lezen sloeg hij de bladzijden om.

Andrew vond de kaarsen hypnotiserend. Het was dezelfde kamer waar hij en Persephone een paar avonden geleden naar binnen waren gegaan. Maar de kamer had een verandering ondergaan, was nu gevuld met een bepaald doel, alsof de mensen die hier bijeen waren deel uitmaakten van een broederschap, een geheim genootschap. Ze staken af tegen de duisternis die achter hen lag in het verwilderde groen van Harrow Park, zij waren de bewakers van het licht. Een fles met madera, groen en bestoft, was terzijde op een zilveren blad geplaatst. Zelfs het citaat op het schoolbord was veranderd:

NOCTES ATQUE DIES PATET ATRI IANUA DITIS

De Essayclub is alleen toegankelijk op uitnodiging, had Fawkes verklaard, toen ze samen van de Lot hiernaartoe waren gewandeld, Fawkes in een pak, Andrew in zijn jacquet, *voor de meer serieuze studenten. Leden schrijven essays, ter lengte van een uur, en grondig wetenschappelijk onderbouwd. Judy is de adviseur,* voegde Fawkes eraan toe. *Ze heeft tegen me gezegd dat ik je moest uitnodigen. Je moet indruk op haar hebben gemaakt toen je haar in de bibliotheek hebt opgezocht.* Andrew herkende de studenten van zijn lessen: Scroop Wallace van oude geschiedenis (met stekeltjeshaar en excentriek opgetrokken schouders); Domenick Beekin van Engels (met een magere hals en een klein hoofd, een menselijke reiger); Nick Antoniades, ook van Engels (donker, gedrongen en zelfbewust); en Rupert Askew, de jongen die op dit moment zijn essay voorlas met een geaffecteerd accent.

Onder de volwassenen bevond zich Sir Alan Vine, met zijn ellebogen op de tafel steunend en zijn kale hoofd met de bril en de opengesperde neusgaten, gebogen, als een voetballer die zich gereedmaakt voor de aanval. Piers Fawkes zat twee plaatsen verder dan Andrew. Tijdens de wandeling had hij nerveus geleken; zijn gezicht was bleek en zijn bovenlip vochtig. Toen ze plaatsnamen had hij de madera weggewuifd, maar het gebaar leek tot gevolg te hebben dat de zwaartekracht geen vat meer op hem had. Hij klemde zich vast aan de tafel alsof hij onverwachts omhoog gezogen kon worden; hij bleef met veel lawaai het papier lospeuteren van butterscotchsnoepjes die hij vervolgens tussen zijn tanden liet rollen. Sir Alan keek hem woedend aan. *Piers, kun je daarmee ophouden?* had hij hem ten slotte toegesnauwd. Mr Toombs, de leraar klassieke talen – mager, goedaardig, nerveus, slissend – in wiens klaslokaal ze zich bevonden, zat glimlachend te luisteren naar Rupert Askew, die het nu had over muterende vogelgriepvirussen. Naast de spreker zat Dr Kahn. Samen met Mr Toombs was zij gastvrouw van de Essayclub. Ook zij had een tijdlang oplettend naar Askew geluisterd. Maar nu merkte Andrew dat ze hem aanstaarde, naar hem turend alsof ze iets zag wat haar niet beviel.

Mr Toombs trok de zware deur dicht en draaide de sleutel om, terwijl hij genoeglijk doorbabbelde. Interessant essay vanavond, vond je ook niet, Piers? Al die afschuwelijke symptomen. En het gedeelte over de pest – iets voor jou, Judy. Stukje geschiedenis. Mr Toombs bleef doorratelen tot hij besefte dat het drietal bleef rondhangen, wachtend tot hij wegging. Hij nam afscheid en ze stonden elkaar in de duisternis aan te kijken toen hij wegwandelde. Het klaslokaal van Mr Toombs lag onder aan een lange trap naar High Street, met zijn rug naar de bomen in het stille park.

'Hoe vond je het, Andrew?' vroeg Dr Kahn.

'Ik vond het geweldig,' zei hij, met voor hem ongebruikelijk enthousiasme.

'Ja?' Ze glimlachte tegen hem. 'Mooi. Ik vond het ook goed.'

'Ik vind dat we voortaan Sprite moeten schenken bij de Essayclub,' zei Fawkes, die er afgetobd uitzag.

'Daar zouden de bokalen van roesten,' antwoordde ze koeltjes. 'Gaan jullie mee?'

Ze nam hen mee de schaduw in tussen de grijze flanken van de kapel en Classics Schools. 'Hier kan niemand ons afluisteren,' zei ze met zachte stem. 'Er is iets wat ik tegen jullie beiden wil zeggen.'

Ze wachtten.

'Ik geloof jullie,' verklaarde ze.

'Wat bedoelt u?' vroeg Andrew.

'Fawkes heeft me verteld over je geest. Dat je denkt dat het John Harness is, Byrons vriend. Ik was natuurlijk nieuwsgierig. Maar noch overtuigd noch afwijzend. Toen gebeurden er twee dingen. Om te beginnen had ik een eigenaardige ervaring in mijn eigen huis. Ik dacht dat ik iemand *voelde*. Een bedreigend iemand. Niet een persoon, maar een aanwezigheid. Het gevoel kwam juist op het moment dat Piers me vroeg om te helpen een onderzoek in te stellen naar de ondergrondse ruimte in de Lot. Vreemde timing, vind je ook niet? Het was bijna alsof dit... iemand... wist dat je me vroeg om een onderzoek in te stellen naar John Harness, en daarom achter me aan kwam. Met groot machtsvertoon. Ik noem dat intimidatie,' zei ze. 'En de tweede was vanavond, in de Essayclub.'

'Ik heb niets gemerkt,' zei Andrew verbaasd.

'Maar ik wel. Jij,' zei ze, 'jij bent het evenbeeld van Byron.'

'Jij bent de laatste die het opvalt,' zei Fawkes.

'Zoals je daar zat, bij kaarslicht. In je jacquet. We hadden teruggegaan kunnen zijn in de tijd. Toen begon het me te dagen. Dit zou wel eens precies kunnen zijn wat er met jouw geest gebeurt. Hij ziet jou. Dan denkt hij dat hij ergens anders is. Of in een andere tijd, als je wilt – met Byron. Alles wijst erop dat John Harness je geest is.'

'Je hebt het licht gezien,' zei Fawkes.

'Ja. Maar ik vind het niet prettig. De aanwezigheid die ik voelde was bedreigend.'

Andrew begon weer hoop te krijgen. 'Dan kunt u me misschien helpen,' zei hij. Hij wendde zich tot Fawkes. 'Weet u nog van dat... visioen... waar ik u over verteld heb? Dat ik in een studentenhuis ben, zoals de Lot, maar met muurkandelaars, en tapijten, en dat ik achter die gedaante aan ga?'

'Ja, natuurlijk.'

'Toen ik het de eerste keer had, voelde het alsof er iets verschrikkelijks *zou gaan* gebeuren. Maar ik heb die droom weer gehad. Twee dagen geleden, nadat we de waterput hadden gevonden. En in die droom *gebeurde* iets verschrikkelijks. Ik zag een moord.'

'Toen, of nu?' vroeg Fawkes bezorgd.

'Toen,' zei Andrew geruststellend. 'Behalve... eh... dat ik degene was die de moord pleegde. Ik wurgde iemand.'

'Jíj wurgde iemand?' zei Dr Kahn verrast.

'*Nee, Harness.* Ik zag het vanuit zijn gezichtshoek, als dat zinnig klinkt. Alsof hij me... zijn homevideo's liet zien. Ergens wilde ik dat we die ruimte niet geopend hadden,' zei Andrew tegen Fawkes. 'Het lijkt erop dat we hem aangemoedigd hebben.'

'Hij probeert je iets te vertellen,' zei Kahn peinzend.

'Wat dan?'

Fawkes sloeg zijn armen over elkaar. 'Als hij je een moord laat zien... is dat een vrij duidelijke boodschap. Hij heeft een moord gepleegd. Schuldig geweten.'

'Ik vermoed dat het wel iets meer is dan dat. Onze geest zou in de tegenwoordige tijd wel eens gevaarlijk kunnen zijn,' zei Dr Kahn.

'Zou kunnen? Heeft Andrew het je dan niet verteld? Hij zag dat de geest Theo Ryder wurgde, op Church Hill.'

Dr Kahn keek Andrew strak aan. 'Nee. Dat gedeelte heb ik op de een of andere manier gemist.' Ze fronste haar voorhoofd. 'En hier hebben we Andrew, precies zo uitgedost als Lord Byron, ideaal lokaas voor een moordenaar? Het wordt tijd om Andrew uit de gevarenzone te halen, weg van school misschien. Bel zijn ouders.'

'Dat zou hetzelfde zijn als van school gestuurd worden,' protesteerde Andrew.

'Goed. Ik zie je liever van school gestuurd worden dan gewurgd.'

'Als we het bij het verkeerde eind hebben,' zei Fawkes, 'dan zouden we Andrews carrière op Harrow voor niets op het spel zetten. Voor een hersenschim.'

'Waarom kom jij dan niet met een voorstel?' zei ze scherp.

'Het is een geest. Hoe kom je van een geest af?'

'Exorcisme,' opperde Andrew.

'Wat doen ze ook weer, met een medium?' bracht Dr Kahn naar voren. 'Je weet wel, elkaars hand vasthouden om een tafel met een fluwelen kleed en kaarsen?'

'Een seance?' zei Andrew.

'Precies.' Dr Kahn knikte. 'De geest oproepen en met hem praten. Hem vragen wat hij wil.'

'Dat is nogal duidelijk,' zei Fawkes. 'Hij wil Andrew.'

'En die moord dan?' wierp Andrew tegen.

'Er staat nergens dat John Harness een moord gepleegd heeft,' zei Fawkes.

'Maar ik weet dat hij het gedaan heeft.'

'Goed dan. Waarom zoeken we niet uit of het waar is?' stelde Fawkes voor.

'Je bedoelt, meer research doen naar Harness,' verduidelijkte Dr Kahn.

'Voor jou is alles research,' mopperde Fawkes. 'Nee, verdomme, ik bedoel een rechtszitting. Hoor eens, wat is een geest? Iemand die dood is maar die zich nog steeds met de levenden bemoeit. Waarom? Omdat hij iets niet kan loslaten. In het geval van John Harness was het een moord. Hij kan er niet overheen komen, hij kan niet over Byron heen komen. Daarom moeten we alles over de moord te weten zien te komen, en over Harness' relatie met Byron.'

'Dat noem ik nog steeds research,' zei ze scherp.

'Daarná houden we een seance. We roepen Harness op en we confronteren hem met de feiten. We zeggen: we weten wie je vermoord hebt, en waarom, maar het is voorbij. De geest beseft dat hij in de verkeerde eeuw rondzwerft, en hij verdwijnt in het licht. Einde verhaal.'

'Uitzoeken wie Harness vermoordde, en waarom,' zei Dr Kahn. 'Niet slecht, Piers.'

Hij maakte een spottende buiging. 'Mag ik dan nu een sigaret?' Driftig knipte hij zijn aansteker aan; zijn prikkelbaarheid was toegenomen sinds hij de madera had afgeslagen.

'In het bijzonder een goed plan omdat we een inwonend Byron-expert hebben.'

'Wie dan?'

'Wie? Jij.'

'O, nee. Ik word in de gaten gehouden,' zei Fawkes snel. 'Ik ben bijna ontslagen omdat ik de muur in het souterrain heb laten slopen. Ik kan niet gaan rondlopen met een ectometer, op zoek naar moordtaferelen en de zoekgeraakte sokken van Lord Byron. Dan lig ik er na een dag uit.'

'Ik kan het onderzoeken voor de Essayclub,' stelde Andrew voor.

Ze keken hem allebei aan.

'Dat is slim,' zei Dr Kahn. 'Je kunt het feit dat we een onderzoek naar de geest instellen verdoezelen door het een essay te noemen; of zelfs achtergrondinformatie voor je rol in het stuk. Jij bent het middelpunt van dit alles, Andrew. Jij bent er het dichtstbij. Het is goed dat jij de aanval inzet. Ik zal je assisteren. Wanneer je denkt dat je voldoende informatie verzameld hebt houden we de seance. Of nog beter – we houden die in de Essayclub. De kaarsen, de donkere kamer en de kring van mensen hebben we al.'

'Moeten we elkaars hand vasthouden?' sneerde Fawkes.

'We zullen de geest confronteren met wie hij is, en wat hij heeft gedaan,' zei Dr Kahn. 'En daarna sturen we hem weg.'

'Een waterdicht plan,' zei Fawkes.

'Is dat wel zo?' zei ze, nog steeds nadenkend. 'Ik vraag me wel af of we snel genoeg zullen zijn. Het lijkt erop dat de geest sterker wordt. Wat was het woord dat je gebruikte, Andrew?'

'Aangemoedigd.'

Fawkes voegde eraan toe: 'Misschien voelt hij dat hij onze aandacht heeft.'

'De aandacht trekken van een moordenaar. Dat is niet raadzaam,' zei Dr Kahn. Ze overwoog het nog even, daarna fleurde ze op. 'We kunnen beide doen. De seance, en een exorcisme. Hoe gaat exorcisme in zijn werk?'

'Ik geloof dat er een geestelijke voor nodig is,' antwoordde Fawkes.

'Ga dan naar Father Peter.'

'Ik? Ik heb net gezegd dat ik een proeftijd heb omdat ik de jongens besmet.'

'Nou, Andrew en ik kunnen geen geestelijke uitnodigen naar de Lot te komen voor een verdomde duiveluitdrijving.'

'Terwijl huismeesters het voortdurend doen.'

'Als iemand het kan, ben jij het.'

'We hebben het over ontslag op staande voet!'

'We hebben het over Andrews veiligheid.'

Fawkes kookte inwendig. Hij had meer informatie over Harness nodig om zijn stuk geschikt te maken voor publicatie. Als een geestelijke in staat was de activiteiten van de geest onmiddellijk te laten ophouden... dan zou hij, Fawkes, geen bewijsmateriaal hebben, geen verhaal. Hij stond op het punt opnieuw bezwaar te maken. Toen zag hij Andrews grijze ogen weer op zich gericht, wachtend op antwoord.

'Goed dan,' zei Fawkes mokkend. Hongerig trok hij aan zijn sigaret. 'Ik heb de verkeerde week uitgezocht om te stoppen met drinken.'

'Wat doen jullie drieën daar in het donker?' Een stem haalde naar hen uit als een zweep. 'Samenzweren?'

Met half dichtgeknepen ogen tuurden ze vanuit de duisternis tussen de kapel en Classics Schools. Onder hen, op het gravel waar ze na de Essayclub overheen waren gelopen, tekende zich een silhouet af.

'Bent u het, Sir Alan?' riep Dr Kahn, en ze trok Fawkes aan zijn mouw.

'Inderdaad. Wie staat daar te roken? O, ben jij het, Piers Fawkes in levenden lijve. Ik was juist van plan een berisping uit te delen, Piers. Misschien doe ik het toch wel.' Hij grinnikte. 'Hebben we nog steeds een afspraak voor morgenochtend? Negen uur precies? Niet te vroeg voor je?'

'Ik sta elke ochtend om vijf uur op, om te schrijven,' zei Fawkes puffend.

'O ja? Wat actief. Geïnspireerd door Dionysos?'

'Apollo,' kaatste Fawkes terug.

Sir Alan kwam tussen hen in staan, veel te dichtbij in het donker, en hij probeerde hen in hun gezicht te kijken. Hij richtte zijn scherpe neus met de bril, waarvan de glazen het licht in de verte reflecteerden, op Dr Kahn. 'Wat dacht jij van het essay, Judy? Voldeed het aan je verwachtingen?'

'Een beetje vaag wat betreft de thesis, maar over het algemeen goed gedaan.'

'Vroeger duurden ze een uur,' zei Sir Alan snuivend. Zijn accent maakte er een *uuhhg* van. 'Askew heeft het gerekt tot vijfendertig minuten. Vijfendertig minuten! Ik heb het bijgehouden op mijn horloge. Negentien pagina's misschien? Twintig? Hmph. Dan deden de uitblinkers van vroeger het beter.' Hij draaide zich om naar Fawkes zonder te verbergen dat hij in diens richting snoof. 'Je hebt vanavond niet gedronken, Fawkes,' merkte hij op. 'Ben je cold turkey gegaan?'

'Inderdaad,' mompelde Fawkes.

Sir Alans wenkbrauwen vlogen verrast omhoog. 'Je wordt nog eens een man.' Daarna richtte hij zijn aandacht op de Amerikaanse jongen. 'Dus jij hoort nu bij de Essayclub?'

'Ja,' zei Andrew koeltjes.

'Jouw werk?' informeerde Sir Alan bij Dr Kahn. Ze knikte. Afkeurend bekeek hij Andrew van top tot teen. 'Denk je dat het je zal lukken iets te schrijven, Mr Taylor?'

'Dat waren we juist aan het bespreken,' zei Dr Kahn.

'Werkelijk? Onderwerp?'

'Nog aan het ontwikkelen,' zei ze haastig, voor Andrew zijn mond open kon doen.

'Dan wacht ik af, samen met de andere niet-ingewijden. Goed, ik laat jullie doorgaan met het ontwikkelen van je onderwerp. Begrijp niet waarom jullie het hier doen. Het is je misschien niet opgevallen, maar het is laat in de avond,' zei hij, naar de lucht wijzend. 'Ik denk dat ik maar eens naar huis ga en een whisky neem. Hoe klinkt dat, Piers?' Hij grinnikte. 'Klokslag negen uur?'

'Klokslag negen uur,' herhaalde Piers.

Sir Alan liep met wapperende toga bedrijvig de rest van de treden op en daarna verdween hij om de hoek.

'Denken jullie dat hij ons afgeluisterd heeft?' vroeg Dr Kahn.

'Dat wilde ik nog vertellen,' siste Andrew. 'Hij liet me gisteren na de les blijven en begon me over jou te ondervragen, Piers. Hij dreigde mijn ouders te bellen als ik je niet verklikte.'

'Wat heb je gezegd?' vroeg Fawkes gealarmeerd.

'Niets.'

'Niets?'

'Ik ben bij hem weggelopen.'

Fawkes begon verrukt te lachen. 'Werkelijk? Goed zo, jongen!'

'Ik ben geen verrader,' zei Andrew grinnikend. Fawkes voelde een steek in zijn maag. *Verraden. Dat is precies wat je met de jongen doet. Hem als lokaas gebruiken, om met Judy's woorden te spreken.* Hij keek naar dat knappe gezicht, het gloeide in het donker, de grijze ogen schitterden, het glimlachje was er maar half, de andere helft was terughoudend, alsof hij zich wilde beschermen op de broze manier van een tiener. Hij had Andrew Taylor misschien een keer of zes zien glimlachen tijdens al hun gesprekken en repetities; nu was dit lachje speciaal voor hem bestemd, niet zomaar een lachje, meer een soort smeekbede. *We zijn immers vrienden? Je bent het toch met me eens?* Die aanhankelijkheid, als van een puppy. Het verlangen van een wees. *En jij gebruikt hem,* verweet hij zich. *God, Fawkes, wat ben je toch een klootzak.*

Toen ze bij de Lot waren aangekomen nam Andrew afscheid van Fawkes en wachtte tot deze zijn flat binnen was gegaan.

Dat noem ik nog steeds research.

Wanneer je denkt dat je voldoende informatie verzameld hebt houden we de seance.

Nadenkend bleef hij bij de ingang staan.

De zakdoek.

De zakdoek was tastbaar bewijsmateriaal geweest. Misschien zelfs een aanwijzing. En hij had die in de kamer met de waterput laten liggen, als gevolg van de schok bij het zien ervan. Wat was ermee gebeurd? Had Reg hem weggegooid? Of zou de zakdoek het donkere gat in geveegd zijn?

Enkele minuten later was Andrew in zijn kamer, waar hij een kakibroek aantrok en een paar gympen.

'Roddy,' riep hij door de muur. 'Hallo, Roddy?'

Even later stak zijn gezette buurman zijn hoofd om de hoek van de deur. Roddy had een wijde zwarte badstoffen ochtendjas aan, en teenslippers.

'Ook hallo. Hoor eens, er zijn hier mensen aan het werk. Er zijn mensen die examen moeten doen.'

'Bullshit. Ik wed om vijf pond dat je toast zat te eten en stripboeken zat te lezen.'

Roddy begon bulderend te lachen. 'Oké, je hebt me door. Maar ik at koekjes. Dus je krijgt twee pond vijftig van me.'

'Mag ik je zaklantaarn lenen?'

'Wat? Waarom?' zei Roddy.
'Ik wil kijken wat er beneden is.'
'Waar?'
'In die waterput, in het souterrain.'
'Die je gevonden hebt met onze dronken huismeester? Zou ik niet doen. Mijn vader heeft er ooit een gevonden, onder een rij huizen die hij renoveerde, in Londen. Hij zei dat je erop kon wachten dat er een ongeluk zou gebeuren. Dan zou hij aansprakelijk zijn. Hij heeft de hele zaak laten volgooien met cement.'
'Nou,' zei Andrew, terwijl hij zijn schoenveters strikte. 'Je kunt met me meegaan om me te beschermen, als je wilt.'

Ze daalden de trap af, Roddy nog steeds in zijn badjas (maar hij had er wel een trainingsbroek onder aangeschoten), en Andrew voorop met Roddy's lantaarn. Dat was slechts één typisch voorbeeld van de diverse spullen die Roddy in zijn kast bewaarde: extra toiletpapier, een broodmes, elektrische snoeren, peper en zout, een verbanddoos en, op de kop getikt in een winkel in Londen die militaire uitrustingsstukken verkocht, een gasmasker. Andrew knipte de plafondlampen aan toen ze in het souterrain waren. Roddy deed ze haastig weer uit.
'Voor we het weten betrapt Matron ons,' siste hij. 'Vanuit haar appartement kan ze het trappenhuis zien. Laten we hopen dat je haar niet wakker hebt gemaakt.'
Andrew keek op zijn horloge. Het was even over tien.
In het halfdonker liepen ze naar het nog steeds gapende gat, hun weg werd slechts verlicht door het rood opgloeiende EXIT-teken. Het gele lint dat de bouwvakkers voor de opening hadden aangebracht hing er slap bij.
'Je gaat toch niet naar beneden,' zei Roddy ongelovig.
Andrew controleerde of de ladder er nog steeds was. Hij aarzelde. 'Ik heb de geest hier gezien. Ik heb hem *gevoeld.* Vanaf het allereerste moment.'
Roddy keek hem met open mond aan. 'Bedoel je dat het waar is? Geloof je dat allemaal? Over de geest van de Lot?'
Andrew staarde naar hem terug.

'Mijn god, je bent echt gek. En ik heb je nog wel verdedigd! Tegen iedereen gezegd dat ze je verkeerd begrijpen.'

'Ik denk dat hij wil dat ik iets ga zoeken.'

'Hij? Je bedoelt de geest? Sta je nu in contact met hem?'

'Blijf dan maar hier. Het kan me niet schelen. Ik ga toch naar beneden.'

Roddy werd nerveus. Hij had niet vaak de kans op vriendschap en avontuur, en hij leek deze niet graag te willen mislopen.

'Wacht even. Je hebt mijn lantaarn.' Hij knoopte de ceintuur van zijn badjas wat strakker vast. 'Goed dan. Ik ga mee. Maar alleen omdat je iemand nodig hebt die zijn verstand gebruikt. Als ze je dood uit die kelder zouden vissen, wat moet ik dan tegen Matron zeggen?'

Andrew daalde af terwijl Roddy de lantaarn vasthield. Onder het uiten van de nodige vloeken volgde Roddy hem, daarna scheen hij met de lichtstraal in het rond. 'God, het is hier grotesk.'

Reg had de planken en de brokken pleisterwerk weggehaald. Het was nu weer de krappe ruimte uit Andrews droom: een kleine ronde bunker met muren van uitgehakte steen en gevuld met vocht dat koud aanvoelde aan zijn neus, en het gedruppel van sijpelend water.

Als bij intuïtie liepen ze getweeën naar de waterput. Andrew ging op zijn knieën liggen en tuurde over de rand. Hij nam de lantaarn van Roddy over en scheen ermee in de diepte. De stenen wand had een bruine aangekoekte laag van tientallen jaren spinnenwebben, schimmel, vuil en roest. Op een diepte van ruim drie meter glinsterde de bodem. Een laag water.

'Daar staat water uit de goten in,' merkte Roddy op. 'Net als die put die mijn vader heeft gevonden. Die had nog een stankafsluiter. Zo bouwen ze tegenwoordig niet meer, dat kan ik je wel vertellen.'

Andrew leunde over de rand.

'Voorzichtig.'

Hij leunde nog verder. Zijn middel balanceerde nu op de rand van de waterput.

'In godsnaam!' Roddy legde zijn hand op Andrews hamstring om hem in evenwicht te houden. 'Wil je dood, man?'

'Zie je dat?' Andrew wees met de lantaarn.

‘Ik probeer te voorkomen dat je erin valt; natuurlijk kan ik niks zien.’

Andrew kroop achteruit. Hij overhandigde Roddy de lantaarn. ‘Aan de rechterkant.’

Roddy leunde over de rand om te kijken.

‘Is dat een zakdoek?’ vroeg Andrew.

‘Zakdoek?’ zei Roddy spottend. ‘Waar heb je het over? Dat is metaal.’

Andrew kneep zijn ogen half dicht en hij zag dat Roddy gelijk had.

‘Ik ga het pakken,’ zei hij.

Na het te verwachten gekibbel en de protesten raakte Roddy, als technicus, verzamelaar van gereedschap en oplosser van probleempjes, geïntrigeerd door de puzzel en hij begon mee te denken. Hoe je een jongen van zeventig kilo in een gat van drie meter kon laten zakken en weer heelhuids boven krijgen, zonder Matron te alarmeren. Ze vonden een nylon koord dat aan de ladder was vastgeknoopt om gereedschap op te hijsen, en ze schatten dat het Andrews gewicht zou kunnen dragen. Daarna kwamen ze tot de ontdekking dat Andrew, wanneer hij het koord vasthield – met zijn T-shirt om geen blaren te krijgen door de wrijving – het koord om zijn middel en onder zijn achterste door kon vastbinden tot een provisorisch zadel, zodat hij zonder verwondingen op te lopen in de waterput kon afdalen. *In het ergste geval kun je de ladder erin zetten, dan klim ik daarlangs terug,* bedacht Andrew. Hij rolde zijn broekspijpen op en begon aan de afdaling. Roddy, de zwaarste van de twee, zette zich schrap tegen de stenen rand van de put en liet het koord vieren. Met het nodige gekreun liet Andrew zich centimeter voor centimeter zakken.

‘Hoe diep is het water?’ zei Roddy, terwijl hij met de lantaarn omlaag scheen.

‘Zal ik erin stappen, dan weten we het,’ riep Andrew naar boven.

‘Ssst,’ zei Roddy, overdreven fluisterend. ‘Niet schreeuwen. Matron.’

‘Ben je gek? We zitten bijna onder de grond. Nu kan niemand ons horen.’

‘Kijk uit voor spijkers. Mijn vader heeft een keer in eentje getrapt. Hij moest een nacht in het ziekenhuis blijven.’

Opeens gaf Andrew een gil.

'Wat is er?' riep Roddy.

'Koud!'

'Kom nou – je krijst als een meisje!'

'Ik stap er nu in.'

Enkele ogenblikken later: 'Het is ondiep. Nog geen vijfentwintig centimeter. *Holy shit* wat is het koud.'

'Voorzichtig.'

Het koord werd strakgetrokken. Dan: 'Hebbes!'

'Spijkers?'

'Het is een blikken doos. Daar kan ik niet mee klimmen. Hijs die eerst op, dan kom ik daarna.'

Roddy tuurde over de rand en richtte de lichtstraal terwijl Andrew de doos aan het koord bond. Roddy haalde hem op. Even richtte hij de lantaarn op de doos toen hij die losmaakte en bekeek. Tijdens die twee minuten stond Andrew op de bodem van de waterput, alleen, in volslagen duisternis, zonder T-shirt en huiverend, in twintig centimeter ijskoud water. Hij had bijna geen gevoel meer in zijn voeten en stilletjes vocht hij tegen de opkomende paniek. Als Roddy hem, om welke reden dan ook, nu eens in de steek had gelaten? Of dat hem daarboven iets was overkomen?

'Roddy?' riep hij angstig.

'Hij is antiek. Dit moet hier verdomme eeuwen gelegen hebben. Ik bedoel, een hele tijd.'

'Roddy!'

'Wat zou erin zitten?'

'Roddy, gooi het koord naar beneden!'

'Ja, ja. Daar ga je weer, je doet spastisch.'

Tien minuten later stond Andrew, met pijnlijke polsen en biceps, weer op de stenen vloer naast Roddy te puffen en te huiveren.

'Kijk eens, wat een vakmanschap,' zei Roddy. Hij draaide de doos bewonderend om en om in zijn handen, terwijl Andrew de lantaarn vasthield. De doos had de vorm van een viool. 'Geen roest. Moet al die tijd onder water hebben gelegen.'

Het deksel was beschilderd: een koets met paarden die over een landweg draafden, waar twee mannen in pandjesjas, vergezeld van een hond, toekeken, en bos op de achtergrond. De zijkanten hadden gekleurde strepen – bordeauxrood en goud – en een decoratief patroon.

'Zit er iets in?'

Roddy schudde aan de doos. 'In elk geval geen goud.' Binnenin klonk een zachte bons. Roddy duwde zijn vingers onder de rand. 'De scharnieren werken nog!' zei hij verwonderd. 'Gemaakt in Engeland. Absoluut. Tegenwoordig zou het verdomme in China gemaakt zijn, uit giftig afval. Smelt in je handen voor het jou laat smelten.' Hij deed het deksel open en haalde er een dun bundeltje uit.

Hij hield het onder het licht van de lantaarn.

'Papier,' verklaarde hij.

Andrew veegde het vuil van zijn handen. 'Laat mij eens kijken.'

Roddy overhandigde hem een klein, rechthoekig pakje dik papier, met een touwtje eromheen.

'Er staat iets op geschreven,' zei Andrew. Hij hield zijn hoofd schuin. Het schrift liep in twee richtingen – van links naar rechts, en van boven naar beneden. Er was weinig ruimte tussen de regels, en er viel niet veel van te maken. Het handschrift strekte zich en krulde op een kinderlijke manier, en de ene regel leek niet op de andere aan te sluiten.

'Is dit wat je zocht?' vroeg Roddy.

Andrew staarde naar het bundeltje in zijn hand. Vloog met zijn ogen over de regels boven aan de pagina.

Wanneer je me verlaat denk je dat het voor eeuwig is maar dat is niet waar – ik volg je...

... minstens twee kommen bloed opgevangen in mijn hand...

Hij probeerde de betekenis ervan, en van een paar andere regels, te begrijpen, maar hij gaf het op. Hij schudde zijn hoofd. 'Ik weet het niet zeker.' Hij trok aan de hoeken. Het papier was plakkerig van ouderdom, en de bladzijden kleefden aan elkaar.

'Scheur het niet stuk, man,' viel Roddy uit. 'Er is een expert voor nodig om ze van elkaar te halen. Iemand die verstand heeft van oude documenten. Ken je zo iemand?'

13

Titanische tante

Father Peter sloeg Piers Fawkes medelijdend gade. De meeste leraren en leden van het schoolbestuur hadden aanvankelijk ontzag gehad voor Fawkes, en de geestelijke had daarop geen uitzondering gevormd. Fawkes was in Engeland een tijdlang een begrip geweest. Hij was geïnterviewd voor de televisie. Zijn foto verscheen in tijdschriften. Father Peter herinnerde zich nog heel goed een speciale coverfoto: een zwartwitportret van Fawkes die met een trui aan op een kruk zat, een brandende sigaret tussen vingers met smerige nagels; hij zag er sluw en wellustig uit met zijn zware oogleden. Maar dat was jaren geleden. Steeds vaker waren de mensen (degenen die over zulke dingen met elkaar spraken) zich gaan afvragen wat Fawkes eigenlijk op deze school deed. Hij was niet bepaald een typische huismeester die carrière wilde maken. Ook niet bepaald een hoogwaardigheidsbekleder die op bezoek kwam, of een groot dichter. *Nogal verward,* zo had iemand Fawkes beschreven aan Father Peter. Nu leek die verwarring te zijn uitgelopen op iets verschrikkelijk verkeerds. Misschien kwam het door de overleden jongen, dacht de priester peinzend; ja, dat moest het zijn. Arme man – hij kreeg het wel voor zijn kiezen in deze baan. Fawkes zat op Father Peters bank te wriemelen alsof iets hem van binnenuit opat. Zijn huid was bleek. Hij zweette, er waren grote kringen onder zijn oksels, ze kwamen zelfs door zijn jasje heen, en zijn haargrens was vochtig. Maar met Engelse en klerikale terughoudendheid gaf Father

Peter er de voorkeur aan dit alles te negeren. De man moest er zelf over beginnen als hij het wilde.

'Wil je misschien een sherry, Piers?' vroeg hij opgewekt.

Bij het horen van die woorden kreeg Fawkes een hevige, langdurige hoestbui.

'Voe je je wel goed?' vroeg Father Peter.

Fawkes wuifde het weg. 'Prima, prima,' bracht hij schor uit. 'Het gaat alweer.'

Father Peters glimlachje was aanzienlijk dunner dan eerst. 'En, wat kan ik voor je doen?'

'Ik, eh...' begon Fawkes. 'Weet je hoe... eh...' Hij begon weer te hoesten.

'Water?' bood Father Peter aan. Hij stond op en schonk een glas water voor hem in. Fawkes gulpte het naar binnen.

'Er zit iets in mijn keel.'

'Ja.'

Father Peter wachtte. Ten slotte kon Fawkes het eruit gooien. 'Weet jij hoe je van een geest af kunt komen?'

De glimlach van de geestelijke loste op. 'Sorry. Zei je van een geest af komen?'

'Ja,' zei Fawkes zo nonchalant mogelijk. 'Is er een gebed voor? Een soort ceremonie?'

'Zou je me willen vertellen waarom je dit vraagt, Piers?'

Fawkes gaf een onsamenhangend, vaag antwoord... over de geest in de Lot, een legende van het huis, een traditie... maar na de dood van Theo, zei hij, was de belangstelling weer opgeleefd... iets zoeken om de schuld te geven, begrijp je wel, het onverklaarbare te verklaren.

'Je wilt daarmee zeggen,' zei Father Peter voorzichtig, 'dat de jongens de geest de schuld geven van Theo's dood?'

'Sommige jongens,' lichtte Fawkes toe.

'En je dacht dat een gebed, of exorcisme, hen zou kalmeren?'

Fawkes knikte. 'Ik moet je vragen dit wel als biechtgeheim te beschouwen,' voegde hij er snel aan toe. 'De rector denkt dat ik wat dit betreft een beetje gek ben.'

'Hm,' zei Father Peter, terwijl hij zijn bezwete gast aankeek. 'Ja. Wel, dat is buitengewoon. Ik heb natuurlijk van de geest in de Lot gehoord. Maar ik zou niet graag willen dat men denkt dat ik geloof hecht aan... aan bijgeloof. Begrijp je me?' Hij zweeg even. 'En jij, Piers? Denk jij dat er iets van waar is?'

Fawkes was eindelijk opgehouden met wriemelen. 'Ik denk,' zei hij langzaam, 'dat ik alle mogelijke voorzorgsmaatregelen moet nemen. En ik beschouw het als mijn plicht tegenover de jongens.'

Father Peter aarzelde. 'Heb jij... iets gezien?' Misschien zou dit het vreemde gedrag van de dichter verklaren. Misschien was hij doodsbang.

'Iets gezien? Ikzelf niet,' zei Fawkes, terwijl hij zijn voorhoofd afwiste. 'Maar sommige jongens in het huis hebben wel iets gezien. Eén jongen in het bijzonder, moet ik zeggen.'

'En je gelooft hem?'

'Ja.'

'Hm. Buitengewoon.' Father Peter kauwde op zijn lip. Hij probeerde samen te vatten wat Fawkes hem tot dusver had verteld. 'Het spijt me. Vergeef me als ik een beetje dom overkom.' Hij aarzelde. 'Maar als de jongens geloven dat de geest verantwoordelijk is voor wat er gebeurd is, voor de dood van Theo... en jij gelóóft hen... dan geloof jíj dat een geest verantwoordelijk is voor de dood van Theo.' Hij keek Fawkes behoedzaam aan. 'Klopt dat?'

'Nou,' zei Fawkes met een dun lachje, 'als ik daar ja op zou zeggen, zou ik gek moeten zijn, zo is het toch?'

'Juist,' antwoordde Father Peter, maar zijn toon was vlak en hij gebruikte het woord zoals alleen Engelsen dat kunnen: in de betekenis van *misschien* of *dat kan ik niet beoordelen.* Hij bleef Fawkes strak aankijken omdat hij voelde dat ze nu tot de kern van hun gesprek waren gekomen.

'En als ik gek zou zijn, terwijl ik belast ben met de zorg voor de veiligheid van tachtig jongens, zou ik hier niet op mijn plaats zijn, hm? Dan zou de rector gelijk hebben als hij mij van mijn plichten onthief.'

Father Peter zei niets.

'Toch is het ook weer zo,' vervolgde Fawkes, met zorg zijn woorden kiezend, 'dat ik als ik oprecht geloofde dat er iets bovennatuurlijks, en gevaarlijks, op komst was *en niets deed*, verantwoordelijk zou zijn voor alles wat er gebeurde.' Beide mannen keken elkaar aan. 'Is dat duidelijk?'

'Heel duidelijk.' De priester dacht diep na. 'Als ik een gebed zou uitspreken in de Lot,' zei hij, 'uitsluitend als voorzorgsmaatregel, als een manier om de jongens steun te verlenen in een moeilijke periode – zou dat voldoende zijn?'

'Dat is precies wat we nodig hebben,' zei Fawkes.

Father Peter straalde, eindelijk had hij zich duidelijk uitgesproken.

Fawkes had Father Peter altijd gemogen. Jeugdig, slank, een hardloper; vrolijk en sociaal, maar nooit een van die zelfvoldane geestelijken die hoger op de statusladder willen klimmen. Hij zou beter over de geestelijkheid en haar spreuken denken als dit resultaat had.

'Nog één ding,' zei Fawkes.

'O hemel. Zeg het maar.'

'Een beetje lastig,' mompelde Fawkes. 'Kun je er nog even mee wachten?'

'Sorry?'

'Kun je nog even wachten? Laten we zeggen, een week of twee?'

'Het zal me op zijn minst zo veel tijd kosten om me voor te bereiden. Dit is wat ik gespecialiseerd werk zou willen noemen. De Church of England doet het wel, maar niet zonder de nodige informatie. Zoiets als een begroting opvragen bij een aannemer.' Father Peter glimlachte, in een poging ontwapenend over te komen. 'Om er zeker van te zijn dat je de juiste oplossing voor het juiste probleem krijgt. Heb je werkelijk het gevoel dat de geest gevaarlijk is?'

'Heel erg.'

'Dan zal ik er onmiddellijk mee aan de slag gaan.'

'Een week of twee zou prachtig zijn,' zei Fawkes. 'Ik dank je voor je discretie.'

'Geen dank,' zei Father Peter.

Hij liet zijn bezoeker uit. Toen hij de deur naar High Street had geopend wachtte hij even. Beide mannen stonden tegenover elkaar, de kille bries waaide tussen hen door.

'Als je denkt dat het gevaarlijk is,' zei de priester onverwacht scherp, 'waarom wil je dan dat ik een week of twee wacht? Dat lijkt nogal tegenstrijdig.'

'Ik wil het eerst bestuderen,' zei Fawkes. De geestelijke keek hem met grote ogen aan. 'Ik denk dat de geest iets te maken heeft met Lord Byron. Als je hem te snel laat verdwijnen, krijg ik geen origineel materiaal voor mijn toneelstuk.'

'Dat meen je toch niet.'

Fawkes zei niets. Father Peter keek hem koeltjes aan.

'Je prioriteiten liggen helemaal verkeerd, Piers.'

'Ik weet het.' De dichter dook dieper weg in zijn jas, tegen de koude wind. 'Daar ben ik aan gewend.'

Dr Kahn pakte het bundeltje achterdochtig van Andrew aan, alsof hij haar zojuist een papieren zak vol bankbiljetten had overhandigd.

'Ik heb de brieven ingepakt, dan kon er geen vettigheid van mijn vingers op komen,' zei hij.

'Goed zo,' zei ze vlak. 'En waar heb je deze gevonden?'

'In die waterput. Onder water, in een doos.'

'Mag ik de doos zien?'

Hij haalde hem uit zijn rugtas. 'Is dit een speciale doos voor brieven, of zo?' vroeg hij.

Dr Kahns kantoor was een helder verlicht rechthoekig kamertje achter de langgerekte oostelijke vensters van de bibliotheek, met uitzicht van dichtbij op de stenen muur van de kapel. Het leek een kruising tussen een commandocentrum, een hol waarin een onderzoeker zich kon terugtrekken, en een opslagplaats. Aan de wanden waren planken opgehangen van de vloer tot aan het plafond, allemaal keurig ingedeeld en voorzien van labels, met boeken, archiefdozen en mappen. Ze troonde achter een bureau, een monsterlijk houten gevaarte van twee meter breed, waar ze thee dronk uit een vervormde, door iemand zelf gemaakte aardewerken beker met het opschrift TITANISCHE TANTE.

'Brieven?' Ze draaide de blikken doos om in haar handen, en ze begon te lachen. 'Het is een koektrommel. Gelukkig voor ons, omdat hij luchtdicht is om de koekjes vers te houden. Hij kan nauwelijks hiervoor bedoeld zijn. Je briefschrijver moet haast hebben gehad. Of misschien moet ik zeggen, degene die de brieven ontvangen heeft.'

'Waarom zegt u dat?'

'Zeg jij het maar,' zei ze, op de haar eigen spijkerharde manier.

Ze knipte het touwtje dat om de brieven zat los met een schaar. Andrew kromp in elkaar. Hij had zijn ontdekking heel voorzichtig behandeld, inclusief het touw.

'Omdat... degene die de brieven ontving ze moet hebben gehouden, en daarom ook degene was die ze bewaarde.'

'Precies,' mompelde ze, terwijl ze een hand in een van de bureaulađen stak om er een doosje uit te halen. Ze nam er twee plukken wit materiaal uit en schoof die over haar handen – latex handschoenen. Daarna maakte ze een flink gedeelte van het bureaublad leeg.

'Waarom zijn ze zo beschreven?' vroeg hij. 'Kruislings? En de regels zo dicht op elkaar?'

'In de negentiende eeuw was het moeilijker om aan schrijfpapier te komen dan vandaag. Brievenschrijvers schreven horizontaal, net als wij, maar wanneer ze geen papier meer hadden, schreven ze er verticaal overheen.' Ze volgde een regel met haar vinger van links naar rechts, en daarna de geschreven regels die van de onderkant van de pagina naar boven liepen. 'Deze schrijver had veel te melden, maar weinig papier, hij lijkt er nog een tweede reeks horizontale regels aan toe te hebben gevoegd. Dat heb ik nog nooit gezien.' Ze fronste haar voorhoofd. 'Erg lastig om te lezen.'

'Staat er een handtekening onder?'

Ze sloeg de pagina om. 'Nee.'

'Zijn ze van Byron?'

'Niet waarschijnlijk. Mensen van adel zijn gewoonlijk niet zuinig met hun postpapier, zeker niet wanneer ze ook nog dichter zijn.'

'Zijn ze van Harness?'

'Waarom denk je dat?'

'Waarom zou hij me anders naar die kamer sturen?' vroeg Andrew.

'Ik mag die John Harness niet,' bromde Dr Kahn. 'En ik vertrouw hem niet.'

'Dat weet ik. Maar het is een aanwijzing.'

'Een aanwijzing voor een moord, van een moordenaar,' zei ze. 'Waarom zou hij ons die laten zien? Probeert hij zich bekend te maken? Probeert hij te bekennen?'

'Misschien wil hij dat wij het oplossen.'

'Als John Harness de moord gepleegd heeft is het niet waarschijnlijk dat hij wil dat die opgelost wordt,' merkte ze sarcastisch op. Andrew haalde zijn schouders op. '*... minstens twee kommen bloed opgevangen in mijn hand,'* las ze met behulp van haar leesbril voor van het perkament. 'Ik zal deze brieven inpakken en ze naar een vriendin sturen. Miss Lena Rasmussen. Een vriendin van mijn nichtje; ze is archivaris. Om precies te zijn, door mij is ze archivaris geworden.'

'U geeft het beroep weer wat glamour.'

Dr Kahn trok een gezicht. 'Ze werkt in de Wren Library, een bibliotheek voor zeldzame, heel bijzondere manuscripten, in Trinity College, Cambridge. Byrons alma mater. Af en toe stoppen ze lang genoeg met het verheerlijken van Sir Isaac Newton om aandacht aan Byron te schenken. Ik denk dat zij wel weet wat hieruit te halen is.'

'Dat is mooi,' zei Andrew, met zo veel enthousiasme als hij kon opbrengen. 'Zal ze... zal ze er op tijd aan toekomen?'

'Als ik het haar vraag begint Lena er meteen aan.'

'Hoelang duurt het voor ze de brieven ontvangen heeft?'

'Ik stuur ze morgen weg. Tevreden, Andrew?'

'Ja. Dank u wel.'

'Nu heb ik iets voor jou,' zei ze. Ze knikte in de richting van een stapel gehavende, door de tijd getekende ingebonden boeken op de hoek van haar bureau. 'Het zijn de beste bronnen voor Byron die ik kan vinden. Ik was van plan je toe te staan ze mee te nemen naar de Lot, als speciale gunst – omdat we niet uitlenen.' Andrew glimlachte om het koninklijk meervoud dat Dr Kahn gebruikte zodra ze over de Vaughan-bibliotheek sprak. 'Maar bij nader inzien heb ik liever dat je ze hier leest.'

Andrew was diep teleurgesteld. 'Waarom? Vertrouwt u me niet?'

Ze keek hem scherp aan. 'Op het moment lijkt de atmosfeer van de Vaughan gezonder dan die van de Lot,' zei ze. 'Ik hou je liever bij me. En bij hém uit de buurt.'

Elke avond dat Andrew niet hoefde te repeteren ging hij naar de Vaughan. De eerste avond zag hij dat Dr Kahn een plek voor hem had vrijgemaakt in een hoek van haar volumineuze kantoor, met zijn boeken keurig op een plank gelegd. De tweede avond overhandigde ze hem een grote witte I LOVE LONDON-beker, dampend en bijna sissend van de suiker, met een stapeltje biscuitjes in een servet. *Je ziet er bleek uit,* verklaarde Dr Kahn. *Ik kan niet koken, maar ik kan wel thee zetten.* De derde avond wachtten er nog meer boeken op hem en had hij het kantoor voor zich alleen. Dr Kahn was naar een bijeenkomst in Londen. Hij sloeg pagina's om maar werd afgeleid door zijn mobieltje, dat onophoudelijk trilde.

Heb toestemming van huismeester alias pap om zat. naar Londen te gaan.

Andrew sms'te terug.

Heb repetitie! Kunnen we om 1 uur gaan?

Een lange pauze. Andrew bestudeerde de vergeelde, aan elkaar klevende bladzijden. Hij vermoedde dat Persephone niet blij was met zijn laatste berichtje en dat ze hem opzettelijk liet wachten, of dat ze het plan voor hun uitstapje had opgegeven. Hij raakte in paniek.

Kan proberen eronderuit te komen

bood hij ten slotte aan.

Met wie van je viezdinnetjes tikte ze – hij vroeg zich af of de schrijffout opzettelijk was – *moet je repeteren?*

Weet niet precies. Rebecca?

Daarna bleef de telefoon twintig minuten stil. Andrew deed zijn uiterste best om zich te concentreren.

Misschien wil je met haar naar Londen

Nee, nee! Ik heb gewacht...

Waarop?

Hij griste het boek met gedichten van Byron van de plank boven zijn hoofd en zocht de bladzijde die hij had gemarkeerd.

...op je naamloze gratie die verweven is in elke ravenzwarte vlecht typte hij.
Hij wachtte een paar seconden.

Dan is het goed kwam het antwoord.

Hij glimlachte.
Daarna nog een:

Als je Byron voor me citeert zal ik je beslist neuken.

Wauw. Dat was te gek. Hij begon te lachen. Maar daar hield hij snel mee op, omdat iets zijn aandacht trok. Het leek alsof Dr Kahns kantoor zich langzaam vulde met een onzichtbaar gas, het begon op de vloer en steeg snel op, tot het het plafond bereikte. Een aanwezigheid, dicht en drukkend, nam de opwinding uit Andrews keel weg. Die subtiele, zachte geluidjes die worden gemaakt door een menselijk wezen wanneer het dicht bij je staat – het geritsel van kleren, het kraken van een vloerplank – drongen fluisterend door de dicht geworden atmosfeer. En toch maakte het geen aanstalten om zich te openbaren. Het bonsde alleen, verlangend om toe te kijken. Als een roofdier. Zwijgend. Daarna, stukje bij beetje, kwam de ademhaling. Die begon zachtjes, alsof ze schuilging achter een arm voor de mond, of een zakdoek. Maar ze kwam. En ten slotte drong ze volledig door tot Andrews oren. Alsof de toeschouwer, toen hij eenmaal was opgemerkt, niet meer de moeite nam zich te verbergen.

Andrew omklemde de telefoon met zijn hand tot zijn knokkels wit werden. Hijgend draaide hij zich om. De telefoon vloog uit zijn hand en viel kletterend op de vloer.

Een leeg kantoor staarde naar hem terug. Dr Kahns paperassen trilden in het fluorescerende licht alsof ze geladen waren met hun eigen licht. Daarna bedaarden ze, toen het misselijkmakende, drukkende gas uit de kamer wegtrok alsof het door een rietje werd opgezogen.

Voorzichtig raapte Andrew zijn mobieltje op. Er wachtten vier berichtjes op hem.

Ben je er nog?
Ik heb je bang gemaakt hè?
O, verdomme, ik maakte maar een grapje.
Bedankt, heel erg bedankt.

Onhandig drukte hij met zijn duim de toetsen in.

Ik ben er nog, meldde hij. *Er kwam iemand binnen, dat is alles.*

Die donderdag trof hij Dr Kahn achter haar bureau, waar ze op hem zat te wachten. Haar ogen, klein, rond en zwart-bruin, tuurden naar hem over haar brillenglazen heen alsof ze dwars door een staalplaat konden boren.

'Ik heb je de beste boeken met achtergrondinformatie gegeven die we in de collectie hebben,' begon ze, zonder te wachten tot hij goed en wel binnen was. 'Vertel me nu wat je ervan gemaakt hebt.'

Andrew kreeg nerveuze rillingen. Hij legde zijn hand op een van de boeken – het ruw aanvoelende blauwe *Byron at Harrow,* door Patrick Burke, uitgegeven in 1908 – alsof het de kennis via een elektrisch circuit op hem kon overbrengen.

Byron en Harness waren twee jaar na elkaar op Harrow gekomen, begon Andrew.

Byron was een opstandige en exotische figuur op Harrow. Zijn klompvoet misvormde hem; de metalen beugel die zijn artsen hem hadden gegeven om het te corrigeren bracht hem in verlegenheid; en hij trok de aandacht omdat hij met alle geweld indruk wilde maken door met andere jongens te vechten, en in de les met zijn kennis te pronken. Byron koesterde een wrok, ondanks zijn titel en zijn rijkdom, omdat hij op zijn tiende onverwachts erfgenaam was geworden en een slechte jeugd had gehad. Zijn vader was een schoft, een rokkenjager en een zuiplap – hij had de bijnaam Mad Jack – en hij had Byron en zijn moeder, niet lang nadat hij met haar om haar geld getrouwd was, in de steek gelaten. Mrs Gordon, zijn moeder, was een corpulente vrouw en – althans volgens haar zoon – een soort maniak die voortdurend in woede uitbarstte, waarbij ze harde woorden gebruikte. Dus ondanks het feit dat hij George Gordon, Baron Byron was, wat hem uit sociaal oogpunt bezien tot een van de hoogstaande studenten op Harrow maakte, moest hij zich vanwege zijn rammelende voet en zijn onzekere opvoeding telkens weer bewijzen.

'Niet slecht, tot dusver,' zei Dr Kahn. 'Niets nieuws, natuurlijk. Ga door.'

Andrew ging door.

Byron was ook een soort seksueel wonderkind. Er werd veel gesproken over zijn fysieke schoonheid. Er werd beweerd dat hij, toen hij pas elf jaar oud was, seksueel was misbruikt door een van hun dienstmeisjes, en dat een aristocratische buurman, ene Lord Grey, verliefd op hem was geworden toen Byron dertien was.

'Voornamelijk vermoedens,' merkte Dr Kahn zuur op. 'Hoewel het wel waar kan zijn.'

Harness was daarentegen moeilijk te beschrijven. De feiten die bewaard waren gebleven kwamen naar voren in Byrons eigen brieven over hem. Op Harrow was Harness klein, ziekelijk, bleek, afkomstig uit de plaatselijke arme bevolking, maar met een prachtige zangstem en een voorliefde voor toneelstukken en acteren. Aanvankelijk trok Harness de aandacht van Byron omdat hij, evenals Byron, mank liep. (Er was in zijn jeugd, thuis in Northolt, een plank op hem gevallen.) Byron voelde zich verplicht om blijk te geven van zijn sympathie en verklaarde, volgens de brieven: *Als iemand je pest, zeg je het tegen mij en dan sla ik hem in elkaar als ik de kans krijg.* Dat was het begin. De handicap genas. Ze begonnen met elkaar *op te trekken.* 'De details hierover zijn vaag...' Andrew aarzelde.

'Ja?' drong Dr Kahn aan.

'Mag ik ze invullen met mijn eigen vermoedens?' vroeg Andrew nerveus.

Haar mond vertrok, ze verbeet een lachje. 'Dat is precies de bedoeling, Andrew.'

Andrew ploeterde verder: 'De Lot was stampvol en vervallen. De twee jongens waren verliefd. Harness werd voortdurend gepest omdat hij een *town lout* was. Daarom gingen ze naar de enige plek in het huis – de kamer met de waterput – waar ze konden repeteren, of...'

'Ja?' drong Dr Kahn opnieuw aan.

'U weet wel. Rommelen.'

'Waar alle tieners behoefte aan hebben. Een plek om met seks te experimenteren.'

'Juist. En daarom gaat Harness daar naartoe terug. Als geest. Het is hun geheime plek.'

Dr Kahn werd weer streng. 'Maar er waren veel schooljongens die iets met elkaar hadden. Die komen toch zeker niet allemaal terug om op de Hill te spoken. Dan zou er een hele menigte rondlopen. Wat maakt deze zo bijzonder?'

Andrew vond het een moeilijke vraag. 'Dat weet ik niet precies.'

'Ik heb een regel,' zei ze. 'Het is raar, maar die helpt me geweldig bij mijn research. Wil je die horen?' Hij knikte. *'Zoek eerst het hart, en daarna de start.'* Ze gaf hem een knipoogje. 'Beperk je niet tot een chronologische volgorde. Zoek het sterkste deel van hun verhaal en ga van daaruit verder. Waar voelden ze de meeste liefde?'

'In de kamer met de waterput.'

'Maar dat was alleen op Harrow.'

Stilte.

'Lieve hemel, Andrew, betekent dit dat je alleen de boeken over Harrow hebt gelezen? Heb je de aantekeningen gezien die ik in Byrons brieven heb gemaakt?'

'Die zijn van latere datum,' wierp hij tegen. '1807, bijvoorbeeld.'

'Je let niet op,' zei ze geïrriteerd. Tot Andrews verbazing liep ze de kamer door en boog ze zich over hem heen. Daarna klapte ze de dikke boeken open en sloeg de ruggen plat als een overijverige bakker.

'Voorzichtig met de boeken!' zei hij, terwijl hij zich in veiligheid bracht.

'Deze zijn nog gedrukt,' verklaarde ze. 'Alleen maar informatie.'

Andrew, vervolgde ze snuivend, beperkte zich te veel tot de Harrow-periode. Het antwoord, zei ze, wachtte op hen in Cambridge (*Trin. Coll. Cam.*, herinnerde Andrew zich uit de verslagen van Harrow), waar Byron was gaan studeren en waarheen Harness hem was gevolgd.

'Daar,' zei ze, met haar wijsvinger op een pagina tikkend. Andrew las:

AAN ELISABETH PIGOTT, 1806 (Een jeugdvriendin die hem niet zou veroordelen, volgens Dr Kahn)
Hij is beslist misschien meer aan mij gehecht dan ik op mijn beurt aan hem. Gedurende mijn hele verblijf op Cambridge hebben Harness en ik elkaar elke dag ontmoet, zomer en winter, zonder ons een moment te vervelen, en elke keer namen we met steeds meer tegenzin afscheid. Ik hoop dat je ons op een dag samen zult zien. Hij is de enige persoon voor wie ik respect koester, hoewel ik velen graag mag. Verleden week nog heeft hij me een ring gegeven, met een kornalijn, die hij zelf geheel heeft bekostigd. Hij bood me de ring angstig aan, alsof ik die zou kunnen weigeren. Verre van zulks te doen, zei ik dat mijn enige vrees was dat ik zo'n kostbaar aandenken zou kunnen verliezen.

'Wat maak je daaruit op?' wilde ze weten.

'Dat hij respect had voor Harness.'

'O, wat een onzin.' Dr Kahn ontplofte bijna. 'Harness gaf hem een ring! Een tweedeklas steen, maar die kostte hem meer dan hij zich kon veroorloven, hij kon zich niets veroorloven, en hij viel bijna flauw van de zenuwen toen hij Byron de ring gaf. Wel, wanneer geven mensen elkaar een ring, Andrew?'

'Als ze willen trouwen,' antwoordde hij gedwee.

Weer begon ze driftig bladzijden om te slaan, deze keer in het boek met gedichten. Hardop las ze: '*There is a Voice whose tones inspire such softened feelings in my breast, I would not hear a Seraph Choir...* Harness was acteur, weet je nog? Met een prachtige zangstem? Zo verdiende hij zijn plaats op Harrow en op Cambridge: in het koor. Goed, we gaan door.' Ze sloeg de pagina om. 'Hier staat het. *There are two Hearts whose movements thrill, in unison so closely sweet, that Pulse to Pulse responsive still they Both must heave, or cease to beat.* Hartenklop tegen Hartenklop is vlees tegen vlees, daar zul je het toch mee eens zijn? Dit is geen onbekrachtigde liefde. Dit is je partner, iemand met wie je in de deken van jeugdige liefde gewikkeld bent.'

There are two Souls, whose equal flow
In gentle stream so calmly run,
That when they part – they part?– ah no!
They cannot part – those Souls are One.

Dr Kahn keek naar de pagina. 'Ze kunnen niet scheiden,' prevelde ze. 'Zie je de datum?' Ze draaide het boek om en hield het omhoog zodat hij het kon zien.

'1807,' zei hij zacht.

'Ja. Dat saaie oude 1807.'

Ze trok een stoel bij naast die van Andrew. Daarna legde ze haar armen op de boeken en begon ze tegen hem te praten, ernstig, energiek, zoals ze het tegen een collega of een gelijke zou doen. Byron, zei ze, begon te dromen over een léven met Harness. Een leven dat een nabootsing was van een heteroseksueel huwelijk. En dat was totaal niet realistisch. Hoe onrealistisch beloofde ze dadelijk te onthullen. 'Maar laten we eerst,' zei ze, 'de fantasie bekijken die hij zich in het hoofd gehaald had over het leven dat ze samen zouden leiden.' Ze legde een andere brief aan Pigott voor Andrew neer.

Harness vertrekt in oktober naar een koopmanshuis in de stad, en we zullen elkaar waarschijnlijk niet terugzien tot mijn minderjarigheid is verstreken...

'Tot hij meerderjarig is geworden,' verduidelijkte ze. 'Dit betekent dat Byron zich verheugt op al het geld dat hij denkt te zullen erven met zijn landgoed in Newstead. Heb je Newstead Abbey gezien? Om van te kwijlen. Groot, grijs, middeleeuws. Overal pauwen. Je voelt je al bevoorrecht als je alleen maar het parkeerterrein op mag.'

Maar Byron nam altijd te grote financiële risico's, hij gaf veel geld uit aan chique koetsen, drank, kleren. Uiteindelijk zag hij zich genoodzaakt Newstead Abbey, dat sinds het begin van de zestiende eeuw in de familie was geweest, te verkopen. Als een hiphopster die snel failliet gaat aan villa's, auto's en blingbling, legde ze uit.

Andrew keek op bij die onverwachte uitdrukking. 'Waar hebt u dat vandaan?' vroeg hij lijzig.

'Ik heb nichtjes,' antwoordde ze pinnig. 'Lees.'

Andrew las.

Harness vertrekt in oktober naar een koopmanshuis in de stad, en we zullen elkaar waarschijnlijk niet terugzien tot mijn minderjarigheid is verstreken, wanneer ik aan hem de beslissing laat of hij door mijn bemiddeling als partner zal toetreden in de firma...

Wat betekende, verduidelijkte Dr Kahn, dat Byron, als een suikeroom, van plan was de loopbaan van zijn vriend te financieren. Zoiets als tegenwoordig een man die de eindelijk veroverde vrouw aan haar makelaarsdiploma wil helpen, of aan een zaak voor binnenhuisarchitectuur.

... of voorgoed bij mij zijn intrek neemt.

De andere optie was, voegde ze eraan toe, dat Byron een huisvrouw van Harness zou maken.

De keuze is aan hem. Ik houd beslist meer van hem dan van welk ander menselijk wezen, en tijd noch afstand heeft ook maar het minste effect gehad op mijn (over het algemeen) veranderlijke instelling.

Andrew viel haar in de rede. 'Dus ik bedoel, hij was zijn tijd een beetje vooruit, dat snap ik. Maar... Engelsen zijn toch tolerant tegenover homo's? Kijk maar naar Mr Baldridge,' zei hij, doelend op een van de wiskundeleraren van de school, die met zijn vriend samenwoonde.

'Ik hoef je toch niet te vertellen dat de wereld veranderd is, Andrew,' zei ze. 'In die tijd was homoseksualiteit in strijd met de wet. Ze hadden niet op die manier kunnen samenleven. Nooit. Niet alleen was het onwettig, het was een halsmisdrijf. Het maakte deel uit van Engelands Bloody Code, er stond de doodstraf op.'

Andrew keek geschokt naar het boek.

'Dat is een tegenvaller, nietwaar, na het lezen van deze schitterende gedichten en brieven?' Ze streek met haar handen over de opengeslagen pagina. 'Ongetwijfeld dachten Byron en Harness er net zo over.'

'Ik kan Byron zijn onrealistische plannen echter wel vergeven,' vervolgde ze op peinzende toon. 'Cambridge is een magische omgeving, niet zo bedrijvig en over-ontdekt als Oxford; Cambridge is gebouwd voor geheimen. Je ziet het wel een keer, hoop ik. Muren scheiden de universiteitsgebouwen van de stad. Van Engeland. Dat alles sluiten ze uit. De rest sluiten ze in. Het is een fantastische plaats om verliefd te worden,' zei ze, dromerig nu. 'In de Backs, in juni. De zon schijnt op de bladeren en de gazons, groen en goud. En niemand houdt ooit op met drinken. Pimm's, wijn, elke dag feesten. Punteren op de Cam, onder de beschutting van de bomen. De knappe jongens met hun smalle heupen – ze verdienen het niet met al dat drinken, maar zo is het leven op je twintigste. Wat is er beter dan een gestolen kus, wanneer je wangen na een dag in de buitenlucht door de zon gebruind zijn, in de zomerse schemering?'

Even bleef ze zwijgen.

'Je wilt weten of ik uit persoonlijke ervaring spreek,' zei ze wrang, toen ze merkte dat Andrew haar met open mond aanstaarde. 'Ja, natuurlijk. Ik was niet altijd... zo oud als nu.'

Hij wachtte; ze glimlachte geheimzinnig, maar meer kwam er niet.

'Ik vind dit moeilijk te rijmen met wat ik van Harness heb gezien,' zei Andrew ten slotte. 'Zijn gezicht was... pure woede. Niets aardigs aan. Niets van wat u beschrijft.'

'Dan missen we een stukje van de puzzel. Je zult naar de Wren Library moeten om te lezen wat er in de brieven staat die je hebt gevonden. Ik zal mijn vriendin een e-mail sturen. Dus je ziet, Andrew, ten slotte krijg je Trinity misschien toch te zien. Maar wees voorzichtig. Nu weet je wat daar gebeurde. Hoe Byron en Harness verliefd op elkaar werden. Ware liefde.' Ze tikte op het boek met de brieven. 'Hoe kostbaarder de schat, des te woester de draak.'

14

Slippertje naar Londen

'Stop!'

James Honey had zich op een van de houten stoeltjes van de Sprekerskamer genesteld, met een plaid over zijn knieën en het script op zijn schoot. Hij volgde de regels met de punt van een potlood, en hij staarde over zijn leesbril heen naar Andrew. 'Ik kan er geen woord van verstaan, Andrew,' zei hij kreunend, en hij drukte de punt van zijn potlood op het papier. 'Geen woord.'

De toneelmeester fluisterde iets in Honeys oor.

'Een ogenblikje,' blafte de regisseur.

Rebecca klom het toneel op en ging naast Andrew staan. 'Heb je je kusscène met Persephone al gedaan?' Ze had weer zo'n korte rok aan, had glanzende roze lippenstift op, en ze droeg een fluwelen topje waarin ze op een lichtzinnig maar heel aantrekkelijk lid van Robin Hoods Merry Men leek. Haar stem was insinuerend, vol venijn.

'Je bedoelt, in het stuk?'

'O, doen jullie ook andere kusscènes?'

Andrew deed zijn mond open, maar er kwam geen geluid uit. Hij werd vuurrood.

Rebecca begon te lachen. 'Het enige wat ik kan zeggen is, wees voorzichtig. Als Sir Alan erachter komt, wordt hij moordlustig. Je weet dat er een Romeins zwaard boven zijn schoorsteenmantel hangt?'

'Nee, dat wist ik niet.'

'Vreemd,' ging ze door. 'Ik dacht dat ze nog steeds met Simon was.'

Andrew keek haar aan – te snel. Hij zag dat er weer een glimlachje over Rebecca's gezicht kroop.

'Ze was zo lang met hem,' zei ze met nadruk.

'Yeah?' zei hij, terwijl hij zich dwong het achteloos te laten klinken.

'O ja. Ze is bezeten van hem.'

Andrews hart kromp in elkaar.

'Maar ze hebben samen veel meegemaakt. Misschien zijn ze ten slotte daarom uit elkaar gegaan.'

Hij kon het niet langer uithouden. 'Wat bedoel je, ze hebben veel...'

'Goed, we kunnen weer,' riep Honey. 'Vanaf het begin.'

'Laat je niet afleiden door wat ik gezegd heb,' fluisterde Rebecca.

'Vertel me alleen wat je bedoelde met...'

'Als jullie zover zijn,' snauwde Honey hun toe.

Andrew raffelde zijn zinnen af zonder gevoel. Honey bleef hem in de rede vallen om hem te corrigeren, hij sprong het toneel op en bespotte zijn slappe houding. Rebecca knipperde met haar ogen tegen hem. Met getuite lippen schonk ze hem arme-schat-glimlachjes. Toen het afgelopen was omhelsde ze hem. *Volgende keer beter,* zei ze, en ze wikkelde hem in haar parfum, een wolk van walgelijke nazomerbloesems.

Toen Andrew even later bij het metrostation aankwam, was hij zo vervuild en uitgeput geraakt door zijn mentale reis door Jaloezie als een ontdekkingsreiziger in de rimboe. Persephone had hem bedrogen. Ze had aldoor een relatie voortgezet met een gladde, rijke, lange, kaarsrechte Engelse aristocraat; een wereldreiziger, ongetwijfeld blond, met een vierkante kin; sportief; met een auto. Andrew had er niets vanaf geweten. Hij werd in reserve gehouden terwijl Simon – Simon, Simon, natuurlijk was het een Simon – deed wat het dan ook mocht zijn dat Simons deden. Naar Egypte gaan voor een opgraving. Of financiën studeren in Singapore. Andrew haalde de denkbeeldige foto's van al zijn ontmoetingen met Persephone tevoorschijn en scheurde ze doormidden. Alle voorbereidingen voor het weekend – het verlofpasje van Fawkes, Andrews omslachtige verklaring over een 'groepsbijeenkomst' met leden van de cast (hij wilde niet dat Fawkes ervanaf wist), en zijn leugen dat Sir Alan toestemming had gegeven voor het uitstapje, en het non-stop dagdromen – dat alles was voor niets geweest. Minder dan niets – ze hadden hem alleen dieper beledigd.

Toen ze de Hill af kwam lopen in een jurk die tot halverwege haar dijen reikte, bedrukt met wervelende Matisse-kleuren, bloedrood en oerwoudgroen, haar benen bloot, haar haren een slangennest van zwarte krullen, en haar zonnebril op haar voorhoofd geschoven, sloeg zijn hart drie slagen over. Hij dwong zich om koel te blijven. Hij besefte dat hij er bij haar vergeleken uitzag als een boerenpummel, met zijn kakibroek en zijn geruite overhemd en zijn gympen. Hij was er blij om. Laat haar maar teleurgesteld zijn. Laat haar maar zien hoe slecht ze bij elkaar pasten, nu ze geen schooluniform droegen. Zij was stijlvol, Europees, hoorde bij de betere stand; hij was een Amerikaanse middenklasser, stelde niets voor. Laat haar er maar spijt van hebben, net zo veel als hij.

'Hallo,' zei ze opgewekt. Toen zag ze zijn norse gezicht. 'Alles goed?'

'Yep,' antwoordde hij koeltjes. 'Zullen we gaan?'

'Waarom doe je zo vreemd?'

'Hoezo, vreemd?'

'Je doet raar.' Ze beet op haar lip. 'Ik heb je een geil sms'je gestuurd en nu denk je dat ik een hoer ben. Is dat het?'

'Nee. Je bent te laat.'

'Ik moest me optutten,' zei ze, en ze nam de houding van een mannequin aan. 'En nu hoor jij te zeggen dat het de moeite van het wachten waard was.'

'Ga mee.' Hij draaide zich om, liep de smerige trap van het metrostation op en stopte zijn creditcard in de kaartjesautomaat.

Zwijgend reden ze op de sponzige, paarsgevlekte kussens van de Metropolitan-lijn door allerlei soorten voorsteden. Persephone had haar zonnebril op haar neus geschoven en ze keek chagrijnig. Andrew bleef zijn gezicht naar het raampje gekeerd houden. Hij zag de brede, groene terreinen van een of andere school voorbijglijden, bezaaid met zwermen duiven – of waren het meeuwen? – daarna de achterbuurten, blokken van die grijsbruine baksteen, typerend voor Engelse rijtjeshuizen; daarna eindelijk de industrieterreinen; roestende treinwagons, een depot voor oude postrijtuigen. Bij de halte Finchley Road stond Persephone op. Zonder een woord te zeggen stormde ze een station dat uit rode steen was opgetrokken in, en rende de trap op. Andrew volgde haar, en bleef haar volgen tegen een steile heuvel op. Een drukke winkelstraat maakte plaats voor bochtige oprijlanen waar forse villa's in fraai aangelegde tuinen stonden, omsloten door stenen muren en rododendrons. Persephone bleef driftig doorstappen, met haar zonnebril op, hem dwingend haar als een mak schaap achterna te lopen. Ten slotte bereikten ze een vlak gedeelte, waar een paar winkels en een pub in zicht kwamen. Eindelijk bleef Persephone staan, voor de pub.

'Als we niet tegen elkaar praten kunnen we net zo goed dronken worden,' kondigde ze aan.

Gehamerd koper omlijstte de bar. Sigarettenrook en de geur van gebraden vlees en aardappelen zweefden binnen rond. Andrew was uitgehongerd, maar hij voelde aan het armzalige biljet van vijf pond en de twee munten van een pond in zijn zak, en hij zag het met krijt geschreven menu boven de bar – niets goedkoper dan negen pond – dus rekende hij in plaats van eten te bestellen het aantal biertjes uit dat hij kon kopen. Bier. *Een sandwich in een blikje*, noemden zijn vrienden in Amerika het.

Ze bestelden lager. Er werd niet naar hun leeftijd gevraagd. Ze toostten niet met hun glazen. Ze dronken.

'Dus hier ben je opgegroeid,' merkte Andrew op.

Ze deed of ze het niet hoorde. Ze hadden ruzie. Zomaar, zonder aanleiding. Dus ze was niet in de stemming om herinneringen met hem te delen. 'Hoe ging de repetitie?' was haar reactie. Haar stem was scherp.

Andrew staarde haar aan. Zou hij het zeggen? Zou hij het haar vragen? Hij wist dat hij zich er nooit overheen zou zetten als hij het niet deed. En hij wilde zich eroverheen zetten. Haar jurk bedekte haar lichaam nauwelijks, paste haar niet beter dan de dop van een noot wanneer die rijp is en uit zijn omhulsel dreigt te barsten.

'Wie is Simon?' vroeg hij.

Een moment lang zat ze hem stomverbaasd aan te kijken. Toen vertrok haar gezicht. *'Rebecca,'* zei ze. 'Ik wist het.'

'Wat is er met Rebecca?' Andrew krabbelde snel terug.

'Weet je, ik heb tegen mijn vader gelogen om dit weekend ertussenuit te knijpen. Ik heb tegen mijn moeder gelogen om toestemming te krijgen het huis te mogen gebruiken. Ik heb haar verteld dat ik Kathy en Lizzie en Louise te logeren kreeg, al mijn oude vriendinnen van het North London Collegiate, omdat we elkaar zo lang niet hadden gezien, en het zo leuk zou zijn, dus mag het alsjeblieft. En ze wist dat het flauwekul was. Ze bleef maar zeggen: *je was toch niet zo goed bevriend met die meisjes.* En ze had gelijk. Dat was ik niet.' Ze keek hem aan. 'Ik nam een risico. En vervolgens kies jíj,' ze beet hem het woord woedend toe, 'hun kant. Alweer. En daar kom je nu mee aanzetten. Waarom heb je verdomme niets gezegd voor we in de metro stapten?' bitste ze. 'Dan had ik je daar laten staan.'

Andrew zei niets. Hij wist dat hij het verpestte. Hun weekend – en alles wat hij hoopte dat erbij hoorde. Maar hij wist niet wat hij anders kon doen.

'Nou, als je me iets wilt vragen, vraag het dan.' Persephone trilde bijna van kwaadheid.

'Dat heb ik net gedaan. Wie is Simon?'

'Simon was mijn vriendje,' zei ze. 'Nu weet je het.'

'Was?'

Andrew bleef haar verbijsterd aankijken toen ze een half glas bier naar binnen klokte. Ze gaf geen antwoord. Zou hij het daarbij laten? Maar nee, het was niet genoeg.

'Rebecca,' zei hij, 'leek te denken dat jullie nog bij elkaar waren.'

'Rebecca is een kutwijf!'

Hoofden werden omgedraaid: half geamuseerd, half verbaasd. Er klonk gemompeld commentaar.

'Zijn jij en Simon lange tijd bij elkaar geweest?'

'Hou op, Andrew!'

'Hoe denk je dat ik me voel?' zei hij snel. 'Ik dacht dat we... ik weet het niet... met elkaar gingen...' Ze snoof. 'Dan hoor ik dit...'

'Laster? Geruchten? Geroddel? Boosaardig geklets van een stom kreng?' Nu draaiden mensen die vlakbij aan tafeltjes zaten zich om en begonnen hen aan te staren, om hen heen stierven de gesprekken weg. 'En je sleept me helemaal mee hiernaartoe om me ermee te confronteren? Wanneer ik je meeneem naar mijn huis?'

'Het enige wat ik wilde weten was of...'

'Of ik een slet ben,' maakte ze de zin voor hem af. 'Dat kun je maar niet vergeten. En ik had nog wel een leuke verrassing voor je. Een verrassing die ik had bedacht. Dat wist je niet, hè? Maar blijkbaar verdoe ik mijn tijd.'

Ze sloeg de rest van haar bier achterover, zette het lege glas met een klap op de bar en daarna marcheerde ze naar buiten.

Andrew zakte onderuit op zijn stoel.

Zijn buren zaten hem aan te kijken. Hij probeerde te besluiten of hij in Londen zou blijven en zijn vijf pond opdrinken, of verstandig zijn en rechtstreeks naar school teruggaan.

Hij dronk zijn bier op.

Hij liep naar buiten. Daar stonden een paar picknicktafels op een terrasje, met boven elke tafel een parasol met het logo van een brouwerij.

Persephone zat aan een van de tafels, met haar rug naar hem toe.

Hij aarzelde. Bijna wilde hij wegwandelen. Maar dat zou niet aardig zijn. Ze was er. Ze wachtte. Het was een vredesaanbod. *Pak het aan.*

Behoedzaam liep hij in haar richting. Hij wachtte, een stap achter haar, maar zo dat ze hem vanuit een ooghoek kon zien. Ze zei niets. Dus hij ging naast haar op de bank zitten. Nog steeds niets. Hij stak een sigaret aan en hield die een ogenblik voor haar. Toen, alsof ze er diep over had nagedacht, stak ze haar witte, slanke hand ernaar uit. Ze pakte de sigaret aan. Nam een trekje. Ze schudde haar schitterende haar naar achteren, uit haar gezicht. Haar ogen gingen schuil achter de zonnebril.

'Er is iets heel bevredigends,' merkte ze op, 'aan het woord "kutwijf".'

'Het is een geweldig, degelijk woord,' zei Andrew instemmend.

'Ja, dat is het,' antwoordde ze. Even later: 'Ben je niet van plan me nog een drankje aan te bieden?'

Hij vloog bijna van de bank af. Verzoening. Hoop. Hij kwam terug met twee biertjes en een bonnetje voor een creditcardbetaling op rekening van zijn vader. *Pa kan naar de bliksem lopen.* De zon knipoogde door een kleine opening in de bewolkte lucht.

'Wat wil je over Simon weten?' vroeg Persephone, nadat hij was gaan zitten. 'Laten we dit uit de wereld helpen.'

Andrews keel sloeg dicht. 'Hou je nog van hem?'

'Ik haat hem.'

'Waarom?'

'Eerlijk gezegd wil ik er liever niet over praten. Ik kan Rebecca wel vermoorden.' Ze liet erop volgen: 'Er is niets om je zorgen over te maken.'

'Hoelang is het geleden dat je... je weet wel...'

'Hem gezien hebt? Maanden en maanden.'

Ze hebben samen veel meegemaakt, had Rebecca gezegd.

Vraag er niet naar, idioot! Ze praat weer tegen je. Je hebt je antwoord.

Hij besloot dat hij het afspraakje opnieuw zou beginnen.

'Hoor eens,' zei hij, 'dat is een leuke jurk.'

Ze glimlachte, een groeiende, roze lach om die enorme volle lippen. Ze begreep het. Ze schoof haar zonnebril omhoog.

'O, dank je, Andrew. En wat aardig van je om vandaag met me mee te gaan.'

'Wat is de verrassing?'

'Dat zie je nog wel.'

Daarna vroeg Andrew haar dingen over haarzelf. (Dat hoorde je toch te doen bij een afspraakje?) Persephone, geladen met adrenaline en een air van zelfspot, gaf antwoord als ze er zin in had. Waar had haar vader zijn titel aan te danken? Was hij ridder? Lord?

Zoiets, antwoordde Persephone. *Baronet. Het is eigenlijk een titel van niks. Een of andere Vine heeft die in de zeventiende eeuw gekocht van de koning, die het geld gebruikte om er Ieren mee te doden. Dat zegt mijn moeder. Mijn vader ergert zich daar kapot aan.*

En hoe zat het met haar ouders? Waren ze gescheiden?

Haar moeder woonde de helft van het jaar in Griekenland. Ze waren ouderwets. Bleven getrouwd, maar haatten elkaar. *Ze maken ruzie over mij. Het is zoiets als een wedstrijd,* zei ze. *Ik ben het enige jurylid bij deze eindeloze Olympische Spelen, en zij zijn de Verenigde Staten en China, ze kopen me om, vleien, proberen indruk te maken, kraken de ander af. Ze hebben in geen twintig jaar seks met elkaar gehad. En waar denk je dat het allemaal blijft? Al die* lust*? Die moeten ze toch hebben. Ze zijn* menselijk...

Andrew was duizelig van het bier – er zat nog een schamel restant van hun tweede biertjes in hun glazen en ze hadden nog steeds niets gegeten – en hij wist echt niet of er een antwoord op die vraag bestond. Maar toen kwam het.

Alles gaat naar mij, zei ze ten slotte – ze was nu dronken, haar woorden kwamen er onduidelijk uit, ze vertelde het hem bijna agressief, alsof ze wilde zeggen: *hoor eens, je wilt toch over mijn rotzooi horen? Je wilt toch zien hoe waardeloos en verachtelijk ik ben?* – en ergens wenste hij dat hij het niet hoorde, omdat hij merkte dat dit pijnlijk voor haar was, maar hij werd er ook door gefascineerd (misschien liep zijn algemene ontwikkeling bij haar vergeleken wat achter; hij voelde zich eerlijk gezegd nogal gewoontjes, vergeleken bij dit pan-Europese erotische disfunctioneren). *Telefoontjes en dinertjes en cadeaus, alsof ik met allebei aan het daten ben, en ik moet proberen ze alle twee op afstand te houden zodat de ander niet gek wordt van jaloezie. Erop letten hoeveel aandacht de ander krijgt. Als het te veel wordt, als ze dreigen me voorgoed mee te nemen naar Athene of naar Harrow. Toen begon ik ertussenuit te knijpen. Gewoon... weglopen voor al dat gedoe. Toen begon ik met Simon om te gaan. De foute jaren. Ik was vijftien. Het laatste jaar dat ze samenwoonden.* (Omgaan met... was dat een eufemisme? Op haar *vijftiende*, vroeg Andrew zich af. Hij dacht terug aan zichzelf, toen hij vijftien was, en met zijn voorlopige rijbewijs en een splinternieuwe adamsappel in het groene Connecticut rondlummelde, nadat hij net zijn belangstelling voor Japanse stripverhalen had verloren.) *Ze noemde me* boulaiki, vervolgde Persephone. Boulaikimou. *Mijn kleine vogeltje. Heel lief natuurlijk. Het betekent ook 'mijn kleine poesje'.*

Andrew kuchte.

Ik begin bezopen te raken, zei Persephone. *Vind je me al afschuwelijk?*

Natuurlijk niet, zei hij. *Je bent geschokt,* was haar reactie. Nee, zei hij, hoewel het wel zo was; maar hij zei het, omdat ze voor hem, hier, in het felle licht onder de Londense hemel, aangeschoten, tragisch, nu ze zich ontdeed van haar aanstellerij, het smerigste en aantrekkelijkste meisje was dat hij ooit ontmoet had. *Zullen we gaan,* zei hij.

Ze kusten elkaar in de hal. De alcohol op een lege maag maakte hem duizelig wanneer hij zijn ogen dichtdeed. Ze gingen naar de zitkamer. Het huis was ingericht met strand als thema: een combinatie van roze meubels, zilveren snuisterijen, witte wanden en overal schelpen. Ze kusten elkaar op de bank en verhuisden daarna naar de vloer. Andrew maakte haar ceintuur los, stroopte haar jurk over haar hoofd, daarna haar beha. Hij likte haar borsten, trok aan haar slipje. Hier hadden ze op gewacht. Wekenlang. Geleidelijk aan was het verlangen toegenomen. *Nu gaan we het doen,* drong een inwendige stem bij hem aan. Het bier klotste in zijn maag. Hij voerde plichtmatig de handelingen uit. Haar kleren uittrekken, punt een. Haar intieme plekjes stimuleren...

'Au,' zei ze. 'Wacht.'

Ze ging anders liggen en ze hielp hem bij het uittrekken van haar slipje. Haar benen waren wit en glad en werden naar beneden smaller; *verbazingwekkend,* registreerden zijn hersens, *en daar is het, de boulaiki*; bruin en onschuldig in het daglicht. Plotseling werd hij nerveus. Het was zoiets als een ontmoeting met een beroemdheid, een persoonlijke held, waarvan je pas een minuut van tevoren had gehoord dat die zou plaatsvinden. *Hé, wacht, ik ben er nog niet aan toe, ben het niet waard.* Hij voelde zweet onder aan zijn rug plakken. *Angst.* Dat was niet goed. Helemaal niet goed. Hij raakte haar aan. Ze voelde goed. Bijna nat genoeg. Hij streelde. Maar het leek allemaal te lang te duren. De stem zeurde. *Doe het dan.* Hij probeerde bij haar binnen te dringen, maar het lukte niet. Ze wilde hem in haar hand nemen, maar dat was nog erger – nu zou ze zien dat hij niet stijf was. Het zweet op zijn rug verspreidde zich over zijn hele lichaam. Hij kreeg het warm, benauwd. Hij trok zich terug.

'Gaat het wel, Andrew?'

'Niet echt. Ik heb te veel gedronken.'

Samen leunden ze tegen de bank, met hun blote billen op het tapijt. Opeens leek het heel gewoon om elkaar naakt te zien. Te gewoon. Zij had vetrolletjes. Hij had ingegroeide beenharen. Het leek alsof ze op de snelweg de afslag hadden gemist naar de opbouw en de victoriaanse verwachting, en nu rechtstreeks beland waren in – ja, waarin? Een soort afgematte zinloosheid. Gewoon twee naakte lichamen die nu al op elkaar waren uitgekeken. Andrew was nooit eerder in dit huis geweest en binnen twintig minuten was hij in de zitkamer, naakt en wanhopig. Hij liet zijn hoofd tegen de bank rusten en hij kreunde.

'Zal ik je pijpen?' vroeg ze.

'Ik wil alleen een glas water.'

'Ik heb je laten schrikken, hè? Met dat gepraat over...'

'Nee, nee,' protesteerde hij. 'Kan ik wat water krijgen?'

'Als je je er beter door voelt,' zei ze, zonder aanstalten te maken om water voor hem te halen, 'ik kan geen orgasme krijgen.'

'Kun je dat niet?'

'Ik kan het niet en ik wil het niet.' Ze keek hem scherp aan. Ze wilde zeker weten dat ze niet te ver gegaan was. Dat ze hem niet totaal had afgeschrikt.

'Meen je dat?'

Ze haalde haar schouders op.

'Nou,' zei hij ten slotte. 'We zijn een mooi stel.'

Om hem op te vrolijken sleepte Persephone Andrew mee op een lange tocht door een kleurrijke buurt waar het wemelde van de hippies in leren jacks, en naar een boetiek waar ze – deze keer met Sir Alans creditcard – een spijkerbroek voor hem kocht die echt goed paste, een overhemd van goede kwaliteit, en een jack. Daarna trok ze hem mee een kapsalon in. *Waarom moet ik naar de kapper?* protesteerde hij. De kapster, een vrouw die Charlie heette, had platinablond haar en droeg een massa oorringen.

'Tijd om een eind te maken aan Led Zeppelin,' zei Persephone tegen Charlie.

Een halfuur later keek Andrew in de spiegel.

'Ik lijk wel een misdienaar,' riep hij uit.

Tot zijn verbazing sprong Persephone in de stoel naast hem. 'Ik wil er precies zo uitzien.' Hij keek toe terwijl haar krullen tussen die van hem terechtkwamen op de vloer van de salon, voor een assistent met dreadlocks ze opveegde.

'Tijd voor je verrassing,' zei Persephone toen ze de kapsalon uit liepen.

'Heb je daarom zitten sms'en?' vroeg hij. Tijdens zijn make-over had Persephone haar mobieltje driftig met haar duim bewerkt.

'Misschien,' zei ze.

Ze nam hem mee op een lange, kronkelende wandeling door een steeds donkerder wordend Londen, naar een middenklassewijk met winkels en een reeks oosterse restaurants met fluorescerende verlichting en waterpijpen achter de ramen, waar mannen in paren aan zaten te lurken. Persephone liep voor hem uit een van deze restaurants in. Ze namen plaats op barkrukken, met uitzicht op de open keuken, en Persephone droeg Andrew op om goed te kijken naar de beste kippenslager van Londen. Ze zagen hem tientallen kippen in stukken snijden, hij hakte met één enkele slag van zijn mes de vleugels eraf, zijn handen glimmend en vettig van de ingewanden. Ze bestelden twee maaltijden. Andrew propte het eten in zijn mond. Dikke hete saus, pasta tahini, warme pitabroodjes – het leek zijn eerste maaltijd in maanden. Zijn hoofd duizelde en zijn neus begon te lopen van de kruidige gerechten.

Achter hun schouders hoorden ze een stem. 'Persephone?'

Een sensuele jonge vrouw met rood haar en sproeten, gehuld in een zwarte cocktailjurk, omhelsde Persephone, die haar voorstelde als Agatha. Agatha omhelsde Andrew en kuste hem op beide wangen. Daarna keek ze naar hem en Persephone, ze trok een gezicht en ze gilde: *Jullie zijn geen vriend en vriendin, jullie zijn tweelingen!* Persephone straalde. Agatha's date stond achter haar, een lange Indiër met scherpe gelaatstrekken, in een donker pak. Zijn naam was Vivek. Hij had een plastic tas bij zich. Agatha, legde Persephone uit, was eerstejaars op Cambridge, en haar beste jeugdvriendin. Ze hadden samen zomers in Griekenland doorgebracht. (Zo langzamerhand liet Andrew deze achteloze verwijzingen naar een leven vol exotische privileges van zich af glijden; ze droegen er enkel toe bij dat hij nog meer in de ban raakte van Persephone en haar wereld.) De nieuwkomers trokken krukken bij. Vivek verbaasde zich onmiddellijk over de kippenslager; Agatha staarde Andrew aan en zond Persephone begrijpende blikken toe, ze was duidelijke de beste-vriendin-die-over-hem-gehoord-heeft-en-sterft-van-nieuwsgierigheid. (Andrew was blij dat hij zijn nieuwe kleren had aangetrokken; zijn kakibroek lag opgevouwen in een boodschappentas aan zijn voeten.) Gewoonlijk zou Andrew zich bedreigd gevoeld hebben als een onbekend stel was komen opdagen tijdens een date, maar hij was vol van het eten en het wervelende Londen, en hij genoot ervan.

Vivek vroeg de potige barkeeper om een paar plastic bekertjes. 'Ik word gegeseld als ze me betrappen,' zei hij zachtjes tegen Andrew. 'Tachtig zweepslagen. Het zijn moslims hier, als het je nog niet was opgevallen.' Vivek stak zijn hand in de plastic tas en greep de hals van een beslagen champagnefles. De kurk plopte zachtjes, hij had het blijkbaar vaker gedaan.

Vivek schonk goudkleurige, schuimende champagne in de doorzichtige plastic bekertjes, en ze toostten. De gezette man die de bestellingen opnam keek hen nijdig aan, maar liet toe dat ze het opdronken.

'Zo,' zei Vivek. 'De meisjes vertelden me dat je de geest van de Lot hebt gezien.'

Andrew keek Persephone aan. Haar kattenogen glinsterden, geamuseerd en trots dat ze haar verrassing tot nu toe geheim had gehouden. Maar Andrew werd somber toen hij eraan werd herinnerd wat hem op school wachtte.

'Heb je op Harrow gezeten?' vroeg hij.

Vivek knikte. 'Ik woonde in de Lot. Ik heb hem ook gezien.'

'Meen je dat?' Andrew ging rechtop zitten.

'Tijdens mijn tweede jaar gingen mijn ouders scheiden,' verklaarde Vivek. 'Mijn broer en ik konden niet met elkaar opschieten – hij zat in de vijfde klas. Ik werd heel erg gepest. Ik voelde me ellendig en eenzaam, al die afschuwelijke dingen die erger worden omdat ze op school met je gebeuren, en je niemand hebt.' Hij zei dit alles met een soort nuchter gemak. Andrew had al opgemerkt dat Vivek een pochet droeg, en dat de stof van zijn jasje zijdeachtig en dubbel geweven was, en hij vroeg zich af wat voor type internationale gentleman dit kon zijn, wiens leven zo veelsoortig en rijk was dat kleine familietragedies werden gereduceerd tot niet meer dan anekdotes die op een zangerige manier werden verteld, tijdens het schenken van champagne in een Noord-Afrikaans kippenrestaurant. 'Mijn ontsnappingsmogelijkheid was het bad. Aha! Ik zie aan je gezicht dat ik op het juiste spoor ben.'

Agatha en Persephone keken van de ene jongeman naar de andere, verrukt over dit mysterie. Vivek schonk hun bekertjes nog eens vol, en hij ging verder.

'Ik was nog magerder dan nu, maar ik moest in het rugbyteam van het huis spelen. Op een dag verliet ik de wedstrijd al in een vroeg stadium omdat ik totaal verpletterd was, en ik ging heel kwaad terug naar school. Die Engelsen en hun sport konden naar de bliksem lopen. Dus ik zou iets doen wat niet mocht. Ik zou een heet bad nemen, in de badkamer van de prefect nog wel.' Glimlachend trok hij zijn wenkbrauwen op om te benadrukken wat een taboe dit was. 'Dus ik liet het bad vollopen. De stoom steeg eruit op. Ik kon niet wachten om mijn pijnlijke ledematen erin onder te dompelen. Maar toen ik mijn handdoek afdeed zag ik een gezicht in het water.'

De meisjes begonnen aanstellerig te huiveren en oooo te roepen.

'Ik sprong achteruit alsof ik een elektrische schok had gekregen!' zei Vivek lachend. 'Het wás er gewoon. Niet alsof het echt in het water was, maar alsof het wateroppervlak een raam was, waardoor hij me recht aankeek. Ik holde spiernaakt naar mijn kamer, doodsbang.'

'Hoe zag het gezicht eruit?' vroeg Andrew.

Vivek wilde antwoorden, maar in plaats daarvan zei hij: 'Zeg jij het maar. En weet je wat, voor je antwoordt,' zei Vivek, 'moet je me een stukje papier geven.' Persephone overhandigde hem hun rekening, een lange kassastrook, en een pen. Vivek begon te schetsen, maar hij verborg zijn werk achter zijn hand. Daarna vouwde hij met een theatraal gebaar de rekening op en stopte die in zijn zak. 'Ik heb een tekening gemaakt van wat ik zag. Nu moet jij me vertellen wat jij gezien hebt.'

'Hij heeft wit haar,' begon Andrew, die merkte dat hij opeens zachter begon te praten. 'Ingevallen wangen. En blauwe ogen. Er zitten vlekjes op zijn gezicht. Als een soort uitslag.'

Vivek fronste zijn voorhoofd.

'Dat is griezelig, man.' Hij knikte ernstig. 'Zelfde vent. Ik kan me de uitslag of de wangen niet herinneren. Maar het witte haar – absoluut.' Hij pakte de rekening en legde die op de bar.

Ze verdrongen zich om naar de figuur te kijken die hij had getekend. Het was een lang gezicht met daarboven een grote witte vlek waar het haar moest zijn, en Vivek had de ogen met diepe krassen van de pen getekend, alsof speciaal de herinnering daaraan hem was bijgebleven.

Andrew slikte. Hij hoorde de meisjes opmerkingen maken, maar hij kon zijn ogen niet van het getekende gezicht losmaken.

'Gaat het, man?' zei Vivek zachtjes tegen hem.

'Yeah,' kon hij nog net uitbrengen.

Met een meelevend lachje klopte Vivek hem op zijn schouder.

Kort daarna ging het groepje naar buiten, de straat op. Agatha en Vivek moesten naar een feestje.

'Maak je geen zorgen,' riep Vivek nog achterom, terwijl Agatha hem meetrok naar de hoek, om een taxi te nemen. 'De geest heeft nooit iemand kwaad gedaan. Dat weet ik!' Hij grinnikte en wuifde.

Persephone nam hem mee naar boven. Het huis was warm, muf, steriel; haar slaapkamer had niets persoonlijks en diende nu als logeerkamer. Ze bleven voor de lange spiegel staan. Ze zagen hun spiegelbeelden, naast elkaar, symmetrische beelden van de beide seksen, lange witte halzen, donkere krullen.

Andrew legde zijn vingers op haar nek. Persephone zuchtte. Ze had nog steeds de wikkeljurk aan. Andrew pelde hem van haar lichaam. Haar huid was vochtig, plakkerig, kwetsbaar. Ze lieten zich op het bed vallen. Ze ging op haar rug liggen en hielp hem bij haar binnen te gaan. Het enige geluid in het stille, afgesloten huis was hun oppervlakkige ademhaling. Pas later, half in slaap, dacht hij er weer aan. Hij ging rechtop zitten en fluisterde: *Ben je...?* Hoewel hij het antwoord kende, of althans vermoedde. Persephone zocht in het donker naar zijn hand en drukte die tegen haar borst in een stevige, bezitterige greep.

15

Sputum

Andrew klom tegen de Hill op, trots als een veroveraar, verrukkelijk schuldig en slordig in zijn spijkerbroek. Toch herinnerde elke stap hem aan de druk van de schoolregels. Hij passeerde studenten in hun zondagse kleren – het jacquet, de gestreepte broek. Kerkdienst en lunch waren blijkbaar net afgelopen. Hij begon sneller te lopen. Toen hij de straat overstak werd hij bijna overreden door een gierende ambulance die de Hill op racete. Hij sprong het trottoir aan de overkant op, waar hij tegen Rupert Askew op botste, de op een bidsprinkhaan lijkende lezer van de Essayclub.

'Wat zie jij eruit, Taylor. Kom je nu pas terug? Je krijgt op je donder, met die outfit.'

Andrew was nu over de top van de Hill, en hij probeerde zo min mogelijk op te vallen. Het duurde verscheidene ogenblikken voor het tot hem doordrong dat de ambulance die hem zojuist gepasseerd was, nu achteruit naar de Lot reed.

Hij begon te hollen.

Toen hij bij het hek kwam was de ziekenauto tot stilstand gekomen bij de hoofdingang. Een ambulancemedewerker rende naar binnen, gevolgd door een tweede, die apparatuur meedroeg.

Eindelijk bereikte Andrew de zitkamer. Er brandden geen lampen, omdat het een zonnige dag was; er heerste een vreemde kalmte. Dan:

luide stemmen, boven aan de trap. Hij ging erop af. Ze werden bij elke stap duidelijker.

Kun je me horen, Roddy? Ben je misselijk geweest?

Roddy, luister naar me, heb je medicijnen ingenomen?

Kijk op zijn kast, nachtkastje – zie je iets van pillen?

Roddy, hoor je me? Weet je waar je bent?

Andrew was nu op de overloop aangekomen, waar hij Rhys voor Roddy's deur zag staan. De huisoudste beet nerveus op zijn lip en tuurde de kamer in. Hij droeg een wit overhemd, met zijn zwart zijden vest eroverheen. Roddy's deur werd opengehouden door een ambulancemedewerker in uniform en een voorwerp dat eruitzag als een combinatie van een surfplank en een draagzak.

Vooruit, we moeten hem verplaatsen. Heb je de zak? Daar gaan we. Help eens een handje, riep de ziekenbroeder tegen Rhys.

Rhys liep de kamer in. Andrew snelde naar de deur. De twee ambulancemedewerkers schoven hun armen onder Roddy – ook in witte hemdsmouwen en gestreepte broek; het informele tenue voor na de kerkdienst – om hem op de stretcher te leggen. Roddy's gezicht werd voor de helft bedekt door een zwart latex masker, dat werd vastgehouden door een van de broeders. Het masker was verbonden met iets wat op een zwarte boksbal leek, die beurtelings werd opgeblazen en inzakte. Rhys pakte het ene uiteinde van de stretcher vast.

Uit de weg, uit de weg, blafte de ambulancemedewerker tegen Andrew.

Andrew ging met zijn rug tegen de muur van de overloop staan. Rhys en de andere man kreunden terwijl ze Roddy, die op de stretcher vastgebonden lag, wegdroegen. De tweede ziekenbroeder liep ernaast om het masker op Roddy's gezicht op zijn plaats te houden. Andrew ving een glimp van Roddy op toen ze langs hem liepen. Hij was doodsbleek. Toen hij Andrew zag sperde hij zijn ogen, die telkens dichtvielen, wijd open. Hij probeerde iets te zeggen. Hij stak een hand naar Andrew uit. *Kalm aan,* waarschuwde de ambulancemedewerker, die haastig doorliep.

'Wacht!' riep Andrew. Hij klauterde hen achterna toen ze in het trappenhuis afdaalden, naar de hal, en daarna het zonlicht in.

Fawkes – in blazer met stropdas – kwam bijna in botsing met de groep, waar Andrew vlak achter liep. Fawkes had de ambulance gezien en zich naar de Lot gespoed.

'Wie is dat? Goede god, wat is er gebeurd? Rhys?'

Het zweet druppelde Rhys over zijn wangen. Hij gaf de stretcher nog een duw om die in de ambulance te schuiven, daarna veegde hij zijn voorhoofd af en wendde zich tot Fawkes.

'Ik was in mijn kamer,' zei hij hijgend. 'Ik hoorde een bons. Een harde bons. Ik ging Roddy's kamer binnen. Hij lag te hijgen. Ik sjorde hem overeind. Hij had niets ingeslikt, er zat niets in zijn keel. Ik wilde Matron gaan halen. Maar het werd erger. Dat gehoest van hem.' Rhys' gezicht vertrok. 'Het was bijna een... een blaffend geluid.'

'Bláffend?' vroeg Fawkes.

'En er was nog iets anders.'

De uitdrukking op het gezicht van de betrouwbare, openhartige Rhys Davies maakte duidelijk dat het *iets anders* hem een erg onbehaaglijk gevoel had gegeven.

'Er was daarbinnen... *iets gaande.* Het voelde niet goed.'

'Wat was het?' wilde Fawkes weten. Hij en Andrew keken elkaar aan.

'Gaat er iemand van jullie mee?' riep de chauffeur, terwijl hij zijn portier dichtgooide.

'Ik ga mee.' Fawkes klom achter in de ambulance. 'Rhys, haal Mr Macrae. Zeg tegen hem dat ik hem zal bellen.'

De tweede ambulancemedewerker sloot de achterdeuren en de zwaailichten werden weer aangezet. De ziekenauto reed bliepend achteruit. Jongens die nog terugkwamen van de lunch, gingen uiteen om de auto door te laten. Een kleine groep verzamelde zich om Rhys, toen die opnieuw uitlegde wat er gebeurd was: Roddy was ziek geworden; ze hadden de ambulance moeten bellen. De gezichten van de jongens betrokken.

'Heeft hij hetzelfde als Theo?'

'Is dit een epidemie, Rhys?'

'Moeten we geëvacueerd worden?'

De jongsten ratelden nerveus door, bijna in paniek. Rhys zei tegen hen dat ze zich kalm moesten houden, dat er niets was om ongerust over te zijn, dat het met Roddy allemaal goed zou komen – daarna ontsnapte hij door weg te rennen in de richting van het kleine bijgebouw waar de assistent-huismeester woonde. Andrew volgde hem.

'Verdomme!' riep Andrew toen ze buiten gehoorsafstand waren; hij wilde waar de jongens bij waren niet laten zien dat hij bang was. 'Wat heb je precies gezien?'

'Ik stapte daar naar binnen en ik kreeg het gevoel of ik aan de drugs was,' zei Rhys, die bleef draven. 'Het was verschrikkelijk. Als een wolk. Een mist.' Hij fronste zijn voorhoofd. 'Toen, een minuut later, was alles weer normaal. Behalve dat Roddy over de vloer lag te kronkelen. Ik weet het niet... Misschien was ik een minuut lang een beetje gestoord.' Ze waren nu bij Macrae's deur. 'Je kunt beter teruggaan,' zei hij tegen Andrew.

'Waarom?'

'Je zou het alleen maar erger maken, je ziet eruit als een pooier.'

Rhys keerde Andrew zijn rug toe en begon op Macrae's deur te bonzen.

Haastig ging Andrew naar zijn kamer om zich te verkleden in zijn schooluniform. Nu waren er nog maar twee kamers bezet aan zijn smalle gang. Die van hem en die van Rhys. De kamers van Roddy en Theo waren leeg.

De studenten liepen doelloos rond, wachtend op nieuws. De gemeenschappelijke zitkamer bleef leeg. Niemand wilde televisiekijken, niemand kon studeren. De biljartkamer daarentegen was stampvol. St John en Vaz hadden beiden een keu in hun hand. De jongere jongens drentelden om hen heen. De koekjes uit het mandje waren verslonden.

'Wat heb je met deze gedaan, Andrew?' vroeg Vaz uitdagend, toen Andrew binnenkwam en een stoel pakte.

St John zei spottend vanuit de schaduw: 'Ik dacht dat je Roddy wel in leven zou laten. Hij is de enige die met je wil praten.'

'Fuck you,' snauwde Andrew.

'Zijn dat de enige woorden in je vocabulaire?'

'Ik zeg ook: lik m'n reet.'

'Dit is een verheffend gesprek,' merkte Vaz op, terwijl hij de gele bal met een plof in de zak stootte.

Er klonk een ritselend geluid in de donkere gang. De groep viel stil. Even later vulde het silhouet van de rector de deuropening. Het duurde even voor ze hem herkenden, het was heel ongewoon om hem hier in de biljartkamer te zien.

'Jongens,' zei Colin Jute.

Rector, mompelden ze allemaal ingetogen. Niet zozeer omdat hij het was, maar omdat zijn aanwezigheid, zo onverwacht, verschrikkelijk nieuws betekende. Roddy is dood, dachten ze allemaal stilletjes.

'Mr Taylor,' zei hij. 'Ik moet je een ogenblik spreken.'

Andrew stond op.

'Davies hier? Rhys Davies?' zei de rector.

'Nee, die is bij Mr Macrae,' zei Andrew. De rector keek hem aan. 'Sir,' liet Andrew erop volgen.

'Juist. Iemand moet Davies voor me gaan zoeken. Jij daar.' De rector wees een Remove aan die bij de deur stond. 'Zeg hem dat hij naar ons toe moet komen bij de poort.' De Remove haastte zich naar buiten. De rector wenkte met zijn vinger. Andrew volgde hem, terwijl hij zich, samen met alle anderen in de kamer – in het bijzonder St John, wiens ogen verheugd dansten – afvroeg of de rector hem had horen zeggen *Lik m'n reet.*

Ze wachtten onder de plataan. De rector zei niets. Wat de bedoeling van dit bezoek ook mocht zijn, het ging om iets ergers dan een standje voor onwelvoeglijke taal.

Eindelijk kwam Rhys over de oprijlaan aanstappen, een en al doelbewustheid en energie; een huisoudste, gereed om actie te ondernemen in zijn zondagse outfit van jacquet, vest en gestreepte broek. Jute begroette hem niet. Hij draaide zich slechts om en gebaarde dat ze High Street in moesten lopen. Hij liep met doelbewuste stappen. In zijn vrijetijdskleding, een grijze broek en een groene trui, gaf hij de indruk van iemand wiens zondag met de krant was verstoord door slecht nieuws. Andrew sjokte achter hem aan als een gevangene. Het enige wat hij kon bedenken was dat Roddy's toestand kritiek was, of dat hij, Andrew, van school zou worden gestuurd omdat hij zonder toestemming naar Londen was gegaan, en dat Rhys ook in de problemen zat, omdat hij hem gedekt had.

In Jutes kantoor zat een vrouw op hen te wachten. Ze was klein van gestalte, een jaar of vijftig, een Indiase met een enorme mantel van zwart haar, en gekleed in een modieuze katoenen jurk.

'Jongens, dit is Miss Palek.'

Ze stelden zich voor.

'Ik ben van de Gezondheidsinspectie,' zei ze. Ze had een kalmerende altstem, en grote, zachte bruine ogen.

'Gaat het over Roddy?' vroeg Andrew ongelovig.

Ze tuitte haar lippen. 'Er is een incident geweest met een besmettelijke ziekte, en we denken dat jullie eraan zijn blootgesteld.'

Andrew kreeg een steek in zijn maag.

Ik ben verpleegkundige, verklaarde ze. Ze werkte bij een afdeling van de Gezondheidsinspectie in Noordwest-Londen, waar Harrow en Harrow-on-the-Hill onder vielen. Een van hun verantwoordelijkheden, die ze heel serieus namen, was het reageren op epidemiologische noodgevallen, zoals een mogelijke uitbraak.

Andrew kreeg hartkloppingen.

Enkele weken geleden was een van hun klasgenoten, een jongeman, overleden aan een longinfectie, op deze school.

Rhys en Andrew knikten. 'Theo Ryder.'

'Maar hij stierf aan sarcoïdose,' voegde Andrew eraan toe.

Miss Palek knikte wijsgerig. Ja, omdat het een plotselinge dood was, met onbekende oorzaak, hadden de medische autoriteiten in het Clementine Churchillziekenhuis – ze hadden geluk dat het zeer hoog aangeschreven stond – onderzoek verricht en dat had een patroon van weefselschade opgeleverd. Aanvankelijk werd de diagnose sarcoïdose gesteld, maar voor de volledigheid werd een kweek voor mycobacteriële tuberculose uitgevoerd. De uitslag bleek positief. Gisteren.

Rhys, die door zijn studie dit jargon sneller kon volgen dan Andrew, viel haar verontwaardigd in de rede. 'Wacht eens even... Wilt u daarmee zeggen dat Theo aan tuberculose is overleden? Híér?'

'Het zou kunnen dat de student, omdat hij uit Afrika kwam, de infectie met zich mee heeft gebracht,' zei Miss Palek.

'Er zijn heel weinig gevallen in Engeland,' zei Jute hooghartig.

'De meesten van onze patiënten zijn aidspatiënten, of afkomstig uit Afrikaanse landen ten zuiden van de Sahara,' bevestigde Miss Palek, maar haar ogen schoten vuur; het snobisme in de opmerking van de rector was haar niet ontgaan. Ze ging door.

Het ziekenhuis had de GI ingelicht toen de uitslag positief was, en de eerste actie die ze ondernamen was de gegevens te bekijken van de medische instellingen in de buurt van de school. Dus toen hun klasgenoot, nog maar enkele uren geleden, ook naar het Clementine Churchill was gebracht, met symptomen die wezen op tb, was hij onmiddellijk overgebracht naar een ander, nog beter uitgerust ziekenhuis in Londen, en was Miss Paleks team ingelicht. Het was hun plicht de gebeurtenissen rond het incident opnieuw te onderzoeken om de omvang van de uitbraak vast te stellen.

'Dus...' stamelde Andrew, die het nu begon te begrijpen, 'Theo had tb.'

'Dat is correct.'

'En Roddy heeft tb.'

Miss Palek aarzelde. Blijkbaar mocht ze de naam van een kind dat ziek geworden was, niet bevestigen. 'Iedereen met symptomen die wijzen op actieve tuberculose wordt geïsoleerd op een speciale afdeling. We moeten voorzorgsmaatregelen nemen met degenen die dicht bij de slachtoffers hebben gewoond, om erachter te komen of ze besmet zijn.'

'Wij dus,' zei Rhys.

'Geïsoleerd?' barstte Andrew uit. 'U bedoelt, *in quarantaine*?'

'Daar moet je niet te erg van schrikken. Zoals ik zei, alleen degenen met actieve tb – koorts, hoesten, beschadigd longweefsel – moeten geïsoleerd worden. Het is allemaal bedoeld om je te beschermen. De meneer die met de patiënt is meegereden naar het Clementine Churchill –'

'Fawkes,' viel Jute haar vol afkeer in de rede.

'Een heel snelle denker. Hij begreep onmiddellijk de risico's, en hij heeft ons jullie namen gegeven.'

'Zonder te denken aan het risico van paniek op de school,' mompelde Jute verontwaardigd.

'Paniek is voor niemand goed,' zei ze meelevend. 'Op dit moment zou ik willen adviseren het uitsluitend te vertellen aan de ouders van de betrokkenen. Wat we de binnenste kring noemen.'

'Dat betekent dat jullie, jongens, er absoluut je mond over moeten houden, anders hebben we een echte crisis,' zei Jute.

'Waarover moeten we onze mond houden?' vroeg Andrew, die nu zo verward was dat hij harder begon te praten.

Miss Pavek glimlachte zuinig. 'Ons advies is dat jullie een test ondergaan.'

Daar ging het dus om.

'Een test,' herhaalde Andrew.

'Wanneer,' vroeg Rhys. 'Nu? Hier?'

In antwoord op zijn vraag haalde ze twee klemborden tevoorschijn uit een tas die naast haar stoel stond, en ze zei tegen hen, nee, het was de bedoeling dat ze met haar meegingen naar Londen, niet ver, het Royal Tredwayziekenhuis... *een van de beste van Europa voor dit soort zaken,* kwam Jute tussenbeide, *zeker het beste van Londen...* Ze zouden deze formulieren moeten lezen en ondertekenen... dit was voor hun eigen bestwil...

De rest van haar woorden verdween in een waas. Ze waren acteurs in een toneelstuk dat zorgvuldig was geënsceneerd door Miss Palek en (met tegenzin) door Jute. Andrew en Rhys tekenden de papieren. Daarna werden ze naar buiten geloodst, waar een auto op hen wachtte. Toen de chauffeur hen zag schoof hij een wit mondkapje over zijn gezicht. Hij startte de motor. Miss Palek ging voorin zitten. Zij zette ook een mondkapje op, en ze gaf de jongens hun eigen kapjes. Die waren vervaardigd van sponsachtig, vezelig katoen, opgevouwen als een harmonica. Miss Palek keek hen afwachtend aan. Rhys en Andrew zetten de kapjes op en trokken de roze elastische bandjes achter hun oren. De kapjes roken naar rubber. Andrew werd zich pijnlijk bewust van zijn ademhaling. Onwillekeurig begon hij te tellen hoe vaak hij inademde, terwijl ze de Hill af reden, langs de Old Schools... *een, twee...* langs de inrit naar Headland House... *zes, zeven...* daarna naar de rotonde, waar, voor het eerst in weken, de zon het gele knipperlicht bij de oversteekplaats bescheen.

Andrew haalde zijn mobieltje uit zijn zak. Hij had Fawkes' nummer erin geprogrammeerd. Hij schoof het kapje omhoog om te kunnen praten en hij draaide zijn gezicht naar het raampje, om niet afgeluisterd te kunnen worden. *Ze brengen ons naar een of ander ziekenhuis omdat ze denken dat we allemaal tb hebben. Tuberculose. Kun je ons komen halen?* Rhys gluurde naar Andrew, en hij knikte waarschuwend in de richting van Miss Palek. *Je bent de enige die begrijpt wat er werkelijk aan de hand is. Rhys zei dat hij iets voelde toen het gebeurde. Harness!* siste hij. *Als je ons niet komt halen, weet ik niet zeker wat er gaat gebeuren. Als we het er niet levend afbrengen,* voegde hij eraan toe, *schrijf dan een mooi grafschrift voor me.*

Hij telde nu zoals een kind zou bidden, alsof wanneer hij ophield met tellen zijn ademhaling zou kunnen stoppen... *elf, twaalf...* De auto reed snel de Hill af en dook de verkeersstroom in. Het drong tot Andrew door dat, vanaf het moment dat de rector in de Lot was verschenen om hen op te halen, niemand hem of Rhys fysiek had aangeraakt. Ze waren paria's.

Het ziekenhuis was gelegen in een chique buurt van Londen, vlak bij blokken hoge, welvarend uitziende herenhuizen. Opgetrokken uit rode, vooroorlogse baksteen, torende het hoog boven een drukke doorgaande verkeersweg uit, met slechts een bescheiden naambord en een lage, schuine oprit die het onderscheidde van gewone huizen. Ze parkeerden, en Rhys en Andrew zagen zich gedwongen naar de volgende hoek te lopen met de kapjes op hun gezicht. Ze schaamden zich en dat werd nog erger toen ze een groep Scandinavische toeristen passeerden, die hun kinderen beschermend naar zich toe trokken toen de twee jongens hun voorbijliepen.

Miss Palek deed haar kapje af en nam hen mee door de grote hal, naar een lange, rechte gang met aan het eind een groep liften. In de kleinere gangen liepen dokters in witte jassen, verpleeghulpen, en administratief personeel met naamplaatjes bedrijvig heen en weer.

Ze namen een rammelende lift naar de vierde verdieping. Waar ze uitstapten was het rustiger.

'Dit is onze afdeling Longziektes,' kondigde Miss Palek aan met iets van trots in haar stem.

Rhys en Andrew werden ingeschreven door een verpleegkundige in operatiekleding. Er werd hun gezegd dat ze de kapjes mochten afdoen. Ze leverden hun papieren in. Daarna werden ze naar een behandelkamer gebracht, waar twee bedden stonden met gordijnen eromheen. Er werd hun gevraagd een ziekenhuishemd aan te trekken. Dat deden ze. Andrew vond het bijna naakt zijn, het dunne hemd, afschuwelijk. Het veranderde je binnen enkele ogenblikken van een burger met rechten in een gedetineerde, een verdachte. De zuster kwam weer binnen en vroeg hun om hun kleren in plastic tassen te doen. Nadat ze die onder een kast had gezet, hield ze onmiddellijk haar handen onder de dispenser met desinfecterend schuim.

Een andere verpleegkundige, ouder, met grijs haar, een slappe hals en iets autoritairs over zich, kwam binnen met een klembord en beduidde Andrew dat hij haar moest volgen. Hij hoestte. Ze keek verschrikt.

'Dat is een nare hoest.'

'O, ik heb gisteravond te veel gerookt.'

'Heb je al lang last van die hoest?'

'Zo lang als ik rook.'

'Dus, een maand?'

'Zeker wel.'

Haar gezicht nam de vorm aan van een rugzak waarvan het koordje wordt dichtgetrokken.

'Zet je kapje weer op,' beval ze.

'O, toe nou...' protesteerde hij. 'Het is een rokershoestje!'

Haar gezicht werd vlak en onverzettelijk. Hij deed wat hem gevraagd was.

'Kom mee,' zei ze tegen Andrew.

'Veel plezier,' zei Rhys, die uitgestrekt op zijn bed lag, zijn harige benen staken onder zijn ziekenhuishemd uit.

Ze nam hem mee naar een kleine, kale kamer. De inrichting bestond uit een platte onderzoekstafel, en een grote camera in een metalen omhulsel, die aan een flexibele mechanische arm aan de muur was geschroefd. Ze gingen een röntgenfoto van zijn borst nemen, vertelde ze hem.

'Mijn borst,' herhaalde hij.

'Ja.'

Hij moest op de tafel gaan liggen. Ze liep de kamer uit. Een aantal keren kwam ze terug om hem in een andere houding te leggen, zodat ze verschillende foto's vanuit verschillende hoeken kon nemen. Het vinyl van de tafel voelde koud tegen zijn rug waar het hemd hem niet bedekte. Toen ze voor de laatste keer terugkwam draaide ze de camera van hem weg en omhoog. Daarna nam ze hem mee naar een onderzoekskamer.

Daar bleef hij wachten, in zijn tochtige omhulsel. Een hele tijd later arriveerde er een dokter. Een man van achter in de veertig, stevig gebouwd, met een geschoren hoofd en buitengewoon dikke oogwimpers. Hij stelde zich voor als dokter Minos. Na hem kwam een andere zuster binnen – tenger, met piekhaar en dubbele oorringen. Ze droeg een mondkapje en ze hield zich bezig met de apparatuur in een hoek van de kamer. Ze scheurde het plastic van een paar verpakte instrumenten. Andrew hield haar achterdochtig in het oog. Toen kwam de dokter, die nu ook een mondkapje droeg, naar hem toe. Het enige wat Andrew kon zien was zijn schedel, en die dichte wimpers, die eruitzagen alsof de man mascara had gebruikt.

'Ik ga een paar tests uitvoeren,' zei de dokter. 'We pakken het wat rigoureuzer aan dan normaal. Je hebt symptomen.'

'Wat?' zei Andrew. 'Wacht even, bedoelt u dat ik hoest? Ik heb al tegen de zuster gezegd dat het een rokershoestje is.'

Omdat hij er zo aan moest denken kreeg hij een kriebel in zijn keel, en begon hij op hetzelfde moment te hoesten.

'Er zit slijm vast,' verklaarde de dokter.

'Toe nou,' zei Andrew kwaad. 'Hoe groot is de kans dat ik tb heb?'

'Je bedoelt, dat je bent blootgesteld aan tb? Bijna honderd procent.'

Andrew keek hem met grote ogen aan.

De dokter lachte grimmig. 'Ik weet wat je denkt. *In Engeland? Op Harrow?* O ja, jonge vriend. Miljoenen mensen dragen tb bij zich. Het is overal om ons heen. In de lucht. In afgesloten ruimtes. De metro. Restaurants. Het wordt overgedragen door hoesten – sputum. Dat wordt in de lucht verspreid, door hoestbuien zoals die van jou, en in de longen ingeademd. In de meeste gevallen biedt het immuunsysteem voldoende weerstand. Maar niet altijd.' Hij probeerde een mildere toon aan te slaan, bij het zien van Andrews verschrikte gezicht. 'Je hebt veel tijd doorgebracht met de indexpatiënt. Vertel me eens iets over je relatie met hem.'

'Dus het ís Roddy?'

Dr Minos knipperde met zijn ogen. 'Laten we het aannemen.'
'Komt het weer goed met hem?'
'Misschien. Hij is behoorlijk ver heen. Wist je dat?'
'Ver heen?'
'Koorts. Verzwakt. Hoesten. Hij is bang. En terecht.'
'Jezus.' Andrew schudde zijn hoofd. 'Hiervoor was hij niet eens ziek.' De dokter keek verrast bij die woorden, maar dat ontging Andrew. 'Waar is hij?'
'Ik dacht dat ik de vragen stelde,' zei de dokter.
'Is hij hier?'
'Ik zal het je vertellen, omdat ik wil dat je eerlijk antwoord geeft op mijn vragen. Als je me niet de waarheid vertelt – hoe meer je voor me verzwijgt, des te groter is de kans dat het met jou net zo zal gaan als met hem.' Hij zweeg even, zijn ogen zonden een waarschuwing uit. 'Je vriend ligt op een isoleerafdeling. Een kamer met een voorvertrek, een speciaal ventilatiesysteem, en ultraviolette lampen aan het plafond om de mycobacteriën te doden. En hij zal elke dag een aardige hoeveelheid snacks tot zich nemen: INH, dat is isoniazide, rifampicine, PZA, oftewel pyrazinamide, en ethambutol. Dat wil zeggen, tenzij de stam resistent blijkt te zijn voor deze medicijnen. Omdat ik heb gehoord dat we Afrika in beeld hebben. Ja? Het sterfgeval?' Andrew dacht aan Theo en zijn familie, roodverbrand door de Afrikaanse zon. Hij knikte. De dokter vervolgde: 'Dan zal je vriend Roddy injecties krijgen. Met onaangename bijwerkingen. Nierschade. Mogelijk gehoorverlies. Dus ik wil dat je openhartig bent. Ben ik duidelijk genoeg geweest?'
Andrew knikte nogmaals. Hij voelde zich alleen, hij had het koud in het hemd, en de dokter torende boven hem uit.
'Wat is je relatie met Roddy?'
'We zijn buren, we wonen naast elkaar.'
'In een studentenhuis?'
'Yeah.'
'Roddy en die andere jongen, de Zuid-Afrikaan – waren die goede vrienden?'
'Nee, niet speciaal.'
'Wel vrienden?'

'Dat zal wel. Ik bedoel, ze hebben jaren in hetzelfde huis gewoond.'

'Ik zal het je nog duidelijker maken, Andrew,' zei de dokter. 'Scholen als Harrow hebben een zekere reputatie.'

'Oké.'

'Kennen jullie het woord "sodomie" in Amerika?'

Andrew snoof. 'U maakt zeker een grapje?' Dr Minos' donker omrande ogen verzekerden hem dat dat niet het geval was. 'O, ja, ik ken dat woord,' zei Andrew sarcastisch.

'Daar iets van gemerkt op Harrow?'

'Néé.'

Maar Andrews gezicht gloeide. *Nee,* behalve dan de sodomie die plaatsvond in een kleine, koude stenen kamer, die al dan niet echt was; *nee,* behalve de jongens met reusachtige onbesneden penissen die iemand verkrachtten in de doucheruimte; *nee,* behalve de gladde witharige jongen met het verwrongen gezicht die een zakdoek om zijn hals wikkelde...

'Ooit erover gehoord? Bijvoorbeeld tussen Roddy en de Afrikaanse jongen?'

'*Nee.* Waarom vraagt u dat?'

'Had Roddy hiv?'

'Dat méént u niet!'

Plotseling kwam Dr Minos heel dicht bij hem, mondkapje tegen mondkapje, eindelijk zijn kalmte verliezend. 'Zie ik er verdomme uit of ik het niet meen, makker?'

De zuster keek op van haar werk.

'Hij is zeventien,' wierp Andrew tegen. 'Hij is hetero. Gezond. *Nee.* Ik bedoel, voor zover ik weet niet.'

'Gebruikt hij drugs? Spoot hij?'

Een seconde lang hield Andrew zijn adem in. 'Beslist niet.'

'Die ander?'

'Theo? Nee.'

'En jij? Doe jij aan anale seks, of spuit je je in met drugs?'

'Nee,' zei hij. Zijn gezicht werd vuurrood. John Harness telde niet mee, zei hij bij zichzelf: dat was geen levend mens. En de heroïne, dat was maanden geleden, en hij had altijd gesnoven. 'Waarom vraagt u me dit?'

Dr Minos ging een stap achteruit. 'Je hebt het zelf gezegd. De ene dag niet ziek. De volgende dag ziek. Dat is heel agressief. Weet je hoe lang het duurt voor een normale tb-patiënt de symptomen vertoont die je vriend vertoont?'

'Nee.'

'Twee maanden. Volgens jou – volgens iedereen – is hij binnen vierentwintig uur zo ver gekomen. Hetzelfde als bij het indexgeval.'

'Theo.'

'De enige verklaring is dat je vriend Roddy, en Theo, hiv hebben.'

Andrew schudde zijn hoofd. 'Dat kan ik echt niet geloven.'

De dokter schonk hem een treurig, scheef lachje. 'Hoe goed ken je je vrienden?'

Andrew gaf geen antwoord, maar Dr Minos scheen het niet te merken.

'Je had dit ziekenhuis moeten zien omstreeks... laten we zeggen... 1986,' zei de dokter. 'Uit het niets – een zomer – kregen we hier tien, twintig, daarna massa's patiënten binnen met tuberculose. Niet de gebruikelijke Afrikaanse of Aziatische immigranten die naar dit land kwamen om werk te zoeken, te ziek om te lopen. Nee, mensen van keurige Engelse afkomst. Veel mannen. Het ziekenhuis raakte vol. We moesten bedden op de gang zetten, extra instrumenten regelen, meer artsen. We werden erdoor overspoeld. Iedereen draaide diensten van achttien, zelfs van vierentwintig uur. We dachten dat het een epidemie was. Als ik 's avonds thuiskwam kon ik niet slapen, ik lag wakker en vroeg me af hoe ik kon helpen om Londen te beschermen tegen een nieuwe pest. We beseften niet dat vatbaarheid voor tb deel uitmaakte van het hiv-patroon. Het immuunsysteem dat jou en mij beschermt tegen die zwevende mycobacteriën werkte bij deze patiënten niet.' Hij wachtte even. 'En dat is nu de enige verklaring.'

'Maar als ze nu eens geen hiv hebben? Betekent het dan dat het een... kwaadaardige bacteriestam is?'

'Nee. De tb-stam op zich is niet zo sterk. Als ze geen hiv hebben...' De dokter keek Andrew aan en hij haalde zijn schouders op. 'Dan weet ik het niet.'

'Maar hoe zit het dan met Theo? Eerst hebben ze ons verteld dat hij –' Andrew zocht naar het woord '– sarcoïdose had.'

'Sarcoïdose? Werkelijk?' De dokter knikte. 'Dat klinkt logisch. Het ene heeft necrotiserende granulomen, het andere niet-necrotiserende.'

'Hè?'

'Op de autopsietafel zien ze er hetzelfde uit. Een begrijpelijke vergissing. Beide veroorzaken caseose in de longen. Dan veranderen je longen in kaas. De kweek van de autopsie heeft ongetwijfeld de fout hersteld.'

Andrew stelde zich voor dat een grijs stuk van Theo's long lag te beschimmelen op een petrischaaltje. Hij begon misselijk te worden.

Daarna, zonder dat hij het wilde, doemde het beeld op van John Harness. De ingevallen wangen en de huid met de kleur van stopverf. De wilde, wanhopige ogen.

'Dus dan zou dit een mysterie zijn?' drong Andrew aan, opeens enthousiast. 'Iets wat u niet kunt verklaren.'

'Dat is correct.'

'Kunnen – hoe heten ze, mycobacteriën – kunnen die in leven blijven in een gebouw? Zoals het studentenhuis, bijvoorbeeld?'

'Hoelang?'

'Tweehonderd jaar?'

De dokter lachte, een eigenaardig, vaag lachje, en hij schudde zijn hoofd. 'Geen denken aan.'

'Hoe zie je eruit wanneer je tb hebt? Wanneer je niet behandeld wordt, of wanneer je een verouderde behandeling krijgt?'

'Een verouderde behandeling. Dat heb ik heel vaak gezien, in Afrika. Broodmager. Je raakt uitgehongerd omdat je als gevolg van de wonden in je keel niet kunt eten. Als de ziekte vergevorderd is zul je bloed ophoesten. Maar als het zover is...'

'Je ademhaling... klinkt die gorgelend?'

'Dat kan.'

'Hoe klinkt het?'

Dr Minos richtte zijn ogen nadenkend op het plafond. 'Als een waterpijp,' zei hij. 'Necrotische vloeistof. Dode cellen, vloeibaar geworden door de infectie.' Hij keek Andrew scherp aan. 'Waarom vraag je dat? Heb je deze symptomen gezien?'

Andrew deed of hij de vragen niet hoorde. 'En zijn mensen – levende mensen die deze symptomen hebben – besmettelijk?'

'Buitengewoon. Zelfs dode mensen zijn besmettelijk. We hebben geluk gehad dat de lijkschouwer die de autopsie op je dode vriend heeft verricht, niet besmet geraakt is.' Opnieuw keek hij Andrew aan, achterdochtig nu. 'Heb je me iets te vertellen, makker?'

'Nee.' Andrew schudde zijn hoofd.

'Weet je het zeker?' Dr Minos bleef hem aanstaren.

'Ik ben alleen nieuwsgierig naar wat er gebeurt.'

We zullen ons best doen ervoor te zorgen dat je dat stadium niet bereikt. Nu, vervolgde Dr Minos, *in overeenstemming met het hoge niveau van de zorg die je in het ziekenhuis zult ontvangen, ga je deelnemen aan een onderzoek dat uit vier delen bestaat. De röntgenfoto van je borst was het eerste deel...* Maar Andrew luisterde niet. Zijn hartslag versnelde. Hij dacht terug aan de gedaante die zich over Theo had gebogen. Het gekreun dat deels gegorgel was. *Rachel zal de tweede test uitvoeren,* zei de dokter. Hij leunde naar de zuster toe, en ze begonnen onderling te mompelen. *De hoek moet schuiner. Zo is het goed.* 'Voel je dat?' zei hij tegen Andrew. Andrew trok een lelijk gezicht toen hij een prik in zijn arm kreeg. 'Je hebt nu een kleine onderhuidse injectie met tuberculine gekregen, waar we de reactie van willen bekijken. Een goede standaardtest. Maar het zal ons alleen vertellen of je geïnfecteerd bent, niet of de infectie actief is, of latent. Rachel gaat je nu bloed afnemen voor test nummer drie.'

Andrew keek een andere kant op toen de zuster een tourniquet om zijn arm wikkelde, op zoek ging naar een ader, er een vond, hem prikte, en twee kleine buisjes bloed verzamelde.

'En nu nummer vier, Rachel, zijn we er klaar voor?' zei de dokter.

'Is dat de leukste?' zei Andrew, in een poging grappig te zijn.

'Vergeleken bij die test is geprikt worden met een naald een lolletje,' antwoordde de dokter. 'Een laatste waarschuwing. Doe wat je gezegd is. Zeg niets over de test. Maak mensen niet aan het schrikken. Als je ziek wordt, en je blijft ermee rondlopen, schakelen we de rechter in en halen je naar de isoleerafdeling – of je het wilt of niet. Begrepen, makker?' Dr Minos was nu heel serieus. 'Opgesloten. Jawel. Als we geen volledige medewerking krijgen. Een school is de ergste plaats voor een uitbraak. Ik heb het meegemaakt, en het is een chaos.' Hij stroopte zijn handschoenen af, gooide zijn mondkapje in de afvalemmer met klapdeksel, kneep een flinke hoeveelheid ontsmettend schuim in zijn handen, en daarna liep hij de deur uit.

'Nog eentje te gaan, hè?' zei Andrew gemaakt vrolijk. 'Hoe erg kan dit zijn, na het bloed?'

Zuster Rachel hield de deur voor hem open. 'Voor deze test gaan we ergens anders naartoe.'

Hij liep achter haar aan de gang af. De zijgangen waren breed en vierkant, het voelde hier vreemd leeg. Ten slotte kwamen ze bij een groot bord met in hoofdletters: SPUTUM-INDUCTIEKAMER. Nadat Rachel had aangeklopt duwde ze de deur open van een kleine, rechthoekige kamer met aan de rechterkant twee doorzichtige plastic hokjes, als miniatuurtelefooncellen. Een wachtende technicus stond op en ze begon over haar apparatuur heen met Rachel te fluisteren.

'Goed,' zei de technicus, een kleine, zwarte vrouw. 'Je gaat in dat hokje zitten en je ademt lucht in door de buis.' Ze wees op een flexibele buis die in een van de telefooncellen hing. 'En daarna vul je het bekertje met sputum. Niet met spuug. Het dikke spul. Oké?'

'Helemaal niet oké,' antwoordde Andrew. 'Wat adem ik in?' Hij begon paranoïde te worden. Waren ze van plan hem vol te pompen met tuberculine, of wat dan ook?

'Lucht met verdampt zout water. Om het hoesten te stimuleren. We hebben het monster nodig om op kweek te zetten.'

Andrew begreep dat hij weinig keus had, en hij ging in het hokje zitten. Het was krap. Het stoeltje was laag. Boven zijn hoofd hoorde hij een motor zoemen en de lucht om hem heen bewoog. Een soort ventilator zoog de lucht uit het hokje – *om het schoon te houden voor de volgende patiënt.* Hij bracht de buis naar zijn mond en ademde in. En kromp in elkaar – het prikte. Maar het maakte hem wel aan het hoesten. Hij hoestte en er viel een klodder in het bekertje. De technicus knikte aanmoedigend en ze zei iets, maar hij kon haar niet verstaan boven de ventilatoren uit. Hij deed nog een haal aan de plastic buis. Hoestte weer. Spuugde. Zijn keel brandde. Rachel stond in de hoek, ze keek naar hem. Hij staarde naar hen vanuit zijn zoemende kamertje. Hij was begraven, keek naar buiten naar de levenden, de gezonde mensen, de vrije mensen. Plotseling voelde Andrew iets van verbondenheid met John Harness. De eenzaamheid van het ziek zijn. Wanneer iedereen naar je staarde op deze afstandelijke manier, vol afkeer, en zich niet afvroeg: *Arme man, hoe kan ik hem helpen?* maar *Hoe voorkom ik dat ik krijg wat hij heeft?* Hij zoog aan de buis. Het kokhalzen begon ergens bij zijn vijfde poging. Bij de negende moest hij overgeven.

16

De verzorger zou nu wel een borrel lusten

Fawkes reed in de ambulance mee op een langdurige, afschuwelijke adrenalinegolf, die de hele weg via de A104 van de voorsteden tot in het centrum van Londen aanhield. Telkens wanneer hij naar Roddy keek, die worstelde om adem te halen, klotste er paniek in zijn aderen. Het grauwe gezicht van de jongen registreerde niet alleen acuut ongemak, maar ook een soort vreselijke verbazing, waarbij hij zijn ogen opensperde, alsof telkens wanneer Roddy naar adem snakte zijn lichaam tegen hem zei: *er is iets mis, er is iets engs, ik krijg niet genoeg.* En om de paar seconden moest hij het opnieuw doen. *Vul je longen.* En dan: *doodsangst.* Fawkes bleef een tijdlang geruststellend tegen hem praten. *Het komt allemaal goed, Roddy.* Maar hij bleef visioenen krijgen van Theo's lijkzak. De aluminium autopsietafel. Hij was bang dat als hij nog meer zei, deze beelden op de een of andere manier van zijn hoofd naar dat van Roddy zouden overspringen. Dus hij hield zijn mond. Hij legde alleen zijn hand op Roddy's schouder.

Verdomme, wat doe ik hier, waar ben ik mee bezig, vroeg Fawkes zich af. Waarom ik? Ik ben de laatste die iemand als kindermeisje wil hebben, als verzorger.

Hij bleef erop wachten dat de ambulance zou stoppen, dat de deuren open zouden zwaaien, en dat er een volwassen individu met verantwoordelijkheidsgevoel achter in de ambulance zou klimmen, met de energie en het vertrouwen van een expert. Dat die persoon zou zeggen: *Mooi, bedankt dat je hem zo ver gebracht hebt, Piers, je bent klaar; je mag naar de kroeg.* Deze persoon zou een grappig, begrijpend glimlachje op zijn gezicht hebben; deze persoon zou alles van hem weten, dat hij een dronkaard was, een dichter, niet de juiste man voor dit karwei. Maar er kwam niemand. Tot dusver leken ze hem serieus te nemen. Ze leken te geloven dat hij de juiste man op de juiste plaats was. De ziekenauto hobbelde verder. Fawkes liet zijn hand op Roddy's schouder rusten. Dit leek wel oorlog, dacht hij. Wanneer mensen werden opgeroepen om dingen te doen waar ze niet op voorbereid waren, en ze dan toch deden.

In het ziekenhuis werden ze van elkaar gescheiden. De ambulancemedewerkers rolden de brancard met Roddy eerst naar de triage en daarna het voor bezoekers afgesloten gedeelte in. Fawkes werd gevraagd om op een van de banken in de gang plaats te nemen. Hij wachtte. Eindelijk kwam er een dokter de deur uit, een kale, bezorgd kijkende man. Ze brachten Roddy naar boven, zei hij. Moest Fawkes de ouders op de hoogte brengen? Natuurlijk, maar waar werd Roddy naartoe gebracht? Naar de afdeling Longziektes. Daar zou hem een cocktail van medicijnen met namen die bijna niet uit te spreken waren worden toegediend. De dokter noemde zelfs het percentage overlevingskansen. Daarna, voor Fawkes van dit nieuws kon bekomen, verdween de dokter. Een vertegenwoordiger van de Gezondheidsinspectie, een glimlachende man met een snor en een ringetje in zijn oor, nam zijn plaats in. Fawkes kon niet veel anders doen dan meneer Oorring fluisterend vertellen wat hij wilde weten, en een formulier op een klembord invullen. Eindelijk werd hij weer alleen gelaten.

Hij voelde zich trillerig, bleek en slap. Dit waren dingen die hij niet begreep. Dingen die hij niet onder controle had. Hij herinnerde zich nog precies het half dozijn cafés dat ze gepasseerd waren op weg naar het ziekenhuis. Hij kon op een straat afstand de alcohol ruiken, zoals een haai bloed ruikt. God, als het gekund had zou hij een van die zwarte rubberen matten die op de bar lagen gepakt hebben – de matten met de kleine bobbeltjes waarop de glazen ondersteboven stonden en die ruimte lieten voor de gemorste drank – en die aan zijn mond gezet hebben om het lauwe zeepwater op te drinken, om de witte wijn en het bier dat ermee vermengd was, te proeven. Hij sloot zijn ogen om zich te beheersen. Hij wilde iets drinken, hij had behoefte aan drank. Niemand wist waar hij was. Roddy had hem niet nodig, althans voorlopig niet.

Hij zou ergens iets gaan drinken.

Een paar biertjes, om zijn evenwicht te hervinden, om door te warmen. Of een glas gin. Hij wist dat hij het niet zou moeten doen. Toch stond hij op. Het hoefde maar een halfuur te duren. Misschien drie kwartier.

Op dat moment voelde hij zijn mobieltje in zijn jaszak trillen. Met trillende handen klapte hij het open. *Voicemail.*

Zijn handen trilden nog harder. Hij bleef naar de telefoon in zijn hand staren.

Het was voldoende om de aandrang te doen ophouden.

Hij ging *niets* drinken.

De vlaag van verlangen was voorbij.

Gered.

Wat dit ook voor bericht mocht zijn, zei hij tegen zichzelf in iets wat op een gebed leek, hij zou het zich voor altijd herinneren. Iemand die verzekeringen verkocht, een vakantie op Mallorca, wat dan ook. Hij drukte een toets in om het af te luisteren. Hij hoorde een bekende stem – wie was het, dat accent? – en luisterde naar Andrews bericht.

Als je ons niet komt halen, weet ik niet zeker wat er gaat gebeuren.

Hij werd overspoeld door een stroom van gevoelens. Hij had hechte relaties zo lang ontweken dat op dit moment zijn verstandhouding met een Amerikaanse jongen van zeventien, die hij een paar maanden geleden nog niet eens kende, het dichtst kwam bij wat hij een vriendschap kon noemen. Hij dacht aan het egoïstische, snauwerige, koudbloedige schepsel dat hij was geworden, en voelde een scherpe steek van spijt.

Piers Fawkes liet zich weer op de bank zakken zonder het hele bericht af te luisteren. Hij sloeg zijn handen voor zijn gezicht en begon abrupt te huilen. Zijn schouders schokten. Zijn handen werden nat. De mensen in de gang bleven gewoon doorlopen. Dit was geen ongewone aanblik in een ziekenhuis. Het personeel wist dat verdriet een uitweg moest hebben.

Andrew ging op weer een andere onderzoekstafel zitten, hij verwachtte een volgende ronde van tests, onderzoeken en injecties. De zuster die hij het eerst had gezien, kwam echter terug om hem zijn tas met kleren te brengen. Hij was zo plooibaar en passief geworden dat hij ze aanpakte als een gijzelaar: vrijgekocht maar nog steeds geestelijk gebroken. Ze vertelde hem dat hij op weg naar buiten de rest van zijn papieren moest invullen, en dat er iemand van de school zou komen om hem en Rhys naar Harrow terug te brengen, dus dat ze niet met het openbaar vervoer hoefden te reizen. Ze herinnerde hem eraan dat hij direct contact met anderen zo veel mogelijk moest vermijden tot de uitslagen van de tests binnen waren, om reizen echt te vermijden; om in contact te blijven met het ziekenhuis... de instructies gingen maar door. Hij herhaalde een aantal keren 'Oké.' Daarna ging ze weg. Hij begon zich aan te kleden. Met elk kledingstuk kwam een laagje eigenwaarde terug. Tot zijn verbazing gaf het schooluniform hem nu een sluw, avontuurlijk gevoel, alsof hij zich vermomde voor een bal masqué. Het uniform van Harrow: wat een brutale aantasting van deze witgeschilderde medische doolhof. Even later stond hij buiten de onderzoekskamer, in zijn grijze broek, zijn blauwe jasje en zijn zwarte das.

Rechts van hem zag hij deuren met ramen die aan de binnenkant donker waren. Ernaast waren brede ramen. Hij staarde. Er kwam iets in zijn gedachten op. *Voorvertrek.* Had Dr Minos niet dat woord gebruikt om de afdelingen te beschrijven waar tuberculosepatiënten – die ernstig ziek waren – werden behandeld?

Roddy, dacht hij.

Het was rustig in de gangen. Achter een glazen scheidingswand zat een verpleegkundige op een pc te kijken. Voetstappen gingen voorbij en stierven weg. Andrew liep naar de eerste verduisterde deur. Voelde aan de knop. Die kon hij omdraaien. Hij stapte het voorvertrek binnen. Hij hoorde het gezoem van een ventilatiesysteem. Hij had anderhalve meter om van gedachten te veranderen. Hij deed de tweede deur open. Hij zag een televisietoestel op een aan de muur bevestigde metalen arm, en gesloten rolgordijnen, die een wit schijnsel doorlieten.

'H-hallo?'

Geen antwoord.

Hij deed de deur wat verder open. Stak zijn hoofd naar binnen.

Het bed was opgemaakt. De kamer was leeg.

Hij keerde terug naar de gang. Hij was maar een paar seconden binnen geweest. Er was niets veranderd. Andrew liep snel naar het volgende voorvertrek. Deze deur kon hij ook openen. Zodra hij binnen was wist hij dat deze kamer bezet moest zijn: de rolgordijnen in de binnenste kamer vertoonden kieren, en hoewel de televisie uit stond, was er een andere lichtbron: een rij lampen aan het plafond die een intens blauwe kleur verspreidden. *Ultraviolette lampen aan het plafond om de mycobacteriën te doden.* Andrew schoof naar binnen. Bobbels onder de lakens – een patiënt. Niemand op de stoel voor bezoekers – een eenzame patiënt.

'Hoi... ben jij het, Roddy?'

De bobbel in het bed bewoog. Een doorzichtig zuurstofmasker draaide zich om naar de bezoeker. Het bleke, ronde gezicht van zijn buurman keek hem aan. Roddy ging rechtop zitten.

'Wat doe jij hier?' klonk zijn gedempte vraag.

De woorden werden gevolgd door een hoestbui. Geen rokershoestje. Geen droge hoest vanuit het strottenhoofd. Deze hoest gebruikte de hele borstkas, alsof Roddy's borst een zak natte sponzen was waar met een mattenklopper op werd geslagen. Andrew deinsde achteruit. Roddy duwde het zuurstofmasker tegen zijn gezicht, alsof een betere grip erop hem kon helpen.

'De dokters denken dat je tb hebt... omdat je hiv hebt of aids,' zei Andrew snel. 'Dat is niet waar, hè? Je hebt geen...'

Roddy fronste nijdig. 'Ik dacht dat dit een ziekenhuis was! Het is Sodom en Gomorra! Het enige wat ze willen weten is of ik met mijn vrienden neuk! Ik zei: jullie hebben toch medicijnen gestudeerd? Ik kan niet ademhalen en jullie zijn bang dat ik me in mijn kont laat pakken? Mijn longen hebben hulp nodig – niet mijn kont! Ik had ook dokter kunnen zijn als ik had geweten dat het enige wat ik hoefde te doen vragen naar...'

Zijn tirade ging over in een volgende hoestbui. Deze keer zag Andrew de paniek op Roddy's gezicht toen het hoesten zo lang duurde als wat je een normale hoestbui zou kunnen noemen, maar daarna doorging, en nog langer doorging. Ten slotte hield het op. Roddy piepte. Hij zoog gretig aan het zuurstofmasker. Opeens leek de nauwe buis bedroevend ontoereikend. Andrew aarzelde, niet wetend of hij zou blijven. Maar hij had een antwoord nodig; hij moest het vermoeden bevestigen dat bij hem was opgekomen tijdens zijn gesprek met Dr Minos.

'Roddy,' zei hij. 'Toen je net ziek werd... toen het pas begon... heb je toen iets gezien? Voelde je iets vreemds? Ik bedoel, niet in je ademhaling. Maar heb je, nou... iemand gezien? Iets in de kamer gevoeld?'

Van achter het masker staarde Roddy hem aan.

'Rhys zei dat er iets zwaars in de kamer was toen hij bij je ging kijken,' voegde Andrew eraan toe.

Buiten, in de gang, hoorde Andrew stemmen. Iemand stond dichtbij, tegenover de kamer, en voerde een gesprek, in de buurt van de ingang.

Andrew gaf zijn behoedzame benadering op. 'Heb je een jongen met wit haar gezien?' fluisterde hij.

Roddy's ogen gingen geschrokken wijd open.

Andrew raakte opgewonden. 'Heb je hem gezien?' vroeg hij gretig.

De buitenste deur ging open.

'Zeg het me alsjeblieft, Rod,' smeekte hij. 'Je hebt hem gezien, hè?'

Roddy's gezicht kreeg een afwezige uitdrukking, alsof hij de momenten in zijn kamer opnieuw beleefde. Alles in elkaar probeerde te passen. 'Ik weet niet wat er aan de hand is,' zei hij bedroefd.

'Wat krijgen we nu!' barstte de zuster uit, die inmiddels binnen was gekomen. 'Niemand mag in deze kamers komen! En nog wel in gewone kleren!' Haar gezicht was bedekt met een wit mondkapje. Ze rolde woedend met haar ogen. 'Eruit! Wie ben jij? Het is heel gevaarlijk!'

Roddy liet zich achterover in bed zakken, berustend, uitgeput. De zuster richtte haar aandacht op hem. Andrew vluchtte naar het trappenhuis. Het zweet brak hem uit, niet van inspanning, maar van angst.

Ze zaten al twintig minuten in de taxi, die zich voorzichtig een weg baande door het drukke Londense verkeer. De gezichten van de jongens stonden strak, vermoeid. Hun schooluniformen hingen om hen heen als gekreukte kostuums, alsof ze acteurs waren die midden in een stuk waren ontvoerd. Rhys was degene die het meest leek te piekeren. Fawkes had hen afgehaald en een taxi aangehouden op de drukke doorgaande weg voor het ziekenhuis – duur, maar noodzakelijk als ze het openbaar vervoer moesten vermijden. Het was zo'n oude, zwarte Londense taxi. Ze waren met zijn drieën achterin gaan zitten.

Fawkes vertelde de jongens zo veel als hij zich kon herinneren van zijn snelle gesprek met de man van de Gezondheidsinspectie. Andrew en Rhys, herhaalde Fawkes, vertegenwoordigden de *binnenste cirkel*, degenen die het meest met Roddy en Theo in contact waren geweest. De röntgenfoto's waren niet overtuigend geweest. Over achtenveertig uur zou de definitieve uitslag van hun bloedonderzoek bekend zijn. Gedurende die tijd hoefden ze geen mondkapjes te dragen – dat was nodig geweest toen de ernst van hun infectie onbekend was – maar ze moesten zich rustig houden. Er was slechts een kleine kans dat ze actieve tb hadden, zei hij tegen hen, in een poging gezaghebbend over te komen. De kans dat ze het op andere jongens zouden overbrengen was nog kleiner. Het beste was om niets te zeggen over de onderzoeken. Hun mond te houden over Roddy's diagnose. Wat ze moesten vermijden was dat er paniek zou ontstaan.

Rhys staarde somber uit het raampje. Andrew zat ongeduldig heen en weer te wiebelen.

'Hebt u mijn ouders al gebeld?' vroeg Rhys.

'Nog niet,' moest Fawkes toegeven. 'Laten we ze samen bellen, wanneer we terug zijn.'

'Ze gaan door het lint.'

'Het is Harness,' barstte Andrew uit. Hij kon het niet langer voor zich houden.

Fawkes keek nerveus naar Rhys, voor hij tegen Andrew zei: 'Wát?'

'Harness maakt mensen ziek.' Andrew leunde naar voren. 'De dokter heeft tegen me gezegd dat hij niet kon verklaren waarom de tb zich zo snel openbaarde bij Roddy en Theo.'

'Tenzij het aids is,' viel Rhys bitter uit.

'Hebben ze jullie op aids getest?' vroeg Fawkes verbaasd.

'Ik geloof het wel.'

Nu begreep Fawkes waarom ze er zo terneergeslagen uitzagen. Te horen krijgen dat je misschien een dodelijke ziekte hebt is al genoeg voor één middag; tegelijkertijd horen over twee ziektes zou iedereen aan het duizelen brengen. En ongetwijfeld waren de jongens aan een kruisverhoor onderworpen. Alle vooroordelen over kostscholen voor jongens – in het bijzonder een prominente school als Harrow – zouden boven water zijn gekomen. Ze waren er vast en zeker van beschuldigd dat ze in Sodom-on-the-Hill woonden.

'Het is géén aids,' verklaarde Andrew.

'Absoluut niet,' zei Rhys instemmend.

'Het is *Harness*,' herhaalde Andrew.

'Waar heb je het over? Wat voor harnas?' vroeg Rhys.

'Niet wat, wie,' verbeterde Andrew. 'Harness is de naam van de geest van de Lot. Hij bestaat. Hij is aan tb overleden.'

Rhys rolde met zijn ogen. 'O, god.'

'Je zei zelf dat je iets gevoeld had, toen je bij Roddy in zijn kamer was.'

'Ik...' Rhys schudde zijn hoofd. 'Ja. Maar het was niet de geest van de Lot.'

'O, was het de geest van de Newlands, die bij de buren op bezoek kwam? Ik heb met Roddy gesproken. Ik denk dat hij hem heeft gezien.'

'Roddy is ziek. Wij hebben misschien tb, of aids. We hebben genoeg om over na te denken zonder dat we er geesten bij halen.'

'Zo is het,' zei Fawkes. Hij keek Andrew streng aan, wensend dat de jongen zijn mond zou houden tot ze elkaar onder vier ogen konden spreken. Huisoudste of geen huisoudste, het was duidelijk dat Rhys niet meer kon verdragen.

Andrew leunde weer naar voren. 'De dokter zei dat de tb zo snel verergerde, dat de enige manier om het te verklaren was dat het aids moest zijn. Je weet wel, een niet-werkend immuunsysteem. Roddy werd snel ziek. Theo stierf snel. Daarom bleven ze maar op aids hameren. Maar Rhys? *Roddy?*' Hij trok een lelijk gezicht. 'Theo? Ik? Wij allemáál? Met aids? Kom nou toch. Maar toen herinnerde ik het me. John Harness had tb. Hij is eraan overleden. Het staat in de boeken over de geschiedenis van de school. De *Harrow Record.*' Triomfantelijk leunde hij achterover, terwijl hij naar Fawkes' gezicht keek.

'En je denkt...'

'Ik denk dat Harness mensen besmet!' verklaarde Andrew. 'We moeten iets doen. Roddy is er heel, heel erg aan toe. En straks besmet Harness weer iemand. Rhys en ik zijn de enigen die nog over zijn op onze verdieping!'

'Maar... wat kunnen we doen?' vroeg Fawkes hem.

'Weet je het nog? Uitzoeken wie Harness vermoordde en waarom. We hebben geen ander aanknopingspunt. Heb je met Father Peter gesproken?'

Fawkes' ingewanden borrelden schuldig. 'Ja. Ik ben naar hem toe gegaan.'

'En?'

'Hij probeert van de Church of England dispensatie te krijgen om het te doen. Een of ander speciaal ritueel. Het is niet iets waarvoor hij is opgeleid.'

'Hoe snel kan hij doen... wat het ook is dat hij moet doen?'

'Dat weet ik niet precies,' zei Fawkes, en hij keek uit het raampje. *Zeg iets. Vertel het hem. Biecht het op. Mijn god, als hij het nu eens krijgt en doodgaat; dan heb jij het op je geweten.* 'Andrew...' begon hij.

'Piers?'

'Ik... ik ben niet eerlijk tegen je geweest. Ik ben egoïstisch geweest.' Andrew zei niets, maar hij bleef hem aanstaren. Fawkes vervolgde: 'Ik heb meer belangstelling gehad voor de uitkomst van ons onderzoekje dan voor jullie welzijn. Mijn uitgever...' Hij zweeg. 'O, verdomme, mag ik hier roken?' riep hij tegen de chauffeur. De man zei ja.

'Sir,' protesteerde Rhys, 'misschien hebben we tb. Dat is een longziekte.'

'Eén sigaret maar.'

'Nee!'

Rhys keek zijn huismeester strak aan. Daarna begon hij breed te grijnzen, en daarna te lachen. Andrew deed met hem mee, en voor het eerst die dag barstten ze allemaal in hysterisch, dankbaar lachen uit. Toen het minder werd haastte Fawkes zich om zijn bekentenis af te maken nu de jongens nog in een goede stemming waren.

'Ik had tegen mijn uitgever gezegd dat ik het stuk kon combineren met een soort literaire ontdekking,' gooide hij eruit. 'Als ik het haar geef met een verhaal over Byrons minnaar die een moord pleegt, zal ze het publiceren. Als ik het niet doe... geeft ze het niet uit.'

'Dat is toch geweldig. Ons onderzoek zal je daarbij helpen.'

En ik heb min of meer tegen Father Peter gezegd dat hij er geen haast mee hoefde te maken.

Ik besloot dat, als jij en Rhys en Roddy zouden sterven, het minder belangrijk was dan mijn werk.

Vooruit, zeg het dan.

Ze reden nu op de snelweg. Fawkes staarde uit het raampje naar de flatgebouwen die voorbijgleden. Ten slotte vond hij de woorden.

'Dus ik heb me meer op de research geconcentreerd,' stamelde hij, 'dan op de uitwerking die dit alles op jullie heeft.' Hij begon te zweten. De jongens keken hem met onverholen nieuwsgierigheid aan.

'Maar dat is precies wat we nodig hebben,' zei Andrew.

'O ja?'

'Natuurlijk! Ik moet mijn onderzoek sneller afmaken.'

'Wat heb je tot dusver ontdekt?'

'Ik heb een paar brieven gevonden in de kamer met de waterput. Oude brieven. Ik heb ze aan Dr Kahn gegeven.'

'O, juist,' zei Fawkes. Hij probeerde niet te laten merken hoe verbaasd en opgewonden hij was. 'En?'

'Ze waren beschadigd. Dr Kahn heeft ze naar Trinity College in Cambridge gestuurd, naar iemand die ze kent, die research doet bij de Wren Library.' Andrew dacht even na. 'Hoelang doe je erover om naar Cambridge te gaan?'

'Met de trein ongeveer een uur.' Fawkes wist waarom Andrew het vroeg. 'Denk je echt dat de brieven ons kunnen helpen?'

'Ik denk dat Harness *wilde* dat ik ze zou vinden.'

Fawkess beet op zijn nagels. 'Trinity, hè?' Hij keek nerveus naar Rhys, voor hij zich weer tot Andrew richtte. 'Er zijn morgen lessen,' zei hij weifelend.

'Roddy kan niet wachten.'

'Het is de bedoeling dat je op de achtergrond blijft. Geen openbaar vervoer. Op bevel van de Gezondheidsinspectie.'

'Goed, dan ga jij.'

'Ik heb een huis met tachtig jongens om voor te zorgen. En ik heb een proeftijd. Ik moet me elke dag melden bij Sir Alan. Als ik een keer oversla word ik ontslagen. Dan kan ik voor niemand meer iets betekenen.'

Rhys keek Fawkes verrast aan. 'Meent u dat, sir?'

'Hou verdomme toch op met sir tegen me te zeggen en ja, ik meen het. En zoals ik het nu bekijk ben ik misschien ook wel de slechtste huismeester die ooit bestaan heeft. Kijk maar naar al deze ellende.'

'Als het maar een uur reizen is,' ging Andrew door, 'kan ik morgenochtend heel vroeg weggaan en tegen lunchtijd weer terug zijn. Je kunt zeggen dat ik heb uitgeslapen na een vermoeiende dag.'

'Juist,' zei Fawkes onzeker.

'Waarom aarzel je?' vroeg Andrew. 'Je weet dat ik erheen moet.'

Fawkes probeerde de rauwe emotie te verbergen die hem eerder die dag had overvallen. 'Nu Roddy ziek geworden is, heb ik het gevoel dat ik jullie beter moet beschermen. Dat is alles. Jou in het bijzonder, Andrew.'

'Dit is mijn opdracht. Jij en Dr Kahn hebben mij dit deel toegewezen: doe onderzoek naar Harness en schrijf erover voor de Essayclub. Ik kan niet langer wachten.'

'Ik zeg toch nee,' zei Fawkes ten slotte.

'Maak je een grapje?'

'Nee. Wanneer we terug zijn, ga ik naar Father Peter. We laten hem het ritueel uitvoeren. Dan zijn we van John Harness af. En dan, je zult het zien,' hij maakte een vaag handgebaar, 'zal dit allemaal voorbijgaan. We hoeven niet te weten wat er in bepaalde brieven staat, of waar het bij een moord van lang geleden om ging. Goed?'

Andrew fronste zijn voorhoofd. Hij had Harness' gewelddadigheid gezien, zijn vastberadenheid. Hij was er helemaal niet van overtuigd dat een simpel ritueel ervoor zou zorgen dat hij wegging.

Hij probeerde het nog een keer. 'Als ik iemand meeneem? Rhys zou met me mee kunnen gaan.'

Rhys trok een gezicht.

'Nee. Sorry,' zei Fawkes. 'Jullie veiligheid is belangrijker.'

De woorden klonken tamelijk goed. Dat wil zeggen, als iemand anders ze had uitgesproken. Fawkes worstelde met zichzelf. Het was toch goed om dit te doen? Hij had zich voorgenomen, nu, om een beter mens te zijn; om in de eerste plaats Andrew te helpen. Hem op school houden, waar hij hem kon beschermen, was het belangrijkste. Toch zag hij toen hij naar Andrew keek een afwezige blik bij de jongen; kwaadheid verduisterde zijn ogen en hij had weer die eenzame, chagrijnige houding aangenomen die Fawkes in het begin aan hem was opgevallen.

Mijn god, vroeg Fawkes zich af, gebeurt dit wanneer je autoritair optreedt? Mensen pijn doet? Dat ze een hekel aan je krijgen? Je beslissingen in twijfel trekken? Misschien voelt Colin Jute zich voortdurend zo.

'Ik denk dat jullie alle twee hartstikke gek zijn,' zei Rhys.

17

Tranen in Trinity

Andrew nam het besluit om weg te glippen naar Cambridge bijna onmiddellijk. Maar hij was niet van plan om Persephone mee te nemen. Dat gebeurde toevallig.

Hij zag dat er een aantal sms'jes op hem wachtte toen ze terug waren op school, ze waren met lange tussenpozen verstuurd tussen het moment waarop hij uit het ziekenhuis was weggegaan en het moment waarop ze de Lot bereikten.

Dacht dat je zou bellen om te zeggen dat je doodgaat als je een uur lang mijn stem niet hoort.
Dat heb je niet gedaan.
Een zwakkere vrouw zou haar kleren verscheuren etc.
Maar ik lak mijn teennagels.
Er is vandaag veel gebeurd, sms'te hij terug.
Echt je bent heel belangrijk vertel.

Dus hij belde haar om het te vertellen.

'Mijn god, Andrew, denken ze dat je tb hebt? Dat is heel opera-achtig van je. Of is het Russisch? In elk geval...' Haar stem werd ernstiger. 'Je moet verstijfd van angst zijn geweest.'

'Het wordt veroorzaakt door de geest.'

'Je meent het.'

Hij legde zijn gedachtegang uit. Ze luisterde zonder iets te zeggen.

'Wat ga je nu doen?' vroeg ze na een tijdje.

'Ik ga naar Cambridge.'

'Cambridge? Wat moet je daar?'

'De brieven halen die ik heb gevonden. Een researcher heeft ze nu. Een kennis van Dr Kahn. Een archivaris. Ik moet erachter komen wat erin staat. Ze houden verband met John Harness. Dat weet ik zeker.'

'Wanneer ga je?'

'Morgenochtend. Vroeg. Voordat iemand me ziet.'

Persephone bleef even stil. 'Waarom gaan we vanavond niet?' zei ze. 'Samen?'

'Vanavond? Waar moeten we dan logeren?'

'Je vergeet dat Agatha aan Trinity studeert. Ze zal ons haar kamers lenen. Ze slaapt toch de meeste nachten bij Vivek.'

'En Sir Alan dan? Gaat hij dat goedvinden? Dat je weggaat?'

'Ik knijp ertussenuit,' zei ze, alsof het vanzelfsprekend was.

'Zou hij het niet merken?'

'Ik verzin wel een excuus.'

'Zoals?' Andrew werd nerveus bij de gedachte dat Sir Alan Vine hierbij betrokken kon raken.

'O, Andrew,' antwoordde ze. 'Hij heeft jou al net zo bang gemaakt als de anderen. Ik weet hoe ik pap moet aanpakken.'

Andrew kwam met meer redenen om haar niet mee te laten gaan. Hij dacht dat Harness de ziekte veroorzaakte, maar als hij het nu eens mis had? Als hij, Andrew, haar ziek zou maken?

'Dan kussen we toch niet,' zei ze.

En ze mocht het niet aan Fawkes vertellen, want die had hem verboden om te gaan.

'Ik beloof het,' zei Persephone somber.

Hoe moest het met haar lessen?

'Ik heb het je toch al gezegd,' zei ze. 'Ik regel het wel. Goed?'

'Het klinkt niet alsof je mijn toestemming nodig hebt.'

'Ik zal Agatha een sms'je sturen. Ze gaat het heel leuk vinden.'

Ze ontmoetten elkaar bij King's Cross. Voor alle cafés en kiosken waren de luiken neergelaten; op de perrons was op deze weekdag niets meer te zien van de drukte van het spitsuur. Het station weergalmde. *De trein van 8.41 naar... Cambridge... staat nu gereed op spoor... vier.* Persephone droeg een zachte spijkerbroek en een sjaal, en ze rook naar kamperfoelie. Andrew lachte toen hij haar zag aankomen.

'Het is je gelukt,' zei hij.

Bijna voor de woorden over zijn lippen waren gekomen sloeg ze haar armen om hem heen en kuste hem, lang, hard, intens.

'We hadden afgesproken niet te zoenen!' zei hij toen hij zich had losgemaakt om adem te halen.

'Nu hebben we dezelfde ziektes,' zei ze grinnikend.

'Hetzelfde kapsel. Dezelfde ziektes.'

'Niets kan ons scheiden.' Ze vlocht haar vingers door die van hem.

Hun coupé was verlaten. Persephone leunde tegen het raam en legde haar benen over Andrew heen. De verlichting in de wagon knipperde en ging daarna uit. Ze zagen Londen voorbijflitsen; daarna de kleinere plaatsen, groepen oranje en gele lichtjes. Toen de nacht boven het platteland.

'Ik heb een abortus gehad.'

Andrew knipperde verrast met zijn ogen. 'Wat? Wanneer?'

'Vorig jaar. Het was van Simon.'

Andrew voelde iets samentrekken in zijn borst.

'Dat was waar Rebecca o-zo-indirect op doelde. Nu weet je het.'

Een moment lang was Andrew stomverbaasd. Alle vragen die hij wilde stellen – *Hoe is dat? Doet het pijn? Voel je je naderhand opgelucht, of afschuwelijk, zoals de tegenstanders van abortus zeggen; alsof je iemand hebt vermoord?* – leken te indringend, helemaal verkeerd. En toch snakte een deel van hem naar antwoorden waarvan hij wist dat ze die niet kon geven. Betekende dit dat Simon altijd een speciale, onuitwisbare plek in haar leven, haar verleden, zou hebben, iets wat hem nooit zou lukken? Het was een hunkerende, kinderlijke gedachte. Toch was hij gekwetst.

'Oké,' bracht hij ten slotte uit.

'Wil je toch nog met me omgaan?'

'Ja.'

'Goed dan.'

'Nog iets?' vroeg hij.

'Op het moment niet.'

De trein denderde zonder te stoppen door een leeg station. Andrew ving een glimp van haar gezicht op in het schijnsel van de voorbijglijdende lampen. Bedroefd. Misschien had hij al een antwoord op een van zijn vragen.

'Ik hoop dat we iets in de brieven vinden,' zei hij, om het over iets anders te hebben. 'Roddy is er slecht aan toe. En ik ben ervoor verantwoordelijk.'

'Waarom? Jij hebt de geest toch niet opgeroepen met een of andere toverspreuk?'

'Maar als ik nu eens niet naar Harrow was gekomen? Niet in de Lot had gewoond? Misschien zou Theo dan nu nog leven. En zou Roddy niet ziek zijn.'

'Maar dan zou je mij niet ontmoet hebben, toch?' zei ze. 'Ik heb het koud.'

Ze leunde naar voren om tegen hem aan te kruipen, en hij hield haar vast.

Ze liepen het betrekkelijk kleine station van Cambridge uit en kwamen bij een rotonde, waar honderden fietsen van studenten aan rekken vastgeketend stonden. Op een sukkeldrafje wandelden ze hand in hand de lange boulevards af. Persephone wist de weg, ze was al eerder bij Agatha op bezoek geweest. Af en toe bleven ze even stilstaan om elkaar te kussen, ze zochten een rustig plekje in de portiek van een bankgebouw, of voor de etalages van gesloten winkels. Hun hoopvolle verwachting groeide en Andrew gaf zich er gretig aan over, hij vluchtte erin terwijl hij vaag merkte dat de straten smaller werden, leidden naar stenen gebouwen, naar gothische ramen, naar steegjes. Persephone pakte zijn handen en schoof ze onder haar blouse.

'O mijn god, je hebt geen beha aan. Ik hou het niet meer.'

'Nog niet,' fluisterde ze. 'Meteen als we boven zijn.'

'Zijn we er?'

Persephone haalde een sleutel tevoorschijn en ze holden een hol klinkende stenen trap op, die uitkwam op een betegelde gang. In Agatha's kamer hing een stoffige radiatorwarmte. Andrew had heel even de tijd om de kamer te overzien: een opgevouwen dekbed, ingelijste foto's van knappe lachende vrienden, een pc, een erker met uitzicht op Trinity Street. Toen deed Persephone het licht uit. Dat was de kamer. Ze kusten elkaar; hun kleren werden op de vloer gegooid. Ze waren bezorgd voor elkaar: *Is dit goed? Moet ik me omdraaien?* Persephone kroop huiverend op hem. Ze begon langzaam. Andrew keek naar haar gezicht. Ze hield haar ogen gesloten, haar mond was geconcentreerd samengeknepen. Ze glansde in het licht van de straatlantaarns, een winternimf; slank, lief, bedroefd. *Ik hou van je,* zei hij. Het zorgde ervoor dat ze ophield, maar niet voor lang; ze lette niet op hem. Ze was gespannen bezig om met haar lichaam iets van hem te krijgen; een vraagstuk op te lossen; een prijs te winnen. Ze leunde over hem heen, haar haren kriebelden zijn gezicht, ze bewoog sneller en harder boven op hem. Ze pakte zijn handen en legde die op haar borsten. Ze perste zich tegen hem aan. Toen een huivering, een lang aangehouden zucht. Ze liet zich voorovervallen, begroef haar gezicht in zijn hals. *Gaat het?* Ze nestelde zich nog dichter tegen hem aan, haar schouders schokten. Hij besefte dat ze huilde. Haar tranen liepen over zijn nek, zijn oren en zijn wangen.

Na enkele momenten ging ze rechtop zitten, lachend en met naakte borsten, en ze veegde haar tranen af. Haar lichaam voelde glad aan onder zijn handen, met de korrelige gladheid van een Grieks standbeeld.

Ze zuchtte. 'Het is me gelukt,' kondigde ze aan. Daarna, met een verlegen stemmetje: 'Ik ben klaargekomen!' Haar kattenogen glinsterden. Ze begon te giechelen, daarna liet ze zich naast hem op het bed vallen. Het licht van de straat viel op haar gezicht. Ze staarde naar het plafond alsof het de avondhemel was.

'Het voelt *echt fantastisch*,' deelde ze hem mee, met iets van verbazing in haar stem.

'Dat weet ik,' zei hij lachend.

Ze sprong overeind. 'Ik ga Agatha bellen.' Ze begon in haar tas te rommelen, op zoek naar haar mobieltje.

'Wacht even. Ben je gek? Nu?' Hij leunde op zijn elleboog. 'En ik dan?'

Ze klapte de telefoon open.

'Ik moet het haar vertellen,' verklaarde ze, alsof het iets vanzelfsprekends was. 'Het was tenslotte in haar kamer.'

Ze lagen te sluimeren, als dieren in hun winterslaap. De wind gierde om de ouderwetse vensters met hun kleine ruiten, de radiatoren spuwden hitte en Agatha's geborduurde kussens lagen in een slordige hoop op het eenpersoonsbed. Andrew had er belangstellend over kunnen nadenken dat kamers als deze tweehonderd jaar geleden door Lord Byron bewoond hadden kunnen zijn, maar hij deed het niet. Acht uur geleden was hij uit de muil van het Royal Tredwayziekenhuis ontsnapt, gehavend en walgend van zichzelf, en nu lag hij hier, gelukkig, veilig, voldaan, in Persephones armen, op een geheime plek. Hij sloot zijn ogen. Hij sliep diep; hij was een onderzeeboot die een kalme oceaan in dook, dwars door franjes van primitief zeewier; wetend dat er grote gouden vissen met glanzende schubben net uit het zicht in de duisternis rondzwommen; dat er schatkisten lagen weggezonken in de modder beneden hem.

Toen hij wakker werd wervelde de duisternis in de kamer even traag rond als de oceaan, slechts doorbroken door één enkel lichtpuntje, klein, gloeiend en oranje. Andrew staarde ernaar, wazig probeerde hij te onderscheiden of het deel uitmaakte van zijn droom. Of was het licht dat vanaf de straat binnendrong? Pas toen het dichterbij kwam begon hij iets van angst te voelen. Het was een kaars. Met erachter een persoon. In de kamer. Agatha? Was ze iets vergeten? *Zij zou geen kaars nodig hebben,* antwoordde zijn verstand nadrukkelijk.

Toen zag Andrew hem. Hij was weer naakt. Deze keer wit, mager, zijn vingers als witte stokjes om de kandelaar gekromd, zijn buik een zwakke, witte tent van vlees die aan zijn benige ribbenkast hing. Gebogen liep hij langzaam, centimeter voor centimeter, naar voren. Zijn lippen zaten vol kloven en waren roodgevlekt. De ogen lagen diep in de schedel gezonken, en elke ademhaling eiste een huiveringwekkende inspanning.

Wat moet hij het koud hebben, dacht Andrew, in een moment van meegevoel.

Harness staarde naar hen. Dit waren de ogen van iemand die zijn minnaar in bed vindt met een ander, maar niet onverwacht. Daarna werden de ogen, langzaam, op Andrew gericht. Andrew huiverde. *Hij was zich van hem bewust.* Andrew deed moeite om zich te bewegen maar hij was verlamd. Harness zette de kaars op de grond. Toen kraakte de matras omdat er een gewicht op drukte. Hij kan toch niet bij ons in bed stappen, protesteerde Andrew in gedachten. Meer gekraak. Zwakker dan Andrew gedacht had; hij moest bijna niets wegen. Harness was op het bed gekropen en zat nu schrijlings op Persephone, zijn arm naast Andrew op het bed geplant, zijn heupgewricht wierp een donkere, dunne schaduw. Hij stonk naar urine, als een dakloze, en naar een soort pikante, vlezige verrotting, als het trottoir voor een vleespakhuis. Dat witte hoofd bevond zich nu op een paar centimeter afstand van Andrews hoofd, en Andrew rook de adem, de lucht van een slachter. Harness kroop over Persephone heen. Zijn slappe penis sleepte over het dekbed. Andrew worstelde. Hij probeerde tegen de verlamming te vechten, maar hij kon niets doen, behalve inwendig schreeuwen omdat hij wist wat Harness deed. Harness pakte Persephones slapende gezicht vast; trok met zijn knokige handen de lippen van elkaar en blies lange, natte ademstoten in haar mond. Elke ademhaling reutelde vanbinnen bij hem, als wind die door catacomben blaast. Toen hoestte hij. Het was weerzinwekkend om aan te zien. De hoest leek te beginnen bij de heupen en daarna verder te rollen als een golf, eindigend met een siddering van het hoofd. Harness wendde zich af, sloeg zijn hand voor zijn mond, alsof hij pijn had. Daarna kwam er een nieuwe golf, heupen, buik, borst. Ten slotte, na een snelle beweging van zijn nek, ontsnapte Harness een geluid alsof iemand natte handdoeken verscheurde, en spuwde hij een kleverige vloeistof in Persephones open mond. Veel ervan kwam op haar gezicht terecht en bij het schijnsel van de kaars zag Andrew de kleur van de vloeistof, warm donkerrood. Harness sloot zijn ogen, zijn gezicht was weer vertrokken van pijn. Daarna deed hij ze open en keek Andrew aan. Zijn lippen waren met bloed bevlekt. Zijn holle ogen staarden naar Andrew, wanhopig, alsof dit alles zíjn schuld was; het was zíjn ontrouw, en dit waren de trieste consequenties. Harness was slechts de tussenpersoon. Een gekraak. De gedaante stapte van het bed. De matras kwam weer omhoog. Het kaarslicht vervaagde. Andrews hoofd duizelde van angst, daarna werd alles zwart.

18

Stalker

Andrew werd wakker en zag een laaghangende, mistige lucht, zodat hij onmogelijk kon zeggen hoe laat het was. Naast hem lag Persephone, warm, haar lichaam doordrenkte het bed met die verrukkelijke mix van geuren, huid, haar, parfum van gisteren, en slaap. Ze was naakt, verstrengeld in de lakens. Hij glimlachte. Hij boog zich over haar heen en streelde de verwarde massa haar. Terwijl hij het deed merkte hij dat een van zijn handen iets omklemde, alsof hij het al uren had vastgehouden, in zijn slaap. Hij opende zijn hand.

Een klein voorwerp – doorzichtig, broos. Een vingernagel?

Met zijn andere hand duwde hij ertegen. Het bleek... een bloemblaadje te zijn. Een klein blad in de vorm van een vingernagel, rond en wit, met een zwart randje. Geen blaadje van een bloem. Het blaadje van een bloesem.

Hij pijnigde zijn hersens om manieren te bedenken waarop een bloesemblaadje in de herfst in zijn hand terecht kon zijn gekomen.

Toen kwam de herinnering aan het visioen van de afgelopen nacht bij hem boven. Doodstil probeerde hij het te verwerken. Het leek ver weg, ver in het verleden. Was het maar een droom geweest? Geschrokken keek hij naar Persephone, het geheimzinnige blaadje was vergeten. Ademde ze? Was ze dood? Hij werd overvallen door paniek. Hij kroop op het dekbed om de lakens van haar gezicht weg te trekken. Haar wangen waren schoon.

'Goddank,' fluisterde hij.

'Is dit een of ander Amerikaans boerenritueel?' kreunde ze. 'Het vee inspecteren nadat je er seks mee hebt gehad?'

Van pure blijdschap barstte hij in lachen uit. Vannacht moest hij een normale droom hebben gehad. Geen visioen van de echte Harness.

'Ik hou van je,' zei hij.

Ze zei niets maar kroop dicht tegen hem aan.

'Als iemand zegt: ik hou van je, is het gebruikelijk dat de ander tegen hem terugzegt: ik hou ook van jou,' zei hij. Hij probeerde het nonchalant te laten klinken maar hij lette scherp op haar reactie.

'Maar hoe kan ik dan mijn mysterie bewaren, nadat ik je zo veel heb gegeven?'

'Heb jíj míj zo veel gegeven?'

Hij trok de lakens van haar af en ze gilde protesterend, ze begonnen erom te vechten, maar uiteindelijk gingen ze naast elkaar liggen, kijkend alsof ze elkaar voor het eerst zagen – naakt of anderszins – en zelfs Persephone liet de minuten wegtikken zonder dat ze iets zei.

Bij Trinity Gate wachtte Agatha op hen, met haar rode haar en lange mantel, een eenzame stilstaande gestalte te midden van een wervelwind van fietsen, studenten, parkerende auto's en bussen vol Chinese toeristen. De universiteit was in mist gehuld. Ze omhelsde Persephone, gaf Andrew twee zoenen en begon hen onmiddellijk te plagen omdat ze te laat waren. *Cambridge lijkt jullie goed te doen. Is er nog iets van mijn kamer over wanneer ik terugkom?* Het stel grinnikte verlegen, en ze pakten elkaars hand. Agatha rolde met haar ogen en loodste hen door het detectiepoortje. Ze schreven zich in en daarna liepen ze onder de boog door het terrein van Trinity College op.

De mist gaf de plek een dromerig aanzien, maar Andrew vermoedde dat je zelfs in het volle daglicht zou denken dat je in een ander tijdperk terecht was gekomen. De universiteit bestond uit perfect bewaard gebleven zandkleurige gebouwen uit de zeventiende eeuw, die in een vierkant om een gazon stonden dat begrensd werd door grindpaden. Een hoge, sierlijke fontein stond in het midden. Agatha babbelde met Persephone terwijl Andrew zich verbaasde over de rust die de reusachtige binnenplaats opriep; hoe perfect de tijd alles had bewaard. Ze volgden het pad dat om het verste gebouw heen liep, klommen een paar treden op en doken een deur in onder een ogiefboog. Een gang waar het druk en rumoerig was doorsneed het historische gebouw. Studenten met sjaals en legerjacks botsten tegen hen op. Na een paar stappen bereikten ze weer een deur, waardoor ze op een andere, mistige binnenplaats kwamen; deze was echter kleiner en het was er volkomen stil. Aan de overkant rees een gebouw van enkele verdiepingen op, met een zuilengang op de begane grond.

'Dat is het,' zei Agatha, die voor hen uit deze tweede binnenplaats overstak. 'De Wren Library. Hoe heet die archivaris van je ook weer?'

'Lena Rasmussen. Ken je haar?'

'Ik studeer economie,' antwoordde Agatha. 'Dan heb je niet veel aan zeldzame manuscripten.'

Ze liepen onder de boog door en daarna een brede trap op. Ruim drie meter hoge portretten van oude universiteitsfunctionarissen hingen aan de muren: nors kijkend, in toga, monumentaal.

'Om de Amerikaanse toeristen af te schrikken.' Grapje van Agatha.

Ze bevonden zich nu in een lange zaal. Die was twee verdiepingen hoog, hoog in de muren aangebrachte ramen lieten het kille licht binnen. Notenhouten boekenplanken vormden een reeks nissen langs de witgepleisterde muren. Ze stonden vol stoffige, hier en daar beschadigde boekdelen en waren afgezet met fluwelen koorden om te beschermen wat eruitzag als afzonderlijke studieruimtes, met lampen en kleine bureaus. Overal stonden op sokkels witmarmeren bustes van literaire helden: Virgilius, Cicero, Milton. Aan het eind van de zaal doemde het grootste van deze beelden op: een kolossaal brok wit marmer dat een figuur voorstelde die een boek en een pen vasthield. Hier heerste stilte; afgezien van een paar schuifelende figuren voorin waren er meer bustes dan levende mensen in de Wren Library.

Agatha beende naar een bureau waar een man lusteloos op een computer zat te typen. Met zijn ruige bruine trui, en zijn kale kruin met een krans van zacht grijs haar was hij het menselijke evenbeeld van een oud manuscript. Agatha vroeg naar Lena Rasmussen. De man leek verbaasd hier een mens binnen te zien; dubbel zo verbaasd nu dat mens een sensuele jonge vrouw was in dure kleren en met een grote bos opvallend rood haar. Uit de nis tegenover hem kwam een vrouw van in de twintig, met brede Scandinavische jukbeenderen, naar hen toe. Ze droeg een bruin T-shirt en een zwarte spijkerbroek, had een ringetje in haar neus, en haar zwarte haar was naar achteren opgebonden tot een paardenstaart.

'Ik ben een leerling van Judith Kahn,' zei Andrew. 'Ze heeft jou een paar brieven gestuurd die ik heb gevonden?'

De archivaris nam hem taxerend op. Haar ogen versmalden en kregen een uitdrukking van begrijpende vrolijkheid. 'Ben jij dat?' zei ze. 'Die papieren hebben heel wat opschudding veroorzaakt. Zijn jullie studenten van Harrow?'

'Dat klopt.'

'Het lijkt erop dat je een paar brieven hebt gevonden die door Lord Byron zijn achtergelaten,' zei Lena.

'Heb je brieven gevonden... die door Lord Byron geschreven zijn?' riep Agatha uit, die niet op de hoogte was van het specifieke doel van hun bezoek.

'Niet door,' verbeterde Lena. 'Aan. Ik heb je brieven aan Reggie Cade laten zien. Hij kan het uitleggen.'

'Wie is Reggie Cade?'

'Een collega aan de universiteit. Hij heeft het Byron-instituut aan de Universiteit van Manchester opgericht, voor Trinity hem daar wegkaapte. Gisteren was hij nog hier, om zich met je brieven bezig te houden.' Lena knikte in de richting van een meer dan levensgroot marmeren beeld. 'Dat is hem.'

'Reggie Cade?' vroeg Andrew. Het was een meer dan drie meter hoge figuur met pen en papier, heldhaftig gezeten op een omgevallen Griekse zuil.

De archivaris begon te lachen.

'Lord Byron. Het was de bedoeling dat het in Westminster Abbey geplaatst zou worden. Maar de kerk wilde het beeld van een man die bekendstond als een seksmaniak niet accepteren. Daarom hebben ze het naar Trinity gestuurd – waar seksmaniakken altijd welkom zijn.'

Ze liep terug naar de nis waar ze had gezeten, en ze begon in een agenda naar een telefoonnummer te zoeken.

'Raar type...' fluisterde Agatha. 'P... voel je je wel goed?'
Persephone was bleek geworden.
'Ik voel me best.'
'Je ziet er verschrikkelijk uit.'
'Dat gaat wel weer over. Mijn bloedsuikerspiegel is gedaald.'
Andrew liep naar haar toe en sloeg zijn arm om haar heen.
'Wat lief,' kraaide Agatha goedkeurend.
'Niet vrijen in de Wren,' zei Lena, die was teruggekomen, lijzig. 'Reggie is onderweg. Ongetwijfeld full speed, op de fiets. Kom.'
'Waarheen?' vroeg Andrew.
'Naar de kluis,' zei ze.

Ze daalden de brede trap af waarlangs ze eerder binnen waren gekomen, en kwamen tot de ontdekking dat de Wren verbonden was met een teleurstellend moderne bibliotheek, met vloerbedekking, een laag plafond, en krappe geschakelde bureaus. Ze wrongen zich ertussendoor tot ze bij een diensttrap kwamen, en begonnen een afdaling van verscheidene verdiepingen.

'Nu zijn we onder de grond,' vertelde Lena hen. Ze kwamen bij een zware deur. Ze toetste een code in en daarna trok ze de deur open. 'Merk je dat het hier kouder is? Het moet tussen de twaalf en de achttien graden zijn, met een relatieve vochtigheid tussen de vijfenvijftig en vijfenzestig procent. We zijn vlak bij de rivier. De wanden zijn van gewapend beton, om het vocht buiten te houden. Feitelijk bevinden we ons in een kist onder de grond. En hier,' zei ze, terwijl ze een rij lampen aandeed en de deur van een metalen kooi met luid gerinkel openduwde, 'liggen de manuscripten.'

Ze keken een lange, smalle gang in. Aan de linkerkant zag Andrew hoge schappen; geen gewone, vaste boekenplanken; deze waren gemonteerd op rollers, met stalen zwengels zoals de deuren van ouderwetse bankkluizen, om ze heen en weer te laten glijden. Lena zocht het schap dat ze nodig had en begon aan de zwengel te draaien. De schappen weken geluidloos van elkaar. Ze wenkte Andrew. 'Kom hier, ik zal het je laten zien.'

Hij volgde haar naar de nauwe ruimte tussen de schappen, die vijf meter hoog oprezen in het donker.

'Ik hoop dat je vriendinnen te vertrouwen zijn,' mompelde ze.
'Waarom?'
'Elk van deze schappen weegt een ton. Als ze aan de zwengel draaien worden we verpletterd.'
'Je hebt een eigenaardig gevoel voor humor.'
'Tegen de verveling.' Ze trok een grijze doos van de plank. 'Kom, dan wachten we in de vergaderkamer op Reggie.'

Dr Reggie Cade arriveerde, met een rood gezicht, nog napuffend van zijn snelle fietstocht (Andrew betrapte Lena erop dat ze bij zichzelf glimlachte bij zijn komst – haar voorspelling was juist gebleken). Hij was een imposante, vreemde figuur: ruim een meter tachtig met een enorme buik; een groen gebreid vest en een groene das, hoge rubberlaarzen, alsof hij net in zijn tuin aan het werk was geweest; en een wijde oliejas. Cade was een jaar of vijftig, met een kwabbig gezicht dat bedekt was met een wilde, blonde baard die grijs begon te worden; een van zijn ogen dwaalde vervaarlijk af, en zijn handen waren zacht en slap, met lange nagels – het uiterlijk dat alleen Engelse mannen leken te krijgen nadat ze hun hele leven niet aan lichaamsbeweging hebben gedaan. Al met al was het geen aantrekkelijke man. Maar wanneer hij sprak, was dat met een diepe, dreunende bas; Orson Welles met het accent van Manchester. Andrew kon hem zich voorstellen als een boeiend spreker. Hij bleef in de deuropening van de vergaderkamer staan – een klein vertrek van vier bij vier meter, met vloerbedekking, neonlampen en een ronde tafel met stoelen eromheen. De studenten waren om Lena heen komen staan toen ze de inhoud van de grijze doos eruit haalde; twaalf bruingevlekte brieven lagen uitgespreid als een grote, vermoeide waaier kaarten.

Dr Cade nam iedereen op met zijn ene goede oog. 'Ik zie maar één man, en de brieven zijn op Harrow gevonden, dus ik neem aan dat jíj de vinder van de brieven bent.' Hij richtte zijn opmerkingen tot Andrew, zonder zich voor te stellen. Andrew knikte. 'Maak eens wat ruimte.' Lena pakte een stoel voor hem. Hij liep de kamer in en liet zijn forse gestalte erop zakken. 'Waar heb je ze gevonden?' vroeg hij Andrew, terwijl hij zijn gezicht bette met een zakdoek.

Andrew vertelde het verhaal van de waterput en de koektrommel.

Cade schudde grinnikend zijn hoofd. 'Waren de koekjes van het merk Byron?' Andrew moest er ook om lachen en hij begon de man aardig te vinden. 'Dat is inderdaad een heel verhaal. Vooruit Lena, laten we de specimens eens bekijken.'

'Hebt u droge handen, Dr Cade?'

'Je moet me niet betuttelen, meisje. Laat zien.'

'Hebt u de brieven gelezen?' vroeg Andrew nieuwsgierig.

'Ja,' zei Cade.

'En?'

'Het is jammer dat je koektrommel niet wat droger was,' zei Cade, terwijl hij voorzichtig de bladzijden betastte. 'Deze vezels zijn plakkerig geworden omdat ze vochtig waren, en er was een touwtje om geknoopt – ze zijn tweehonderd jaar op elkaar geperst. Bij het losmaken zijn vezels gescheurd, en er is veel onleesbaar geworden. Om nog maar niet te spreken over de vlekken. Maar toch,' zei hij, 'zijn er gedeelten die we kunnen lezen. En wat geweldig om ze te lezen!' Hij keek de tafel rond alsof hij hen uitdaagde het niet met hem eens te zijn. 'Toen Lena me vertelde dat ze mogelijk aan Lord Byron toebehoorden... Hoe wist je dat trouwens? Voordat je ze gelezen had?' Cade keek Andrew scherp aan.

'Ik woon in de Lot. Byrons huis.'

'Daar hebben honderden jongens gewoond.'

'Ik speel de rol van Byron in een schooltoneelstuk. Ik kan Byron niet uit mijn hoofd zetten, denk ik.'

'Was het ook John Harness' huis?' vroeg hij. Andrew verstijfde. Hij voelde de verbaasde ogen van de anderen op zich gericht. Cade grinnikte. 'Dus je kent de naam, hè? John Harness, Byrons minnaar en klasgenoot op Trinity. Ik kan zien dat je veel weet over Lord Byron. Maar ik denk dat er geen plaquette op Harrow is met de namen van Byron én zijn jonge vriend, zeker? Scholen brengen dat soort zaken liever niet naar buiten.' Andrew schudde zijn hoofd. 'Maar goed ook. De school schildert Harness af als een onschuldige jongen. Een vroeg slachtoffer van Byron. Daar had Byron zelf veel aan bijgedragen.'

Die ogen spraken van een zo zuivere geest
Dat zelfs Hartstocht bloosde wanneer ze om meer smeekte.

'Maar wat ik hier heb... Neem me niet kwalijk,' zei hij, toen hij merkte dat hij een beetje al te enthousiast formuleerde, gegeneerd, 'wat jíj hier hebt is het bewijs dat de onschuldige jonge John Harness verre van *zuiver* was. Eerlijk gezegd was hij zo gevaarlijk als de pest.'

'Hoe weet u dat het Harness is?' bracht Andrew naar voren.

'Hoe?' antwoordde de professor, en hij stak trots zijn kin naar voren. 'Ik heb deze brieven vergeleken met een gedetailleerd chronologisch overzicht van Byrons leven, waar ik de afgelopen dertig jaar aan heb gewerkt.'

'En klopten ze met elkaar?'

'Perfect,' zei Cade met een triomfantelijk lachje. 'Daarom ben ik hier.' Hij legde de brieven voor zich neer. 'De schrijver is niet Byron. Ik geloof dat het Harness zelf is. Dit zouden de eerste nog bestaande brieven kunnen zijn van Byrons minnaar.'

Andrew leunde enthousiast naar voren. 'Hoe weet u dat?'

'Drie factoren. De chronologie; de intimiteit en de bekendheid met elkaar; en de toon. Die heel liefjes begint, en vervolgens plotseling overgaat in een jaloerse obsessie.' Dr Cade haalde een leesbril uit zijn zak, tuurde naar de bladzijden – met zijn goede oog, zoals een vogel een worm bestudeert – en koos er een uit. 'Aan Byron. Zomer 1808. *De tranen die ik in het geheim stort zijn het bewijs van mijn verdriet. Ik was en ben van jou. Ik geef alles, hier en in het hiernamaals, op voor jou.* In het hiernamaals,' herhaalde hij.

Andrew moest weer even naar Persephone kijken. In het schemerige licht leek haar gezicht asgrauw.

Dr Cade zette zijn leesbril af. 'Harness zou een jaar later overlijden. Hij moet al geweten hebben dat hij tuberculose had. En hij moet geweten hebben dat de kans om in leven te blijven klein was. In die dagen werd mensen die aan tb leden frisse lucht voorgeschreven. Een verblijf in Spanje, of zeereizen. Maar daar had je geld voor nodig. Harness verkeerde in armoedige omstandigheden, hij had kort daarvoor Trinity verlaten om klerk te worden in Londen. Een dergelijke luxe kon hij zich niet veroorloven. En dat is ons vierde thema in deze brieven.'

'Wat is dat?' vroeg Andrew.

'Dood,' verklaarde Dr Cade. 'Stap voor stap sterft een wanhopige jonge man. Hier is een brief, geadresseerd aan Albemarle Street, in maart. De winter moet vat op hem hebben gekregen.

Als je bij toeval de laatste brieven die ik je gestuurd heb, niet hebt ontvangen... Hij begint met op Byrons schuldgevoelens te werken – waar blijft het geld om me behoorlijk te kunnen laten eten? Waar blijven de middelen voor míjn reis naar het buitenland? Hij wil dat zijn rijke vriendje hem geld geeft. En Byron is, typerend voor hem, altijd egoïstisch op de verkeerde momenten. We hebben het over een man die later zijn dochter in een Italiaans klooster heeft laten sterven.'

Cade zocht de bladzijden af.

'Het is hier en daar niet te ontcijferen. *Mijn hoesten en* – onleesbaar, misschien *koorts – blijven aanhouden... maar hoewel ik daardoor de hele nacht rechtop moet zitten met mijn zakdoek tegen mijn mond gedrukt, ben jij het, en nieuws over jou, waar ik...* lijkt op *naar dorst.* Hij voelt zich nog wel goed genoeg om welsprekend te zijn. Dat houdt hij niet vol. Zijn briefpapier ook niet. Hier is kriskras over de hele bladzijde geschreven. Volgende brief.'

Hij legde het blad neer en pakte de brief die ernaast lag. '*Er is een kern van ziekte in me die niet gemakkelijk te verwijderen is. Ik ben opgehouden met naar de zaak te gaan.* Harness had een baan bij een scheepvaartbedrijf in Londen, destijds nogal middenklasse, dat wil zeggen arm volgens onze maatstaven. Kun je je zijn isolement voorstellen? Te chic geworden voor zijn verpauperde familie. Homoseksueel, eenzaam, zonder geld, en stervende? Zijn wereld moet met de minuut kleiner zijn geworden. *Ik leef op de guineas die ik gespaard heb – en zelfs daar heb ik weinig aan omdat ik niet kan eten. Ik kan geen voedsel binnenkrijgen vanwege de zweren die mijn mond hebben aangetast. Mijn weinige bezoekers berispen me om mijn bleekheid en dringen erop aan dat ik dierlijk vlees moet eten – maar ik wil met beide niets meer te maken hebben – dieren en bezoekers – en mijn borst trilt van de zenuwen, zodat ik wanneer ik ademhaal, krampen krijg en bloed ophoest. Het is zwart en dik.*'

Dr Cade kreek fronsend naar het manuscript. 'Beroerde manier om te sterven, tb. Maar hij is nog niet zover. De enige obsessie die hem in leven houdt is Byron. *Ik vind slechts verlichting in jouw liefde,*' las Cade verder. '*In die woorden – jouw liefde – ligt de zin van mijn be-*

staan besloten, hier en in het hiernamaals. Maar het wordt wrang wanneer hij hoort – weer typerend – dat Byron het met een ander heeft aangelegd. Een andere jonge man. Nu krijgt het liefdeslied een valse, jaloerse klank. Bedenk wel, Byron is die hele periode geregeld in Londen, en schijnt Harness nooit te hebben opgezocht.

H's brief heeft me bereikt... ik neem aan dat de H staat voor Hobhouse, een goede vriend van Byron en als zodanig tevens een kennis van Harness... *men heeft ontdekt dat je dikwijls een nieuwe "vriend" bij je hebt in Londen wiens naam niemand kent, maar allen zijn het erover eens dat zijn uiterlijk knap is en bevallig en blond. Mannen zijn het zelden zo unaniem met elkaar eens.* Hatelijke opmerking. Hij is niet alleen stervende, hij voelt zich ook verraden. Byron heeft een nieuwe toyboy, een knappe, en een die gezond genoeg is om zich met hem in de stad te laten zien. Eens even kijken, van hieraf is er weinig leesbaar tot *zogenaamd knap schepsel... zwarte wolk* – dit zal wel *vult* zijn – *mijn gedachten.* Ah, ja, dan wordt het dwingend. *Je moet me vertellen wie dit is.* Harness lijkt nu besloten om in actie te komen. *Ik kom naar Albemarle Street, je kunt me verwachten.*'

'Stalken,' merkte Andrew op.

Dr Cade knikte goedkeurend. 'Dat is het juiste woord. Heel toepasselijk. Stalken,' herhaalde hij, alsof hij het wilde onthouden voor later. 'Dan een aantal dagen geen brieven,' vervolgde hij. 'Het lijkt erop dat Byron aan Harness ontsnapt is.'

'Wat deed hij toen? Is het hem gelukt?' onderbrak Andrew hem.

'Nou, Harness is heel vasthoudend,' antwoordde Dr Cade. 'Luister. *Mijn liefste... ik vertrouw erop dat deze brief je in goede gezondheid aantreft in Brighton. Je bent er snel naartoe gegaan, is me verteld – op dezelfde dag als waarop ik een bezoek bracht aan je kamers.* Byron ontloopt hem, begrijp je. *Mrs Lecky...* moet de hospita zijn... *was zo vriendelijk me te vertellen dat je VRIEND je vergezelde.* Zie je de hoofdletters?' Glimlachend hield Dr Cade de brief omhoog zodat ze die konden bekijken. 'Nu is het twee dagen later. Harness heeft geen geluk gehad bij zijn achtervolging. Hij probeert meer schuldgevoelens op te wekken. Hij had beter moeten weten – Byron was geen kindermeisje. *Kun je niet naar Londen terugkeren, al is het maar voor een uur? Wanneer je mij en mijn ellendige omstandigheden ziet zul je van alle an-*

dere liefdes afzien. Vandaag was ik in een goede stemming en erg opgewekt – tot ik – plotseling – werd overvallen door een hoestbui en twee kommen bloed uitspuwde. Het is mijn doodvonnis. Ik moet sterven. Ik wens elke dag en elke nacht dat de dood me van deze smarten zal bevrijden, en dan wens ik weer dat de dood op afstand blijft, want de dood zou mijn enige hoop op vreugde vernietigen – jou nog één enkele maal te zien. Heel lief, tot nu toe, maar de jaloezie krijgt weer de overhand. *Degene die in mijn plaats van die aanblik geniet, haat ik hartgrondig. Deze haat groeit en bloeit, terwijl ik wegteer en sterf.* Onleesbaar, maar het gaat nog een tijdlang zo door op dit thema haat, want hij heeft het er nog over,' Dr Cade sloeg het papier om, 'op de volgende bladzijde. *Het hoogtepunt ervan,* zegt hij, *zal zijn hem te vernietigen.*'

'Hem te vernietigen,' herhaalde Andrew. 'Hij bedoelt dat hij zijn rivaal zal doden.' Andrews ogen vlogen naar Persephone.

'Zoals ik al zei. Zo gevaarlijk als de pest.'

Persephone begon te hoesten. Het was een lange, schorre, aanhoudende hoestbui, die het gesprek onderbrak.

Andrew bleef naar haar kijken. Plotseling kwam er een angstig vermoeden bij hem op. Ze bleef bleek, weggetrokken.

Stalken.

Andrew had het gezegd, in een poging de knappe student uit te hangen, om indruk te maken op de leraar. Maar zonder het te weten had hij zichzelf het antwoord gegeven. Diep ellendig besefte hij dat zijn visioen van Harness van de afgelopen nacht misschien helemaal geen droom was geweest.

'Voel je je wel goed, Persephone?'

'Ik voel me prima.'

'Weet je het zeker? Hoe voelt je borst?'

'Mijn borst?'

De groep keek Andrew aan, verbaasd over zijn vraag.

'Je hoestbui,' zei hij, ter verduidelijking.

'Ik voel me uitstekend,' zei ze geïrriteerd.

'Ik maak me ongerust over je. Je ziet er niet goed uit.'

'Doe niet zo mal.'

'Zal ik verdergaan?' vroeg Dr Cade.

Met tegenzin knikte Andrew, maar zijn ogen bleven Persephone zoeken om te zien of er verandering optrad, terwijl hij luisterde naar de opmerkingen van Dr Cade.

'En hier,' baste Dr Cade, 'hebben we de laatste brief van deze buitengewone reeks, gedateerd juni 1809, precies een maand voor Byron scheep gaat naar Portugal. De meest hartstochtelijke van allemaal. Als dat het juiste woord is. *Liefste – Je gaat naar SD.* Weet niet zeker wat dat is. SD? Klinkt als een plaatsnaam, maar ik kon geen zinnige betekenis vinden. *HIJ komt met je mee. Ik weet het. H heeft me geschreven en me alles verteld. Ik zal alle kracht die me nog rest, verzamelen. Ik kom naar je toe. Daar waar we elkaar ooit ontmoet hebben, zal ik je vinden, hem vernietigen, en dan komt alles goed.* Je hebt het zojuist heel goed gezegd.' Cade knikte tegen Andrew. 'Hij is een stalker. Een negentiendeeeuwse stalker. Ondanks al Byrons tekortkomingen kun je begrijpen waarom hij Harness ontliep. De jaloezie van de jonge man maakte hem letterlijk gek. *Ik zal je vinden, hem vernietigen...* dat laat weinig ruimte voor een metaforische interpretatie. Het is een doodsbedreiging.' Cade gooide zijn leesbril op de tafel. 'Toch blijven we nog met veel vragen zitten. Wie was die andere minnaar? En, praktischer, hoe kwamen al deze brieven bij elkaar op Harrow terecht? En wat is SD?'

Persephone mompelde zwakjes.

'Wat is er?' vroeg Dr Cade luid, zonder enig meegevoel.

Persephone begon weer te hoesten.

'Water,' zei Andrew. 'Is hier ergens iets voor haar te drinken?'

'Boven. Het fonteintje,' zei Lena.

Andrew rende de trap op, paniek bonsde in zijn hoofd. Even had hij het gevoel dat hij krankzinnig werd. Persephone was ziek. De ziekte kreeg haar nu, op dit moment, in haar greep. Zijn handen trilden toen hij in de drukke bibliotheek een papieren bekertje met water vulde. Hij nam het voorzichtig mee naar beneden, terug naar de vergaderkamer. Ja, ze zag beslist bleek. Toch bleven al die mensen rustig zitten. *Natuurlijk. Zij hebben niet gezien wat jij vannacht gezien hebt,* zei hij bij zichzelf. Hij gaf Persephone het bekertje. Dankbaar dronk ze het water op.

'Sprekersdag,' kon ze eindelijk schor uitbrengen.

'Sprekersdag?' herhaalde Dr Cade. Hij gooide zijn hoofd achterover alsof hij op het plafond naar de betekenis van het woord zocht.

'Sprekersdag. Op Harrow,' legde Andrew, die het opeens begreep, uit. 'Het is een soort diploma-uitreiking, aan het eind van het schooljaar. Een groep seniors... Zesdeklassers... leren toespraken uit hun hoofd en houden die. Byron en Harness kunnen elkaar tijdens dat weekend ontmoet hebben, zoals... zoals oude vrienden elkaar ontmoeten bij een reünie.'

'Je gaat naar SD.' Cade herhaalde de woorden voor zichzelf. 'Naar Sprekersdag. Ja, natuurlijk. Die is toch in de zomer?'

'Begin juni. Dus ze zouden elkaar teruggezien hebben op Harrow, tijdens Sprekersdag, in 1809,' zei Andrew, die nu alle stukjes in elkaar kon passen. 'Daar moeten ze de brieven hebben uitgewisseld.'

'Die ontmoeting moet meer een gevecht geweest zijn,' verklaarde Cade, die de brieven in zijn hand hield. 'Na dit alles.'

Lena wierp tegen: 'Maar dit zijn alleen brieven van Harness, dat weet ik zeker. Allemaal in hetzelfde handschrift.'

'Heel juist. Er was geen *uitwisseling* van brieven. Byron gaf Harness diens brieven terug!' riep Cade uit. 'Ze waren giftig. Wie zou ze willen bewaren?' Hij werd steeds enthousiaster. 'En het verklaart de verpakking. Hij zal geen lintje om deze brieven gebonden hebben. En hij zal niet gewild hebben dat zijn vrienden op Harrow ze te zien kregen. Dus hij gaf de brieven terug... in een koektrommel. Waarschijnlijk heeft hij die gekocht in een plaatselijke winkel, of in de buurt van zijn logeeradres in Harrow. Een haastig aangeschafte verpakking. Gelukkig voor ons – een luchtdichte!' Cade grinnikte opgetogen. 'Dit is goed! Heel goed!'

Hij deed zijn mond open om meer vragen te stellen, maar hij kon niets zeggen, omdat Persephone weer hard begon te hoesten. Het duurde deze keer heel lang; kuchend, raspend, het ging maar door toen haar longen zochten naar de verstopping, maar die niet vonden. Persephone klapte dubbel.

Andrews maag draaide zich om. Dit was het dus. Hij had het zowel goed als fout gehad. Goed, omdat hij het visioen had gehad en intuïtief wist dat Harness Persephone had besmet. Fout, omdat hij niet onmiddellijk had ingegrepen.

Op de gezichten van de andere aanwezigen stond walging en meegevoel te lezen toen eindelijk – eindelijk de verstopping leek te zijn gevonden. Er kwam iets naar boven, haar gezicht vertrok, en zonder dat ze tijd had om een zakdoek te pakken spuwde ze vloeistof in haar handpalm. Ze nam haar hand voor haar gezicht weg en keek ernaar.

Agatha was de eerste die iets zei. 'O, mijn god! Persephone!' krijste ze. 'Het is bloed! Andrew! Persephone heeft bloed opgegeven!'

Andrew sprong op Persephone af, hij en Agatha bogen zich onmiddellijk over haar heen, starend naar de hand die Persephone uitgestrekt hield. Ze trok hem nu terug, in een poging het te verbergen. Een plasje bloed, helderrood en glanzend.

'Het is niets,' zei ze zwakjes. 'Maak je niet zo druk.'

'We maken ons wel druk,' protesteerde Agatha. 'Je zag er de hele morgen al vreemd uit. We kunnen nu beter gaan. We gaan naar mijn kamer, dan kun je gaan liggen. Sorry, Dr Cade.' Ze haalden Persephone over om op te staan. Professor Cade bleef zitten, teleurgesteld; zijn toehoorders stapten op. Lena Rasmussen fluisterde tegen hem – *ik moet deze terug hebben, sir* – ze nam de kostbare brieven van hem over, legde ze voorzichtig weer in de doos en verdween daarna tussen de rollende schappen. Toen werd het chaotisch, de groep verdrong zich om Persephone om haar door de gang met de hoge planken naar de trap te loodsen.

'Ik neem haar mee terug naar Londen,' zei Andrew.

'Londen?' protesteerde Agatha.

'Ze moet naar het ziekenhuis.'

Andrew sloeg zijn armen om Persephone en leidde haar de smalle trap op, door de bibliotheek met de studenten, waar ze veel bekijks hadden, en daarna naar buiten, de stille zuilengang in. Andrew en Agatha namen hun vriendin mee over de binnenplaats, terug naar Trinity Street. Plotseling leek het een lange wandeling.

'Gaan jullie echt weg?' riep Dr Cade uit, die hen met Lena naar buiten was gevolgd.

'Het spijt me, sir,' riep Agatha over haar schouder. 'Dank je wel,' liet ze er tegen Lena op volgen.

Andrew hoorde dat Cade hen met zijn zware stem achterna riep: 'Jullie moeten weten dat ik van plan ben om dit te publiceren!' Hij voegde er nog aan toe: 'Hoe kan ik je bereiken?' Ze gaven geen antwoord. Toen ze aan de overkant van de binnenplaats bij de poort waren gekomen, riep hij weer iets, het had een wanhopige klank: 'Wil je de eer voor de ontdekking?'

Andrew hield zijn armen om Persephone geslagen. Hij bleef zich naar haar toe buigen om naar haar gezicht te kijken, om te zien of het bleker werd, om te horen of ze oppervlakkig ademde, om te zoeken naar dingen waardoor ze eruit zou zien als Roddy, die lucht uit die zwarte boksbal zoog of zijn leven ervan afhing, of als Theo – *niet aan denken* – zoals die daar koud en stijf lag, een beetje paars, met grind op zijn wenkbrauwen. Agatha bestookte hem mopperend met raadgevingen als – *er is een eerstehulppost waar we in tien minuten kunnen zijn* – maar hij lette er niet op. Hij wist wat hem te doen stond.

Andrew sleepte en droeg Persephone door de straten waar ze de vorige avond zo snel doorheen waren gerend. Nu leek de route naar het station eindeloos. Een marktplein vol mensen, maar niemand bood aan om te helpen. *Het komt goed, ik weet waar ik je naartoe moet brengen,* zei hij tegen haar. *Je bent overbezorgd,* fluisterde ze, maar toen kreeg ze weer een aanval van verstikkende hoestbuien, zodat ze voorovergebogen op straat bleef staan. Voetgangers liepen in een wijde boog om hen heen, vol afkeer, alsof ze een of ander verlopen stel waren – *drugsgebruikers, naalden, hiv!* Het leek wel of de mensen het wisten, of ze aanvoelden dat dit symptomen waren die verdergingen dan een normale verkoudheid of een hoestbui. *Heb je weer bloed opgegeven?* vroeg hij wanhopig. *Ik geloof het niet,* antwoordde ze.

Eindelijk waren ze bij het station. Hij liet haar achter op een bank, met Agatha – die een eindje terug was opgehouden met protesteren, en nu niets anders deed dan achter hen aan lopen of om hen heen draaien – terwijl hij naar binnen rende om op de borden met de dienstregeling te kijken. De volgende trein vertrok om 12.55 uur. Het was nu 11.57 uur. Bijna een uur. Hij kreeg een brok in zijn keel van angst. Hij kon geen uur wachten. Hij holde weer naar buiten. Persephone was, gelukkig, rechtop blijven zitten en ze had weer die zelfstandige, onafhankelijke houding aangenomen, met in elkaar geklemde handen, opgetrokken schouders, gesloten ogen en in zichzelf gekeerd. Maar haar gezicht had weer dezelfde bleke kleur als van kaas – *Weet je wat caseose is?* had Dr Minos gezegd. *Wanneer je longen in kaas veranderen* – die Roddy's gezicht had. Andrew deed zijn uiterste best om de paniek van zich af te zetten. Hij moest nadenken. Hij kneep zijn ogen stijf dicht.

Toen hij ze weer opendeed zag hij een taxistandplaats.

Hij rende naar een van de auto's, een slanke, grijze wagen, en bukte zich naar het openstaande raampje aan de kant van de chauffeur.

'Ik moet naar Londen,' zei hij.

De chauffeur was een slanke jongeman met een hoekig, Oost-Europees gezicht. Hij schonk Andrew een twijfelachtige grijns. 'Dat gaat je honderd pond kosten.'

'Kan ik met een creditcard betalen?'

Dat kon.

Andrew holde terug naar de bank. Voorzichtig trok hij Persephone overeind, en nam haar over het trottoir mee naar de taxi, waar hij haar op de achterbank installeerde.

'Wat ga je doen?' vroeg Agatha.

'Ik breng haar naar een ziekenhuis in Londen. Daar zijn ze gespecialiseerd in...'

'Waarin, Andrew? Wil je me niet vertellen wat er aan de hand is?'

'Ze heeft tuberculose.'

'Tuberculose?' riep ze uit. 'Hoe... hoe weet je dat?'

'Het heeft te maken met waar we met Vivek over gepraat hebben,' zei hij. 'Lang verhaal. Ik bel je later, dat beloof ik.'

Ze namen snel afscheid en de taxi reed langzaam Cambridge uit, terwijl Andrew het verkeer wel opzij had willen duwen. Hij wachtte de triljoen jaar die zijn mobiele browser nodig had om een zoektocht naar het Royal Tredway in Londen te downloaden. Hij gaf de chauffeur het adres. Toen de auto de verkeersstroom op de snelweg in dook en het tempo verhoogd werd, leunde hij eindelijk achterover. Persephone drukte zich tegen hem aan en ze sloeg haar armen om zijn onderarm. 'Dank je,' zei ze. 'Ik weet niet wat ik zonder jou had moeten doen.'

'Om te beginnen zou je dan gezond geweest zijn,' zei hij.

'Nee,' protesteerde ze.

'Ik weet wat er gebeurt,' vertelde hij haar. 'Harness besmet mensen. Maar niet lukraak.'

'Hoe dan? Waarom?'

'Ik...' Andrew keek naar haar bleke gezicht. Er zat nog een bloedvlek op haar onderlip. Zijn hart kromp in elkaar van medelijden. 'Je moet rusten.'

'Ik wil het weten, Andrew. Je kunt het niet voor me verzwijgen.'

'Vannacht... heb ik Harness gezien. In onze kamer.'

Persephones gezicht betrok. 'De geest? Hier?'

'Hij heeft je besmet. Met opzet.' Er flitste twijfel over haar gezicht, gevolgd door angst. Andrew ging verder. 'Hij is jaloers.'

'Jaloers?'

'Weet je nog wat er in de brief stond? *... hem vernietigen en dan komt alles goed.* Hij denkt dat ik Byron ben. En iedereen met wie ik omga... besmet hij. Zo is Theo gestorven.'

Persephone ging rechtop zitten. 'Theo?' vroeg ze. *'Roddy?'*

'Ik heb tijd met hen doorgebracht,' bevestigde Andrew. 'Harness is op zoek naar minnaars. Concurrentie. Die rivaal met wie hij een obsessie had.'

'Ik ben geen man!' zei ze verontwaardigd.

'Dat weet ik.' Andrew kon erom grinniken. 'Maar...' zei hij, toen het opeens tot hem doordrong, 'je haar.'

Ze raakte haar korte krullen aan. Hun eendere kapsel. 'O, god.'

'Gaat het?' vroeg hij teder. 'Je lijkt een beetje...'

Hij had willen zeggen *beter.* Hun gesprek – ergens zo gewoon – had hem een moment van hoop geschonken, of tenminste een moment van ontkenning. Maar hij had zijn mond moeten houden, dacht hij kwaad. Zodra het woord *beter* zich in zijn keel vormde begon Persephone hevig te hoesten, zo oncontroleerbaar dat haar ogen in paniek wijd openvlogen, alsof een of ander vreemd wezen probeerde zich een weg uit haar lichaam te vechten. Ze sloeg haar hand voor haar mond om die te bedekken, maar het kwam toch naar boven, het spatte tussen haar vingers door op Andrews jasje. Bloed.

Twee kommen bloed.

'O mijn god!' riep hij. Het kleefde aan hem. Alsof hij geraakt was door een ballon die gevuld was met water.

'Wat is het?' vroeg ze verschrikt, hoewel het duidelijk was; het droop van haar hand; het plakte aan haar lippen.

'Wat is er achterin aan de hand?' wilde de chauffeur weten.
'Schiet nou maar op,' verzocht Andrew hem dringend. 'Schiet alsjeblieft op.'

19

Alles komt goed

Op de afdeling Spoedeisende Hulp krioelde het vandaag van de mensen; het hoorde bij het jaargetijde, verklaarde de triageverpleegkundige knorrig. *Huisartsen raken overbelast met patiënten met bronchitis en longontsteking en sturen ze door naar ons – dus dan raken wij overbelast.* Andrew kwam snel met de woorden *bloed opgehoest* om haar aandacht te trekken. Hij liet het volgen door *Onze school heeft bezoek gehad van de Gezondheidsinspectie, ze zijn bang voor een uitbraak van tb,* om haar van haar stoel te laten opspringen. Ze liep de gang in achter de triagekamer, waar ze overleg pleegde met een andere zuster; de woorden 'dokter Minos' werden uitgesproken, en de eerste zuster kwam terug met de opdracht dat Persephone een mondkapje moest opzetten. Ze nam hen mee naar een van de behandelkamers, waar ze op Dr Minos moesten wachten. De verpleegkundige keek behoedzaam naar de bloedvlekken op Andrews jasje en broek, en ze hielp Persephone met het aantrekken van een ziekenhuishemd.

'Ik ga de dokter halen. Willen jullie alsjeblieft niet uit deze kamer weggaan?' zei de zuster waarschuwend. Daarna ging ze weg.

Andrew en Persephone bleven een poosje zitten zonder iets te zeggen, Persephone op de onderzoekstafel, met haar rug tegen de muur geleund.

'Hoe voel je je?' vroeg Andrew voor de vijftigste keer sinds ze uit Cambridge waren vertrokken. Het was dom, maar ergens hoopte hij dat ze overeind zou springen, tegen hem knipogen en vrolijk zeggen: *Weer helemaal beter.*

'Pijn in mijn borst.' Ze huiverde.

Opnieuw bleven ze zwijgen, deze keer een lange tijd. Persephone kreeg een hoestbui. Eerst leek die snel over te gaan, maar toen hoestte ze nog een keer. Meer bloed. Dit begon op een nachtmerrie te lijken. Er zaten rode vlekken op haar witte mondkapje. Ze maakten het los, voorzichtig, alsof het bloed giftig was. Andrew negeerde het bevel om in de kamer te blijven, hij holde de deur uit en riep om hulp. De triageverpleegkundige kwam terug en toen ze de toestand zag waarin Persephone verkeerde begon ze haar snel schoon te maken. Andrew voelde zich nutteloos, ellendig. Zijn mobieltje ging over, het meldde dat hij een voicemail had. Hij keek op het schermpje. Het waren er zelfs drie. Dit kon niet goed zijn. Ondanks de vele waarschuwingen dat er op de Spoedeisende Hulp geen mobiele telefoons gebruikt mochten worden, hield Andrew het toestel heimelijk bij zijn oor.

Andrew, met Piers. Ik ben in je kamer... en die is leeg. Bel me.

De tweede was hetzelfde, alleen was Fawkes' stem een halve octaaf hoger.

Andrew... waar ben je? Het is zondagavond. Neem contact met me op. Alsjeblieft. Zo snel mogelijk.

De derde had een ernstiger toon:

Andrew, met Piers. Maandag. Het verhaal over Roddy gaat de hele school rond. Ze weten dat het tuberculose is. Father Peter is er niet, verdomme. Jij bent de enige die kan helpen met de geest en al die opschudding. Ik dek je in de hoop dat je op Trinity bent en dat je iets goeds vindt. We hebben bijna geen tijd meer. Kom terug!

Duizelig hield Andrew de telefoon een eindje bij zijn oor vandaan. De zuster had Persephone weer op de onderzoekstafel gelegd. Het meisje was lusteloos, op haar gezicht was geen spoortje schoonheid of opgewektheid meer te zien.

Op dat moment kwam Dr Minos binnen, met zijn glimmende schedel en zijn door dikke wimpers omrande ogen. Andrew klapte zijn telefoon dicht. De dokter liep naar Persephone zonder Andrew ook maar een blik waardig te keuren. Hij zette zijn mondkapje op, maakte dat van het meisje weer los en begon vragen te stellen met een zachte, kalmerende stem. Hij drukte zijn stethoscoop op Persephones borst. Dr Minos fronste zijn voorhoofd. Hij leek te snel te hebben gevonden wat hij zocht. Hij gaf de verpleegkundige een reeks opdrachten. Ze knikte en daarna verdween ze haastig.

Dr Minos wendde zich tot Andrew. 'Ik herkende je bijna niet zonder je uniform,' zei hij. 'Je was gisteren hier. Voor de tb-tests.'

'Hallo.'

'Ik neem aan dat je de bordjes hebt gezien over het gebruik van mobiele telefoons,' zei de dokter. 'Maar regels lijken op jou niet van toepassing te zijn, hè?'

Andrew begon bang te worden.

'Is dit je vriendin?' vroeg de dokter.

Andrew aarzelde. Hij had het gevoel dat alles wat hij zei, bezwarend voor hem zou zijn.

'Als ik het me goed herinner, had je op je school terug moeten zijn, niemand mogen zien, nergens heen mogen gaan. Toch ben je hier in het centrum van Londen met een andere zieke, je vriendin. Ik heb het je gisteren toch gezegd, of niet? Over onvrijwillige opsluiting?' De ogen van de dokter schoten vuur. 'Ik heb je gezegd dat ik je, als je niet luisterde naar wat ik zei, op de isoleerafdeling zou laten opnemen.' Andrews ogen werden groot van schrik. 'Wel, ik geloof dat je nu wel aan mijn criteria beantwoordt.' De woorden kwamen er afgebeten uit, met onderdrukte woede. Hij knikte in de richting van Persephone. 'Ze is er slecht aan toe.'

'Dat weet ik.'

'Ben je nu ook al dokter? Laat me je arm zien.' Voor Andrew een voet kon verzetten kwam de dokter dicht bij hem staan, om hem tegen te houden. 'Trek je jasje uit.' Andrew deed het. 'Rol je mouw op.'

Dr Minos hield Andrews pols stevig vast en wreef over de plek waar Andrew de vorige dag een injectie had gekregen. Daarna keek hij Andrew verrast aan.

'Wat is er?' vroeg Andrew. 'Is het erg?'

'Niets,' zei de dokter verbaasd. 'Als de test positief is ontstaat er een bult. Je huid is glad.' Hij fronste opnieuw. 'Doet er niet toe. In vijftien procent van de gevallen krijgen we een foutieve negatieve uitslag. En ik heb je bloedmonsters.' Nijdig keek hij Andrew aan. 'Ik hou je in elk geval hier. Zodra we haar hebben geïnstalleerd begin ik de papieren in te vullen. Jij blijft waar je bent.'

'Dat kan niet!' riep Andrew schril uit. 'Ik moet naar school terug!'

'Zodat je de ziekte nog verder kunt verspreiden? Geen kwestie van.'

'Ik moet een essay schrijven!'

Eén ding erover zeggen klonk absurd. Maar alles zeggen – *ik moet een geest beschuldigen van de moord die hij heeft gepleegd, en ik ben de enige die er genoeg vanaf weet om het te doen* – klonk volslagen krankzinnig.

Dr Minos schudde vol afkeer zijn hoofd. 'Niet te geloven,' zei hij walgend.

De zuster kwam terug. Ze trok een kleine trolley achter zich aan waar een hoge tank op stond met een meter en een lange, doorzichtige buis. Ze begon de buis los te wikkelen. Een andere verpleegkundige volgde haar met een rolstoel. Dr Minos pakte een slap, plastic masker dat aan de tank hing en haalde het uit het plastic omhulsel. Daarna bevestigde hij het aan de buis. De zuster begon de zuurstoftoevoer in te stellen. Dr Minos reikte achter Persephones hoofd om het masker vast te maken. Andrew voelde het als een soort schending – dat er met iets zo dierbaars als Persephones haar zo achteloos werd omgesprongen.

Maar hij begon weer logisch te denken.

De dokter en de twee zusters waren afgeleid. Hun aandacht en hun hoogste prioriteit waren voor de zieke patiënte. Andrew zou weg kunnen komen.

Toch aarzelde hij.

Bijna vierentwintig uur was hij onafgebroken bij Persephone geweest, hij had haar aangeraakt, naast haar gelegen. Zijn hele bestaan was veranderd, had zich aangepast aan het feit dat hij haar dicht bij zich had. Het vooruitzicht haar achter te laten deed hem verdriet.

Maar als hij wegging zou hij naar school terug kunnen. Dan kon hij Fawkes en Dr Kahn vertellen wat hij ontdekt had. Zij konden hem helpen de stukken van het verhaal van John Harness in elkaar te passen. Ze zouden hun geïmproviseerde seance kunnen houden bij de Essayclub, de geest oproepen en hem uitbannen. Ze konden Roddy en Persephone redden.

Maar zou het lukken?

John Harness – uitgemergeld, morbide – hing nu als een schaduw boven alles wat Andrew deed. Hij was Andrew van Harrow naar Cambridge gevolgd. Hij had in het verleden een of andere mysterieuze jongeman gewurgd. Hij had in het heden Theo vermoord. Nu was hij er kennelijk op uit om meer moorden te plegen.

Misschien zou ik gewoon weg moeten gaan, dacht Andrew. Vluchten. Ergens op een trein stappen, en de geest meenemen. Of een taxi aanhouden, naar het vliegveld gaan en alles achterlaten. In New York aankomen met niets anders dan de kleren die hij aanhad.

Nee, dat was niet goed. Om te beginnen lag zijn paspoort op school. En hij zou Persephone en Roddy in de steek laten. Hij kon hen hier niet eenvoudigweg achterlaten, nu ze zich zo kwetsbaar aan het leven vastklampten.

Nadat alles geïnstalleerd was, duwden de verpleegkundigen de rolstoel en de trolley met de zuurstoftank de kamer uit, terwijl Dr Minos de deur voor hen openhield. Het trio reed met Persephone de gang op.

Voor het ogenblik was Andrew vergeten.

Hij klemde Persephones kleren tegen zijn borst. Dit was het moment van de beslissing. Achter het groepje aan glipte hij de deur uit. Waar de anderen rechts afsloegen, ging hij naar links. Hij liep naar het punt waar twee gangen elkaar kruisten, op tien meter afstand. Koud licht viel door de deuren van de hoofdingang naar binnen. Hij gooide Persephones kleren op een informatiebalie. De man die erachter zat wierp hem een vragende blik toe. Andrew zette een sprint in. De man stond op en riep iets naar hem. Andrew bereikte de deuren en rende naar buiten. Koude lucht viel op hem. Het lawaai, de verkeersstroom. Een open doorgaande weg. De hemel. *Kies welke kant je op gaat.* Hij sprong de treden af. Hij bereikte de hoek. Over enkele ogenblikken zou hij opgaan in de stedelijke wildernis. Hij stak de straat over en begon te rennen. Terwijl hij zich voorthaastte haalde hij zijn mobieltje uit zijn zak en stuurde haar met onhandige vingers een sms'je, zijn ogen vulden zich met tranen en zijn duimen spelden de woorden verkeerd

Ik heou vn je
I hou vanj
Ik hou van je

Hij keek om, om zeker te weten dat hij niet achtervolgd werd door een ambulance of iemand in een witte jas. Hij moest terug naar Harrow. Als hij Harness wilde tegenhouden, moest hij dichter bij SD – Sprekersdag – zien te komen. Hij moest begrijpen wat Harness had gedaan. Wie en waarom hij had gedood, op die dag in juni, tweehonderd jaar geleden.

... zal ik je vinden, hem vernietigen, en dan komt alles goed.

Deel III

En een luchtgeest
Heeft je gewurgd met een strik

20

Waar is hij nu?

'Waar is hij nu, Piers?' vroeg de rector, op de toon die hij nu altijd aansloeg tegen de huismeester van de Lot: een mengeling van ergernis en minachting. Fawkes was, in de loop van één academisch jaar en twee maanden, in status gedaald, van de Belangrijke Dichter van Harrow tot het niveau van een ongeletterde werkster, zo stom en nutteloos dat alle vragen schreeuwend en luid gesteld moesten worden om nog enige hoop te koesteren dat ze tot hem doordrongen.

Fawkes werd overvallen door angst en schuldgevoelens. Het was een nachtmerrie.

Mijn god, ik verdien het om zo te worden toegesproken. Ik heb er geen antwoord op! Niet alleen heb ik een van mijn jongens gedood... een andere ziek gemaakt... nu ben ik een derde kwijtgeraakt.

'Wat zei je?' zei Fawkes, om tijd te winnen.

'Let in godsnaam op. Waar is de jongen?' Weer aarzelde Fawkes, zijn mond hing open. Colin Jute dacht ten onrechte dat hij hem niet had begrepen. 'Andrew Taylor!' barstte hij uit. 'Je weet toch zeker wel waar hij is?'

Fawkes wist al dat hij het minst welkome lid was van de haastig bijeengeroepen raad die nu het kantoor van de rector vulde. Hij stond achterin, zich verschuilend tegen de muur, naast de foto's van Jutes aan tennis verslaafde kinderen. Hij probeerde te voorkomen dat hij ze met een harde klap op de vloer liet belanden en daarmee Jute nog meer minachting zou ontlokken. Het was stampvol in de kamer; er waren extra stoelen neergezet. Twee consultants van de Gezondheidsinspectie hadden ereplaatsen gekregen: de twee namaak-Louis XIV-leunstoelen voor Jutes bureau. Miss Palek was een van hen, ze zat rechtop en onverstoorbaar, met haar golvende zwarte haar en haar koffiebruine ogen. Deze keer werd ze vergezeld door een oudere, opgeblazen man met wit haar en een kaal kruintje. In het begin verleende zijn aanwezigheid iets van gewicht en ernst aan de rol die de regering hier speelde, tot Fawkes wat beter keek en opmerkte dat zijn boord twee maten te groot was, en dat hij op zijn stoel zat te wiebelen als een Vijfdeklasser. Hij was een pure bureaucraat. Toen de man zich voorstelde als Ronnie Pickles, kon Fawkes niet voorkomen dat er een schooljongensachtige grijns op zijn gezicht verscheen.

Op de bank zat de directeur Communicatie van de school, Georgina Prisk, dertig jaar en blond (en schitterend, zag Fawkes mistroostig; een stralende huid, volle lippen, grote blauwe ogen), die van opwinding op haar pen zat te kauwen. Eindelijk een drama waar ze haar talenten voor kon inzetten! Sir Alan was verhinderd om aanwezig te zijn en de faculteit te vertegenwoordigen. (Hij moest *zich bezighouden met familieomstandigheden*, had Jute vaag gezegd, waardoor Fawkes opnieuw werd opgeschrikt, omdat hij zich afvroeg of Andrews afwezigheid en die van Sir Alan mogelijk met elkaar in verband stonden. Hij had Persephone ook niet kunnen bereiken op haar mobieltje. Het kan niet waar zijn, probeerde hij zichzelf gerust te stellen; zo veel pech zal ik niet hebben. Vast niet.) In plaats van Vine had Owen Grieve, huismeester van Rendalls, een meter vijfennegentig, somber en onbuigzaam als een Frankenstein, naast Georgina plaatsgenomen op de met velours beklede bank.

Eveneens aanwezig waren Mr Montague, de schalkse, sardonische assistent-huismeester, en Dr Rogers, de gedrongen dokter met de harige handen, die de leiding had over de ziekenboeg. Father Peter, vermeldde Jute, werd nog verwacht. Bij het horen van die woorden kreeg Fawkes weer hoop en hij bleef voortdurend luisteren of hij de deur achter zich hoorde.

Jute, die de leiding van de vergadering op zich nam, had op een hoek van zijn bureau plaatsgenomen, om zijn positie als aanvoerder van zijn haastig bijeengeroepen taskforce duidelijk te maken.

Hij gaf een overzicht van de situatie. Een jongen dood. Een jongen ziek. Twee jongens die mogelijk de ziekte onder de leden hadden. Een van deze twee verbleef nog in de school.

'Zijn de ouders van je huisoudste hem komen halen?' Jute vuurde de vraag op Fawkes af.

'Ja. Vanochtend.'

'Zet dat ook maar aan de debetzijde, Georgina. Huisoudsten die van het toneel vluchten.' Jute wierp Fawkes een wrange blik toe.

Telefoontjes van ouders stroomden binnen, vervolgde hij. Vragen van de media...? Hij stak zijn kin uit in de richting van Georgina.

Ze had haar aantekeningen bij de hand: *de* Harrow Observer: *hun medisch verslaggever,* zei ze. Times. UK News. *Die moeten ons toch al niet. Een van die laffe Labour-journalisten... Sky TV. Zij hebben gedreigd met een reportagewagen te komen.*

'Wij moeten met een reactie komen. En om ons te helpen,' zei hij, wijzend naar Miss Palek en Mr Pickles, 'zijn onze vrienden van de G... I...' – Jute galmde de initialen luidkeels uit, alsof het acroniem op zich angst en beven verdiende – 'hiernaartoe gekomen met het doel om ons advies te geven: zal Harrow, voor het eerst in zijn geschiedenis, om gezondheidsredenen gesloten moeten worden?'

Owen Grieve mompelde iets en vroeg Miss Prisk of ze het voor hem wilde herhalen – had hij het goed verstaan? De school sluiten? Montague, wie – niets voor hem – de ontstelde toon was ontgaan, greep de gelegenheid aan om Jutes kennis van de schoolgeschiedenis te corrigeren, maar niemand luisterde naar zijn opmerkingen over het sluiten van de school in 1840, wegens difterie.

Miss Palek deelde hun mee – op een fluwelige toon die zo zacht was dat ze gedwongen waren om stil te zijn en zich in te spannen om haar te verstaan – dat de Gezondheidsinspectie er geen belang bij had om de school te sluiten. Eerlijk gezegd werd er sterk op aangedrongen om open te blijven.

Jute stak voldaan zijn kin naar voren. 'Ik zou met niets anders hebben ingestemd,' verklaarde hij.

'Het is logisch,' zei ze. 'Sluiting van de school zou betekenen dat kinderen over verschillende delen van Engeland, of zelfs daarbuiten, zouden uitzwermen. Dan zou u de ziekte verder verspreiden. Het zou u verantwoordelijk kunnen maken voor een pandemie.'

Jute verzuurde zichtbaar.

Ronnie Pickles leunde naar voren. 'Het beste besluit,' zei hij – er klonk iets van een Cockneyaccent in door, hoorde Fawkes – met de bijtende intonatie van een menselijke jackrussellterriër, 'zou zijn om de Gezondheidsinspectie toestemming te geven haar onderzoek af te ronden. Wat we nodig hebben is een *lockdown*,' verklaarde hij, 'dat wil zeggen dat niemand het terrein van de school mag verlaten. We zullen bij iedere student huidtests moeten doen. Nu meteen. Daarna weer na acht tot twaalf weken. Voor degenen met een positieve uitslag? Een speciale kuur...'

'Lockdown?' bulderde de rector.

'Twaalf weken?' herhaalde Montague ontzet.

Er brak een pandemonium uit. *Hoe gaat het in zijn werk? Kunnen de lessen doorgaan? Mag niemand de school verlaten? Wat moeten we tegen de ouders zeggen?* Pickles verbleekte; hij leek verrast dat hij niet geprezen werd voor zijn grondige, rigoureuze plan.

Het belangrijkste is, zei Georgina, *dat we dit op zo'n manier brengen dat we het geen lockdown noemen, we noemen het helemaal niets. We brengen geen aankondiging naar buiten...*

Wat zijn dat voor huidtests? Dr Rogers moest schreeuwen om zich verstaanbaar te maken.

Pickles begon te antwoorden, maar Jute bulderde boven iedereen uit en bracht weer orde in de kamer. 'Genoeg, genoeg.' Hooghartig legde hij Ronnie Pickles uit dat Harrow niet gesloten zou worden en dat er geen huidtests zouden worden gedaan. *Dit is een school, geen ziekenhuis.* Pickles stond op om zich te verdedigen. Hij richtte zich tot de andere aanwezigen. 'Misschien kan iemand dan met een alternatief komen?'

Dat kon Miss Palek. Ze hadden de binnenste cirkel voor de laatste bevestigde infectie geïdentificeerd, zei ze – de jongens in het huis dat bekendstond als de Lot. (Ze knikte naar Fawkes. Jutes frons werd dieper.) De praktijk leerde dat ze hun acties konden beperken tot de jongens die al geïdentificeerd waren. De jongens in kwestie waren getest.

Nu was het nog slechts een kwestie van wachten op de uitslag van deze tests. De uitslag van het belangrijkste bloedonderzoek werd de volgende dag verwacht. Ze hadden vierentwintig uur waarin de ouders en de school in onzekerheid zouden verkeren. Dit was de moeilijkste periode. Die twee jongens naar huis sturen gedurende deze tijd – en alleen die twee jongens – was de beste optie.

Echter, liet ze erop volgen, een van de jongens kwam uit Amerika. (Fawkes knikte bevestigend.) Dat had tot gevolg dat het niet praktisch zou zijn om hem naar huis te sturen. Een patiënt die vermoedelijk besmet was met tb zou nooit op een commerciële vlucht mee mogen. Dat had weer tot gevolg... ze moest even nadenken... misschien kon er voor deze Amerikaan een andere regeling getroffen worden, alleen voor de eerstkomende vierentwintig of achtenveertig uur, die de ouders tevreden zou stellen, en tegelijkertijd zulke extreme maatregelen als het testen van de hele school zou voorkomen?

De vergadering nam deze redelijke woorden in zich op.

'Waar is hij nu, Piers?' vroeg Jute.

Fawkes werd vuurrood.

Hij had er geen idee van waar Andrew Taylor was.

De vorige avond had Fawkes een knagende onzekerheid gevoeld. Hij was nerveus, na een dag van ziekenhuizen en ernstige waarschuwingen. Hij wilde Andrew zien, om zeker te weten dat de jongen niet getroffen was door deze verwoestende ziekte. Hij was naar de Lot gegaan via de donkere gang die het appartement van de huismeester met het onderkomen van de jongens verbond. Het was stil in het huis. Hij stampte de trappen op naar de derde verdieping (begon te hijgen, maar herstelde zich), waar hij stopte om met Rhys te praten, die aan het pakken was: zijn ouders stonden erop dat hij naar huis kwam.

Andrews kamer was donker en maakte een onbewoonde indruk. De gordijnen waren open, hoewel het buiten al uren donker was. Hij belde naar Andrews mobieltje. Liet een bericht achter.

Uren later ging hij er nog een keer kijken, met hetzelfde resultaat. Hij sprak weer een bericht in.

Fawkes sliep slecht. Hij haalde zich van alles in het hoofd – een ongeluk, misdrijf, een tragedie – en 's morgens ging hij weer naar Andrews kamer, die nog steeds leeg was.

Bij het aanbreken van de dag zette hij Rhys in de Volvo van zijn ouders (hij had gevraagd of ze op een discreet tijdstip wilden komen), en daarna raakte hij in paniek. Hij belde Dr Kahn: hoe heette die vriendin van haar verdomme ook weer, die werkte in de Starling, Nightingale, Phoenix, hoe die bibliotheek van Trinity ook mocht heten. (*Wren,* vertelde ze hem kalmpjes. *Lena Rasmussen.*) Na een aantal keren met de universiteit gebeld te hebben had hij haar nummer te pakken. Hij kreeg een voicemail; en niet zo maar een, een van die geautomatiseerde voicemails waar je totaal niets aan had. *(De persoon die u bereikt hebt in box vijf... nul... nul... vier... is niet beschikbaar.)* Uiteindelijk ging hij zitten, totaal doorgedraaid. Hij stak de ene sigaret na de andere op tot hij er misselijk van werd, en daarna moest hij zich haasten om les te gaan geven over die verdomde Emily Dickinson.

Amerikanen. Ze waren overal, behalve waar ze moesten zijn.

Hij was verloren geraakt in zijn gedachtegang.

'Wat zei je?' zei hij. Het klonk net zo waardeloos als hij zich voelde.

'Let in godsnaam toch eens op!' bulderde de rector. Alle gezichten in de kamer richtten zich op Fawkes. 'Waar is de jongen? Andrew Taylor! Je weet toch zeker wel waar hij is?'

'Natuurlijk. Hij is weer in de Lot. Hij heeft zich schuilgehouden. Als het goed is, is hij vandaag ook niet naar de lessen geweest. Ik heb hem gevraagd om weg te blijven. Begrijp je? Tot de uitslagen van de tests binnen zijn.'

Het was stil in de kamer. Fawkes wist niet zeker of ze hem geloofden. Er was geen reden waarom ze het niet zouden doen. Behalve dan dat hij het verzon.

'Heeft iemand een idee?' daagde Jute hen uit. 'Over waar we hem moeten opbergen? We moeten hem een dag of twee bij de school weghouden. Daar gaat het om, nietwaar? Wil iemand hem in huis nemen?'

Het werd onbehaaglijk stil.

'Ik maakte maar een grapje,' zei Jute, met een vermoeide stem.

'Stuur hem naar The Three Arrows,' stelde Montague voor. 'Dat is een herberg, onder aan de heuvel,' legde hij aan Miss Palek en Ronnie Pickles uit. 'Heel ouderwets en krakkemikkig, hij heeft er zeker voldoende privacy. Er logeren wel eens ouders, met Sprekersdag, maar ik heb er bij mijn weten nooit andere gasten gezien. Hoe die zaak blijft draaien begrijp ik niet. Maar dat is niet ons probleem.'

'Ik ga mee,' kondigde Ronnie Pickles aan. 'Ik zal de locatie bekijken, om zeker te weten dat die geschikt is.'

'Afgesproken. Fawkes, en, eh, Mr Pickles, jullie brengen de jongen naar de herberg.' Jute gebaarde dat ze konden gaan. 'Georgina, Owen, jullie stellen een paar communiqués op. Neem ze met me door. We lichten eerst de collega's in, daarna de ouders...'

Er kwam beweging in de kamer. Mensen stonden op. Ze liepen langs Fawkes met hun hoofd gebogen, of met het strakke lachje dat je een ten dode opgeschreven man zou schenken. Ten slotte bereikte Ronnie Pickles Fawkes; hij wist niets af van Fawkes' precaire positie in de school, en gaf hem een innemend knipoogje.

'Ben je gereed om van je school weer een veilige plek te maken?' zei hij.

'Hmm,' antwoordde Fawkes, en hij liep met hem mee. 'Dus we zijn medeplichtig aan de misdaad?'

Pickles leek verbaasd. 'Misdaad? Je hebt zeker een schuldig geweten. We doen iets goeds!' Hij begon te grinniken en gaf Fawkes een klap op zijn rug.

Ze liepen de donkere, vochtige High Street in. Fawkes bleef talmen, keek op zijn mobieltje, stak een sigaret op. Pickles wachtte geduldig. Fawkes wist niet wat hij moest doen om de situatie te redden. Die ellendige kerel van de Gezondheidsinspectie ging met hem mee naar de Lot. Hij zou zien dat Andrew weg was. Wat dan? Zou Pickles alarm slaan? Een klopjacht beginnen?

Ten slotte, niet wetend wat hij anders nog kon doen, begon Fawkes langzaam door High Street in de richting van de Lot te wandelen. Onder het lopen stelde hij Pickles alledaagse vragen, en gebruikte hij de tijd waarin de man kletste om zijn hersens te pijnigen met zoeken naar uitvluchten.

O, dat is jammer. Hij moet in de bibliotheek zijn!

Waar hij andere jongens met tb zou kunnen besmetten? Zoek iets anders.

O, dat was ik vergeten, hij is op bezoek bij een vriend van de familie, in Londen.

Met de metro? Heel slecht idee!

Te snel bereikten ze de Lot.

'Ik ben nog nooit in zo'n huis geweest,' zei Pickles nieuwsgierig. 'Slaapverblijf van een jongenskostschool. Onderkomen voor rijken en beroemdheden, zeker?'

Fawkes besteeg de trap als een man die het schavot beklimt. Wat zouden ze met hem doen, vroeg hij zich af. Had een overheidsinstelling als de Gezondheidsinspectie de macht om iemand aan te klagen? Voor het in gevaar brengen van de volksgezondheid? Of misschien hadden ze alleen de macht om arrestatie en gevangenisstraf aan te bevelen. 'Sorry,' zei Fawkes, die het opeens erg warm kreeg. 'Kan ik u een kop thee aanbieden? Wat onbeleefd van me dat ik er niet eerder aan gedacht heb! Het is niet bij me opgekomen, en u moet wel...'

'Nee, dank u,' zei Pickles. 'Laten we dit eerst afhandelen. Daarna – misschien een biertje in de herberg.' Weer een knipoog. Fawkes stelde zich somber voor dat hij weer aan de drank zou kunnen raken met deze bureaucraat.

'Hoge trap,' zei Fawkes verontschuldigend. 'Even rusten?'

'Ik red het wel.'

Ze kwamen op Andrews overloop. De kier onder Andrews deur gloeide heldergeel op. Fawkes' hart maakte een sprongetje. 'Ah!' zei hij, en zijn stem klonk een octaaf hoger. 'Daar is hij!'

Fawkes duwde de deur open. Andrew, in schooluniform, zat voor zijn printer, waar hij de vellen papier uit pakte zodra ze verschenen. Hij hield een stapel in zijn hand. Hij draaide zich om, zag zijn huismeester, en sprong overeind.

'Waar zat je toch? We moeten meteen naar Dr Kahn! Persephone is ziek! Ik weet waarom, het is erger dan we dachten...'

Pickles schoof achter Fawkes de kamer in. Andrew klapte dicht.

'Zei je dat er nog iemand ziek is?' vroeg Pickles.

'O.' Andrew was sprakeloos. Fawkes stelde de man van de Gezondheidsinspectie voor, wat Andrew tijd gaf om zich te herstellen. 'Gewoon... iemand in het stuk waarvoor we repeteren, ziet u.' Hij wreef over zijn keel. 'Keelontsteking.'

'Andrew,' begon Fawkes, die hem strak aankeek om hem te dwingen zijn mond te houden. 'Je moet je spullen pakken.'

Vermoedde Pickles iets? De man ging rustig achterin zitten. Andrew nam voor in Fawkes' door sigaretten geteisterde Citroën plaats en staarde voor zich uit. Hij had Fawkes lang genoeg apart kunnen nemen om hem op fluisterende toon te vertellen wat er met Persephone was gebeurd.

'Heb je het aan Sir Alan verteld?' vroeg Fawkes snel, nadat Andrew was uitgesproken.

'Nee! Daar had ik geen tijd voor! Ik ben nog maar net terug.'

'Hij moet het weten.'

'Ze is bij bewustzijn. Ze zal de mensen daar wel vragen of ze hem willen bellen.'

'Waarom ben je gegaan, Andrew? En verdomme, waarom heb je háár meegenomen? Ik had nog zo gezegd...' begon Fawkes kwaad. Maar toen kwam Pickles naar hen toe geslenterd, met een vragende blik, en daarna hadden ze Andrews weekendtas in de auto gezet en de achterklep dichtgegooid.

Schemering daalde neer over de heuvel. Het was een ritje van hoogstens een kilometer, maar in de kronkelende wereld van rotondes en op regelmatige afstand van elkaar geplaatste stoplichten en lange straten zonder trottoir, leek het een lange weg. Elke afstand die hem verder weg bracht van de veel betreden top van Harrow-on-the-Hill voelde als een scheiding, besefte Andrew. Ondanks zijn aanvankelijke indruk dat Harrow geen campus had, had de school er wel degelijk een. Alles bij elkaar genomen bezat de Hill, met zijn keurig geschilderde winkels, zijn ijzeren leuningen en kapellen met steunberen, de vertrouwdheid en de omvang van een heel landschap. Daarbuiten voelde Andrew zich losgeslagen, verbannen uit een beschermd gebied dat een traditionele kennis van eeuwen cultiveerde. Binnen de grenzen ervan vond het verleden een tehuis. Alleen een plaats als Harrow, dacht hij somber terwijl Fawkes de Green Lane af zoefde, kon John Harness een schuilplaats bieden.

Enkele minuten later draaide Fawkes een klein parkeerterrein op naast een zanderige, door uitlaatgassen bevlekte doorgang. Hij trok de handrem aan. 'We zijn er.' Andrew keek op naar de schaduw van de Hill, links van hen, en begreep dat ze slechts in een wijde boog om de noordzijde heen waren gereden. Het torentje van de kapel rees in het donker bijna recht boven hen op.

Het gebouw grensde aan de straat, slechts ervan gescheiden door een stenen muurtje van een meter hoog. Het leek typerend voor Harrow: een vervallen ouderwets bouwsel, met te veel uitbouwtjes voor zijn afmetingen en veel portieken. Het zag eruit of het bij elkaar gehouden werd door dikke lagen glansverf die op het lijstwerk waren aangebracht. Een bord met houtsnijwerk, verlicht door een halogeenlamp, kondigde het met historische zwier aan als The Three Arrows, maar het effect werd tenietgedaan door de langsdenderende vrachtauto's – en, binnen, de roze muren en de kleine ontbijtzaal, ingericht als een bedrijfskantine.

'Je kunt zien waarom ze dit gekozen hebben,' zei Pickles. 'Uitgestorven.'

Een jonge vrouw met een bril op, bij wie er geen lachje af kon, begroette hen bij de balie. Ze pakte Fawkes' creditcard aan en Andrews paspoort.

'Wilt u nog even rondkijken, Mr Pickles?' zei Fawkes. 'U weet wel, de kamers inspecteren?'

'Hm? Nee,' zei de man van de Gezondheidsinspectie. Met zijn handen in zijn zakken stond hij de voor het publiek toegankelijke ruimtes te bekijken als een verveelde toerist. Hij leek alle belangstelling voor de onderneming te hebben verloren. Fawkes vermoedde dat de reden waarom Pickles was meegegaan, was dat hij tegenover de rector een staaltje heldhaftige activiteit had willen laten zien. Nu hij eenmaal hier was, en niets bedreigends aan het hotel had gezien, was hij toe aan een maaltijd. Fawkes hield zich voor dat Pickles een lage ambtenaar was, geen expert in terrorismebestrijding. Het biertje was (tot Fawkes' opluchting) vergeten; Pickles tikte op zijn horloge en vroeg of hij naar zijn auto teruggebracht kon worden, zodat hij naar huis kon.

Fawkes trok Andrew een stukje opzij. 'Gaat het?'

'Ja, met mij is alles goed.'

'Heb je in Cambridge iets gevonden?'

Andrew vertelde Fawkes over de brieven, en wat die duidelijk maakten over de moordzuchtige plannen van Harness.

'Jaloezie. Dat klinkt logisch.' Fawkes beet op zijn nagel. 'Wat ga je nu doen?'

'Aan mijn essay beginnen. Ik heb de map van Harness meegenomen, mijn aantekeningen uit de Vaughan; wat nieuw materiaal dat ik uitgeprint heb van Dr Cades website. Maar ik weet nog steeds niet wie door Harness is vermoord, of waarom hij er zo door bezeten is.'

'Het hoeft niet volledig te zijn. Alleen genoeg om Harness te confronteren met de waarheid over hemzelf en de moord. Het moet dat nieuwe vriendje van Byron geweest zijn, denk je ook niet?'

'Ja,' zei Andrew. Zijn hoofd liep om. 'Oké.'

'Goed zo. Ik kom terug zodra ik deze idioot kwijt ben.'

'Zullen we, Mr Fawkes?' riep Pickles, die demonstratief bij de deur was gaan staan.

Fawkes wuifde naar Pickles.

'Hoe zit het met Father Peter?' zei Andrew.

'Ik kan hem niet te pakken krijgen.'

'Shit.'

'Precies. Red je het wel, hier?'

'Waarom niet,' zei Andrew schouderophalend.

Fawkes overhandigde Andrew de sleutel van zijn kamer, een rechthoekig plastic kaartje dat meer op de sleutel voor het toilet van een restaurant leek. *Kom eraan, Mr Pickles,* riep hij, en hij liep weg om zijn gast mee te nemen. Andrew liep naar de lift. Hij had kramp in zijn maag. Zijn bravoure was puur toneelspel geweest. Andrew vroeg zich af of er nog meer gasten waren. Het was een eenvoudig hotel, een plek voor gepensioneerden met folders in hun hand, die een goedkope reis maakten. Toch was John Harness hem naar vreemdere plaatsen gevolgd. Andrew huiverde. Hij liep terug om Fawkes te zoeken, om hem te vragen niet weg te gaan.

Hij hoorde de banden van de Citroën knerpend het parkeerterrein af rijden. Hij was alleen.

21

Het gezicht onder het kussen

Andrew tilde zijn weekendtas op en stapte in de lift die het meisje hem had aangewezen. Het was een klein hokje, een gemechaniseerde doodkist, met slechts ruimte voor één persoon. Tijdens de rit naar boven voelde hij zich eenzamer dan ooit. Hij was van school gehaald. Niemand, behalve zijn huismeester en een of andere ambtenaar, wist waar hij was. En hij had Persephone alleen in een ziekenhuis achtergelaten, en ze gaf bloed op. *In die woorden – jouw liefde – ligt de zin van mijn bestaan besloten, hier en in het hiernamaals.* Maar dat waren Byrons woorden, niet die van hem... Nee, het waren *Harness'* woorden. Het duizelde Andrew. Het gegons van de lift werd een gebonk. Het plafondlampje verblindde hem. De afstand tussen de verdiepingen kon niet meer zijn dan twaalf tot vijftien meter, maar Andrew had het gevoel dat de rit twintig minuten had geduurd. Hij leunde tegen de wand en probeerde rustig adem te halen, maar de lucht was zwaar, drukkend.

O, nee, dacht hij. Het is dat gevoel weer.

De deur ging open en hij strompelde naar buiten, een donkere, schimmige gang in.

Waarom is er zo weinig licht? Ik zou het tegen de receptioniste moeten zeggen.

Natuurlijk had hij verwacht meer van hetzelfde decor te zien als in de lobby. Roze verf, lijsten van triplex, wollige rode vloerbedekking. In plaats daarvan zag hij

Ik ken deze plek

een smalle gang met een hardhouten vloer. Drie of vier deuren met houten panelen verderop in de gang, met deurknoppen van zwart gedeukt metaal. Witgekalkte muren.

Hij wilde naar links gaan – en deinsde terug. Bijna was hij tegen de rug van iemand die daar stond op gebotst. Iemand in een zwarte jas.

Sorry, ik had u niet gezien

Maar de woorden werden met kracht in zijn keel teruggeduwd, alsof de gang was gevuld met water, wat ademhalen of geluid maken onmogelijk maakte. In de dichte atmosfeer leek voor Andrew slechts ruimte te zijn om stokstijf te blijven staan en toe te kijken.

De gedaante bleef op zijn plaats.

Is hij ook verstijfd, vroeg Andrew zich af.

Maar nee – hij kreeg het gevoel dat deze persoon niet in zijn bewegingen werd belemmerd. Toch bewoog de gedaante niet, omdat hij leek te rusten. Hij leunde met een hand tegen de muur. Zijn schouders gingen op en neer, alsof hij buiten adem was nadat hij

Ik ken deze plek

een trap had beklommen. Ergens achter hem. Een smalle trap, met een houten leuning. Er vlakbij, op de overloop, een wandkandelaar met een kaars.

Andrew had die trap beklommen, in zijn dromen.

zich opgetrokken aan de dunne houten leuning, alsof hij een berg beklom

En met dat besef gebeurden er verscheidene dingen tegelijk.

Ten eerste: de gedaante begon zich naar voren te bewegen, de gang in.

Ten tweede: Andrew kon weer horen. Geluiden drongen tot zijn zintuigen door. Schoenen op hout. Krakend, klossend. Het strijken van de hand langs de muur. Heel zwak. Dan het geluid dat hij het meest vreesde. De vochtige, onnatuurlijke ademhaling van iemand die aan tuberculose lijdt.

Hrch... de uitademing

Hrr hrr hrr hrr hrr... de inademing.

Het begeleidde Harness' voetstappen als de grijns van een traag en behoedzaam monster. Andrew merkte dat hij Harness volgde, werd voortgesleept alsof hij met een touw aan hem vastzat. Het voelde, samen met Harness – alsof ze één geheel waren

Niet Andrew en Persephone – Andrew en Harness!

de golf van angst en opwinding die door hem heen schoot toen hij

zij

voor een van de deuren bleven staan.

O ja het moment is eindelijk aangebroken – ik ben gereed

Hij kreeg moeite met ademhalen. Te veel opwinding.

Hrr... hrr hrr hrr... hrch...

Harness greep naar zijn borst. *Alsjeblieft, niet nu, beheers je.* Hij leunde tegen de muur, liet zijn hoofd tegen het koele, witgekalkte oppervlak rusten, hief zijn ogen op, haalde rustiger adem. Hij moest alle twijfels van zich af zetten, of hij de fysieke kracht had, of de morele kracht, om een leven te beëindigen. Hij kon de jongen in de kamer horen! De figuur die een obsessie voor hem was geworden, als schepsel, als hersenspinsel, als een vlammetje van pure haat zoals de kaars die zijn kamer verlichtte; *die jongen* was nu zo dichtbij dat hij hem kon horen schuifelen en snuffen aan de andere kant van de muur. Dat alleen al was zo'n buitengewoon wonder – het was Harness gelukt, hij had hem gevonden, zelfs in de toestand waarin hij verkeerde – dat het de andere obstakels in het niets liet verdwijnen. De redding was nabij. Hij zou zijn vijand vermoorden. Daarna zou hij gelukzalig kunnen rusten bij zijn minnaar, beschermd, vertroeteld, verzorgd, verpleegd worden tot hij weer gezond was, in de luxe waarvan hij had gedroomd. Het enige wat ervoor nodig was, was wilskracht.

Harness stak zijn hand uit. Raakte de deurknop aan. Koel, glad metaal. De deur draaide... open! De jongen was onachtzaam geweest. Harness had geluk.

En daar was de jonge man. Alleen. Het was schemerig in de kamer, die slechts werd verlicht door het daglicht dat door de gordijnen scheen. Hij stond voorovergebogen in een open koffer te rommelen, op zoek naar iets. De deur viel met een zacht *pok* tegen de wand. De jongen ging rechtop staan. Hij droeg een muts. Hij had lichtbruin haar en een kleine, puntige neus. Hij was inderdaad knap. Grote ogen, dichte wimpers, een roze gewelfde mond. Een bevallig figuurtje.

De kleren pasten hem slecht. Hij was ondervoed, en hij had ruwe handen met vuile, afgebeten nagels. Harness merkte dit alles op met de ogen van iemand die gewend is de sociale status van anderen te beoordelen om te zien hoe hij ze moest benaderen. Zou hij het Harrow-Cambridge-accent gebruiken om hem uit te dagen? Of het onnozele gewauwel van de verkoper? Of het Cockney uit de achterbuurt, om te laten zien dat hij door de wol geverfd was, dat hij zich niet liet intimideren? Hij kon al die stemmen uitstekend nadoen.

Wie ben je? vroeg de jongen.

Een moment van twijfel. Zou hij antwoord geven? Zou hij tegen hem spreken?

Een kille geslepenheid nam bezit van Harness. Hij glimlachte, een en al vriendelijkheid. Hij deed de deur achter zich dicht. De jongen deed niets anders dan hem verbaasd aankijken. Harness keerde zich weer naar hem, deed een stap in zijn richting.

Wat moet je?

De passieve houding van de jongen was in het voordeel van Harness... Hij deed een uitval.

Hij verraste hem volkomen. Hij klemde zijn vingers om de keel van de jongen. Hij was zelfs nog zwakker dan Harness had gehoopt, maar hij was energiek en probeerde tafeltjes omver te schoppen en om hulp te roepen. Ze worstelden, het leek een strijd waar geen eind aan kwam. Ten slotte pakte Harness – die een kort, verrukkelijk ogenblik bevrijd was van zijn oppervlakkige, zompige ademhaling, opgewonden door de bliksemflitsen van de adrenaline – een kussen, smeet het op het gezicht van de jongen, en duwde, en duwde, grommend van triomf en voldoening. *Ja, ja, slik het maar in als je kunt,* de woorden kwamen uit zijn mond (en nog iets anders – kwijl? Ja, dit voelde goed, verrukkelijk) en hij hield vol, *duwde*, zijn tanden op elkaar geklemd in een grijns van plezier, zelfs nadat de jongen was opgehouden met schoppen, omdat Harness genoot van het gevoel van pure overheersing.

Ten slotte ging hij rechtop zitten, volkomen uitgeput. Hij sloot zijn ogen. Hij veegde het vocht van zijn kin.

Hij deed zijn ogen weer open.

Hij had een idee.

Hij zou zijn minnaar *vertellen* wat hij had gedaan. Niet met woorden. Met een boodschap. Een symbool. Met een vermoeide hand trok hij de ring van de ringvinger van zijn linkerhand, waaraan hij die sinds de vorige dag had gedragen. Daarna tilde hij de ruwe, vuile hand van zijn rivaal op – nog warm! – en duwde de ring aan de ringvinger van de jongen. Hij kon hem er slechts halverwege omheen schuiven; het deed er niet toe. Feitelijk was het beter als het er onnatuurlijk uitzag. Zijn minnaar zou het opmerken, en het begrijpen.

Voldaan glimlachend stond Harness op. Zijn lichaam was glibberig van het zweet. Hij begon af te koelen. De adrenaline die hem had meegevoerd (kilometers weg van Londen, in het geheim) begon weg te sijpelen. Het vocht op zijn kin irriteerde hem, het voelde kleverig aan, op zijn hand en tussen zijn vingers. Hij keek ernaar. Bloed. Van hemzelf. Uit een wond? Nee, uit zijn eigen mond. En het bloed was van het soort waar de dokters hem voor hadden gewaarschuwd: dik, rood, kleverig, nat. Het roestkleurige bloed, dat er ouder, korstiger uitzag, was beter. Dit was slagaderlijk bloed.

Zijn euforie ebde snel weg. Hij wankelde. Er stond hem nog één ding te doen: het kussen van het gezicht van de jongen wegnemen en neerkijken op zijn dode vijand. Om de totale triomf te voelen.

Hij stak zijn hand uit naar het kussen dat nog steeds op het gezicht van zijn rivaal gedrukt lag. Hij greep een van de hoeken en trok. Het gezicht. Ja, het begon lijkbleek te worden; ja, de mond was vertrokken, een dood met angst en strijd. Maar dit merkte hij nauwelijks op. Omdat, toen hij het kussen wegtrok, het... lokken haar met zich meetrok.

Er was een speld in het kussen blijven steken. De speld zat vast aan haar. En nu trokken de speld, en het kussen, het haar mee; het werd losgewikkeld tot een lok van wel dertig centimeter.

Verbijsterd staarde Harness ernaar.

Toen begreep hij het.

Vrouwenhaar.

Het lange haar was, tot nu toe, goed verborgen gebleven omdat het onder de muts was weggestopt.

Een vrouw. Harness had een vrouw gedood.

Hij gooide het kussen opzij. Kwaad pakte hij het overhemd van het dode lichaam vast met zijn bebloede hand. Rukte de knoopjes los. Hij zag banden over de borst. Die schoof hij omhoog en toen zag hij ze: *borsten.* Tepels, geplooid vlees, platgedrukt en verborgen door de opzijgeschoven banden. Hij werd overweldigd door verwarring. Een vrouw? Een meisje, vermomd? Waar was de jongen over wie hij had gehoord? Waar was zijn rivaal? Wie was deze persoon die hij had vermoord? Waarom was ze hier, nu? Was dit een dievegge? Een vreemdelinge? Een kamermeisje? Een minnares?

Hij staarde naar haar en het drong tot hem door dat hij de verkeerde had gedood. En – nog veel belangrijker – hij wist dat hij niet de kracht had om opnieuw te doden. Voor die tijd zou hij sterven. Dat wist hij nu. De schok boorde zich in Harness' borst als een speer. De adrenaline was weg. Het slijm in zijn longen kwam weer tot leven. Harness viel. Op de grond, op handen en voeten, begon hij te hoesten, erger dan hij het ooit had meegemaakt; het begon in zijn heupen en rolde naar voren als een golf tot het zijn tanden bereikte – bah, walgelijk, hij slikte het weg – maar bij de tweede golf kwam het los, een plas bloederig braaksel. Hij kroop erdoor, voelde het onder zijn knieën glibberen. Zijn koets wachtte. Hij had genoeg betaald, dus er zouden geen vragen worden gesteld – zelfs niet over bloedvlekken. Maar zou hij naar het rijtuig terug kunnen komen? Hij zou moeten kruipen. Hij dwong zichzelf, vechtend voor elke centimeter, om op een knie te gaan liggen, daarna pakte hij de rand van de houten lambrisering in de hotelkamer, en stond op. Hij kwam weer op adem en begon de tocht naar de straat... schiet op... Een koude rilling, en een kinderlijke angst om gevangengenomen te worden, naar de gevangenis te gaan, bekropen hem. Zorgvuldig veegde hij zijn gezicht af met een zakdoek...

Andrew stond in de hotelkamer. Er heerste een bonzende stilte, na de storm van geweld. Hij was nog steeds in het visioen. Hij bevond zich nog steeds in Harness' wereld. Zijn ogen waren gesloten. Toch wist hij wat hij zou zien als hij zijn ogen opendeed. Het lichaam op de vloer. Het gezicht van het slachtoffer.

Jij bent het middelpunt van dit alles, had Dr Kahn tegen hem gezegd. *Het is goed dat jij de aanval inzet.*

Hij wilde de aanval niet inzetten.

Maar je moet, zei hij tegen zichzelf. *Dat je hier bent heeft een reden. Als je er niet achter komt wie er door Harness is gedood, zullen je vrienden – onschuldige mensen – sterven.*

Hij deed zijn ogen open.

Die waterige, drukkende wereld van het visioen omhulde hem weer. Het geschreeuw begon diep in zijn borst en steeg op, kreten van afschuw.

Het gezicht van het lijk was dat van Persephone

Het is maar een visioen, het is niet echt, blijf dat tegen jezelf zeggen

ze is niet dood ze is niet dood

zwarte krullen omlijstten haar gezicht

die hij kon ruiken waar hij van hield hij voelde ze over zijn gezicht kriebelen

haar groene ogen stonden wijd open in de dood.

22

Sir Alan is woedend

Andrew rende. De auto's met hun simpele helderwitte Britse koplampen zoefden hem voorbij. De tas stuiterde op zijn rug. Hij had die bijna achtergelaten, maar zijn paspoort zat erin, en zijn instinct tot zelfbehoud herinnerde hem eraan toen hij zich het hotel uit sleepte, de straat op, de ontnuchterende koude lucht in. Daarna rende hij in de richting waarvan hij dacht dat die hem naar school terug zou brengen – *tegen de heuvel op* – tot hij terugdacht aan wat Fawkes tegen hem had gezegd.

Hij kon niet terug naar school.

Hij bleef staan, pakte zijn mobieltje en toetste een voorgeprogrammeerd nummer in.

De verbinding wordt tot stand gebracht... meldde het toestel.

'*Hallo, Andrew?*' klonk een formele, en gekunstelde, luide stem – Fawkes had via nummerherkenning gezien wie de beller was. Andrew vroeg zich af waarom zijn huismeester zo vreemd praatte, tot hij begreep dat Fawkes waarschijnlijk niet alleen was. *'Alles goed daar?'*

'Is er iemand bij je?' vroeg Andrew.

'Ik ben in gesprek met Matron en Mr Macrae. We hadden het juist over je. Ik praat hen even bij. Hoe is je kamer?'

'Ik kan daar niet blijven.'

'Daar.' Fawkes merkte dat hij niet het woord *hier* gebruikte. Hij liet zijn stem dalen. *'Waarom? Waar ben je?'*

'Is het een oud gebouw? The Three Arrows?'

'Of het oud *is?'* vroeg Fawkes verward. *'Ik weet het niet. Dat zul je Judy moeten vragen.'* Fawkes zei het gemaakt luchtig, om zijn bezorgdheid te camoufleren.

'Ik heb de moord gezien.'

Het werd stil aan Fawkes' kant van de telefoon. Daarna kwam zijn stem terug, fluisterend: *'Kun je dat uitleggen, alsjeblieft?'*

'Ik heb alles gezien. Tot en met het lijk. En het had Persephones gezicht! Ik heb het niet meer, Piers! Ik... ik sta verdomme op de hoek van een straat. Ik weet niet waar ik naartoe moet!'

'Haal eerst eens diep adem.' Er klonk ruis aan Fawkes' kant. Hij bewoog zich, liep naar de keuken voor meer privacy. *'Ben je nog bij het hotel?'*

'Een paar blokken verderop.'

'Judy woont vlakbij. Ga daarheen. Ik kom over een paar minuten.' Fawkes gaf hem het adres. Dacht een ogenblik na; draaide een ander nummer; sprak een paar woorden met Dr Kahn. Daarna vermande hij zich en ging terug naar de zitkamer, met een geforceerd lachje.

'Alles goed?' informeerde Macrae. Hij had een donkerblauw vest aan en een grijze flanellen broek. Had die vent wel een spijkerbroek? Zijn ogen gleden achterdochtig over Fawkes.

'Dat weet ik nog niet precies,' antwoordde Fawkes terughoudend. Hij liep naar de kast om er een jack uit te halen.

'Je gaat toch niet wég?' snauwde Macrae ongelovig.

'Ik moet een paar dingen regelen. In het hotel.'

'Wat is het probleem?'

'Er is geen probleem! Alleen even bij Andrew kijken.'

'Hij liegt,' zei Matron beschuldigend. 'We hebben je wel gehoord.'

'Ik heb het onder controle,' antwoordde hij, en hij liep naar de deur.

'Nee, dat heb je niet,' zei Matron koeltjes. 'Dat heb je nooit.'

Fawkes bleef bij zijn voordeur talmen. *Dus eindelijk komt de waarheid naar boven.* Duizend half afgemaakte schampere opmerkingen stegen naar de oppervlakte van Fawkes' bewustzijn. *Loop naar de bliksem, vette zeug, misschien zou niets van dit alles gebeurd zijn als jij wat meer ondersteuning...? Hulp...?* Niets was echt geschikt voor dit moment. Hij was uitgeput, moe van het ruziemaken met deze mensen.

'Dan weet ik het goed gemaakt. Jullie tweeën zorgen voor de negenenzeventig jongens die hier zijn. Ik zal voor deze ene zorgen.'

Andrew was in het donker bij Dr Kahn aangekomen, trillend alsof hij een elektrische schok had gekregen. Dr Kahn had onmiddellijk vastgesteld dat hij in shock verkeerde en hem op haar bank gezet, een glas sherry in zijn hand gedrukt, en hem verteld dat Fawkes onderweg was.

Andrew sloeg de sherry achterover en dwong zich om normaal adem te halen.

Ze was het niet.

Hij had Persephone in het ziekenhuis achtergelaten. Veilig. Niet bepaald gezond, maar veilig. Harness kon haar niet vermoord hebben.

Maar als hij haar ziek kan maken kan hij haar ook doden.

'Moet bellen...' mompelde hij.

Hij haalde zijn mobieltje uit zijn zak. Zijn handen trilden. Hij zocht het nummer van het Royal Tredway. Toetste het in. Werkte het menu af tot hij bij de lijn voor bezoekers kwam. Eindelijk kreeg hij een zuster te pakken, op de afdeling Longziektes, en vroeg haar of hij met patiënte Persephone Vine kon spreken. Het werd geweigerd. (Het was te laat in de avond.) Hij begon ruzie te maken met de zuster. *Ik heb haar naar jullie toe gebracht!* schreeuwde hij. *Verbind me door. Er zijn telefoons op de kamers, ik heb ze gezien. Verbind me nu maar door.* Het werd opnieuw geweigerd, nadrukkelijker. *Vertelt... vertelt u me dan alleen maar of het goed met haar gaat. Alstublieft. Is ze... is ze stabiel? Kan ze goed ademhalen?* De zuster vroeg hem wie hij was. *Ik ben haar vriend. Ik heb haar naar het ziekenhuis gebracht.* De verpleegkundige leek er niet in geïnteresseerd, maar ze kreeg medelijden en zette hem in de wacht. Hij wrong zich in bochten terwijl hij wachtte. *Ze is stabiel,* hoorde hij de stem van de zuster. *Nu? Weet u het zeker?* vroeg hij. *Wanneer hebben ze voor het laatst bij haar gekeken?*

Ze is stabiel, kwam het antwoord. *Ik heb net met de dienstdoende verpleegkundige gesproken. Is dat voldoende?* Andrew mompelde een bedankje en daarna beëindigde hij het gesprek.

Dr Kahn fronste bezorgd haar voorhoofd toen ze naar hem keek. 'Wat is er aan de hand?' zei ze.

'Mag ik er nog zo een?' Hij hield zijn glas omhoog.

Ze vulde het bij uit een zwarte, kleverige fles. Hij nam een slokje. Sloot zijn ogen. Persephone was veilig. Waarom had hij haar dan dood gezien? Wat probeerde Harness te zeggen? Dat Persephone de volgende was? Dat hij van plan was haar te vermoorden? Andrew huiverde over zijn hele lichaam. Hij probeerde het beeld van haar starende, lege ogen van zich af te zetten.

Dr Kahn was naar de keuken gegaan om een ketel op te zetten. Andrew nam, voor het eerst, haar huis in zich op. Hij was verrast. Haar heerszuchtige optreden had een Mies van der Rohe-kubuswoning met zich mee kunnen brengen, met ijzig witte vlakken en veel glas. Of een niet-gemoderniseerde victoriaanse snuisterijenwinkel, met staande klokken en porseleinen beeldjes. Maar daar was hier niets van te vinden. Dr Kahn woonde in een onmiskenbaar burgerlijke arbeiderswoning met lage plafonds, afgeleefd meubilair, lampen die op halve kracht brandden, een versleten vloerkleed, familiefoto's. Niet direct het huis van Superman, maar wel een prettige plek om je toevlucht te zoeken, dacht Andrew; het rook er naar stoffige dekens, stoom, en darjeeling. Alleen de boeken, zag hij, woonden in luxe. In de wanden van alle kamers waren schappen ingebouwd, die de boeken een veilige plaats boden en beschermden; dikke Franse verhalenbundels met vergulde ruggen; in leer gebonden atlassen, zo groot en zwart als een rij scheepskapiteins; folianten met naturalistische tekeningen; en twee schappen gewijd aan allerlei werken van Dickens – blijkbaar een lievelingsauteur – een originele in afleveringen uitgegeven *Bleak House* in een groene band; een kleurige, opvallende grafische versie van *Great Expectations*.

Een paar minuten nadat de ketel had gefloten kwam Piers Fawkes het huis in, met een leren jack aan en een bezorgde uitdrukking op zijn gezicht.

'Sorry dat het zo lang duurde. Matron en Macrae bleven om me heen draaien. Ze hebben alles gehoord. God mag weten wat voor moeilijkheden ze zullen veroorzaken.' Fawkes bekeek Andrew, die nog steeds op de bank zat en erg bleek zag. 'Over moeilijkheden gesproken.' Hij probeerde te lachen. Maar Andrews ogen waren rood; hij zat te wriemelen; en leek er zich niet van bewust te zijn dat hij zijn handen, die op zijn schoot lagen, wrong.

'Persephone,' zei Andrew. 'Harness wil haar vermoorden.'

'Er zal haar niets overkomen.'

'Misschien moet ik me gewoon aan hem geven,' zei Andrew.

Fawkes wisselde een bezorgde blik met Dr Kahn.

'Je geven... aan wie, Andrew?' vroeg hij.

'Aan Harness. Dan laat hij de anderen misschien met rust. Dat wil hij toch?'

'Andrew...' zei Fawkes. 'Zelfs als je het zou willen, hoe zou je dat kunnen doen?'

'Ik weet het niet.' Andrews stem klonk hol, vertwijfeld. 'Me in de waterput gooien. Of het hem eenvoudigweg laten weten. Dat hij mij kan krijgen als hij de anderen teruggeeft.'

Fawkes keek Andrew indringend aan. 'Wanneer heb je voor het laatst gegeten, vriend?'

'Dat weet ik niet.'

'Geef hem iets te eten,' zei Fawkes. Dr Kahn ging naar de keuken en begon wat te rommelen om sandwiches te maken. Fawkes ging naast Andrew zitten. 'Dit is geen spelletje schaak, waarbij je een stuk kunt opofferen om te winnen. We beschermen je. Als we je kwijtraken, hebben we verloren – en dan wint Harness. Zeg alsjeblieft niet meer zoiets.'

'En Roddy en Persephone dan? En Theo?' ging Andrew door. 'Er zou niets met hen gebeurd zijn, als...'

'Als Harness er niet geweest was,' maakte Fawkes de zin vastberaden af. 'Hij is degene die dit doet. Het is niet jouw schuld. Begrijp je dat?'

Andrew knikte met tegenzin.

'Goed zo. En nu zeg je niets meer voor je gegeten hebt.'

Ze keken toe terwijl Andrew twee witte broodjes met kaas verslond, gekruid met *pickles*, een donkere, zure saus die alleen in Engeland kon bestaan en gecombineerd worden met kaas. Hij spoelde alles weg met een beker hete thee met veel suiker. Hij veegde zijn mond af met zijn hand.

'Koekjes?' bood Dr Kahn aan.

Andrew nam er vier, met een tweede beker thee.

'En nu,' beval Fawkes, 'praten.'

Andrew zuchtte. 'Ik heb de moord gezien,' zei hij. 'Helemaal.' Hij begon het visioen te beschrijven.

'The Three Arrows is een oud gebouw,' zei Dr Kahn. 'Een of andere vorm van een pension, een herberg of een hostel is sinds de zestiende eeuw op die plek gevestigd geweest.'

'Vreemd, Montague zei daar iets over toen hij ons het hotel heeft aanbevolen,' zei Fawkes nadenkend. 'Hij zei dat de enige gasten mensen waren die voor Sprekersdag kwamen.'

'Mensen die voor Sprekersdag kwamen – zoals Byron in 1809?' zei Andrew.

'Die tradities kunnen lang blijven bestaan,' zei Dr Kahn.

'Dus de moord kan hebben plaatsgevonden in The Three Arrows,' zei Fawkes. 'Misschien is Byron uitgegaan om vrienden op te zoeken. Harness treft Byrons nieuwe vriend aan, alleen...'

Nu stond Andrews gezicht somber. 'Er is iets wat ik nog niet gezegd heb. De persoon die hij vermoordde was een meisje.'

'Wát?'

'Haar haar had onder een muts verborgen gezeten. Ik zag het. Ze was alleen gekleed als jongen.'

'Maar wie was ze?' vroeg Fawkes.

Andrew leek verslagen. Toen riep hij opeens, met een andere stem: *'Wie was het? Zeg het me!'*

De beide anderen schrokken op en keken hem verwilderd aan.

'Dat zei Harness tegen me,' verduidelijkte hij. 'Toen ik hem bij de waterput zag. *Wie was het? Zeg het me.*' Andrews hoofd tolde. 'Destijds leek het nergens op te slaan. Maar nu geloof ik dat ik het begrijp. Hij had de verkeerde vermoord. Hij wist dat hij te ziek was om nog een keer iemand te doden om het recht te zetten,' zei hij nadenkend. 'Dus hij weet niet zeker wie hij heeft gedood. Hij moet gestorven zijn zonder erachter te zijn gekomen. Dat moeten wij ontdekken. Maar we hebben niet veel tijd.'

'Hoe bedoel je?' vroeg Fawkes.

'En op het laatst veranderde het gezicht van het meisje in dat van Persephone,' zei Andrew. Zijn stem brak van emotie. 'Alsof Harness probeerde me te vertellen dat zij de volgende is.'

'Niet als we ons werk goed doen,' zei Fawkes. 'Wat is al dat nieuwe materiaal dat je in je tas gestopt hebt?'

Andrew haalde er een gedetailleerd tijdschema uit van Byrons leven gedurende 1808 en 1809. Het was afkomstig van een website die Dr Cade had opgezet: een chronologie van Byrons leven. Het jaar 1809 begon met de vernietigende recensies van zijn eerste dichtbundel, *Hours of Idleness*; het ging door met Byrons uitspattingen in Londen toen hij probeerde zijn teleurstelling te vergeten en geld leende voor kleren, rijtuigen, drank, prostituees; de aanloop tot zijn terugkeer naar Harrow in 1809, voor Sprekersdag. Dan – abrupt – ging het over op de voorbereidingen voor zijn reis door Europa.

'Goed, dan is er één mysterie opgelost. De moord was aanleiding voor Byron om uit Engeland te vluchten,' merkte Fawkes op. 'Hij vindt een dode in zijn hotelkamer. Hij was bang dat hij van de moord beschuldigd zou worden.'

Peinzend zei Andrew: 'Of misschien ging hij weg omdat zijn geestkracht gebroken was.'

'Dat zou alleen het geval zijn als het meisje dat ze vonden iets voor hem betekende. Was dat zo?' Dr Kahn richtte zich tot Fawkes.

'Hm?'

'Met al die *jongens*,' zei Dr Kahn, 'is het nog steeds mogelijk om van vrouwen te houden, zie je. Is ergens uit gebleken dat Byron destijds een serieuze relatie met een meisje had?'

'Een meisje...'

Fawkes stak een sigaret op. Hij hield een bladzijde van het tijdschema voor zijn neus. Zijn gezicht had de afwezige uitdrukking van iemand die moeizaam bezig is met een probleem, als een trage harde schijf.

Andrew en Dr Kahn keken elkaar aan en lieten hem met rust.

'Byron was daarna erg somber en tragisch, zo is het toch?' zei Andrew. 'Hij was *Childe Harold*, die de last van een verschrikkelijk geheim met zich meedroeg. Misschien kwam het niet doordat hij beschuldigd werd van moord, dat Byron instortte. Misschien kwam het doordat hij wist dat Harness een moordenaar was. Ik bedoel, hij hield immers van Harness? Jarenlang. Stel je voor dat je erachter komt dat de persoon van wie je hebt gehouden een psychopathische moordenaar is.'

Glimlachend zei Dr Kahn: 'Je wordt nog eens een echte researcher.'

Andrew slaagde erin terug te lachen.

'Maar we zijn er nog niet,' vervolgde ze. 'Wie was Harness' slachtoffer? Ik raak nu in de war. Was het een jongen of een meisje?'

'Allebei!' riep Fawkes uit.

Ze keken hem aan. Hij hield nog steeds het blad papier vast.

'Waar heb je het over, Piers?' vroeg Dr Kahn.

'Covent Garden.' Hij wees met zijn sigaret naar een plek op de pagina. 'Daar staat het.'

Hij werd onderbroken door het aanhoudend rinkelen van de deurbel.

'Wie kan dat zijn?' Geïrriteerd stond Dr Kahn op. 'Ik heb in geen weken bezoek gehad, en opeens komt heel Harrow hier binnenvallen...'

'Een moment, Judy.' Fawkes pakte haar bij haar arm om haar tegen te houden. 'Andrew hoort in zijn hotel te zijn. Als dat iemand van school is, en hij treft hem hier aan, hebben we een probleem.'

Ze keken naar Andrew.

'Ze zouden me gedwongen in het ziekenhuis kunnen laten opnemen,' zei hij, waarna hij er, opgewekter, aan toevoegde: 'Dan kan ik bij Persephone zijn.'

'Ja, opgesloten in de bruidssuite voor tb-patiënten,' zei Fawkes. 'Dat helpt ons niet met Harness.'

De deurbel rinkelde opnieuw.

'Ga mee,' zei Dr Kahn, en ze greep Andrew bij zijn elleboog.

Ze sleurde hem mee de trap op naar een kleine leeskamer, met een limoengroene divan onder een leeslamp, en nog meer overvolle boekenplanken. 'Blijf hier tot ik je kom halen.' De bel ging voor de derde keer. Haastig liep ze naar beneden.

'Sir Alan,' zei ze. In de vochtige avondlucht krulde haar adem tot witte wolkjes.

'Judy,' klonk de bekende stem. 'Mijn excuses voor dit onverwachte bezoek. Dit is Ronnie Pickles, van de Gezondheidsinspectie. We zijn net naar The Three Arrows geweest, om Andrew Taylor te zoeken, die in ernstige moeilijkheden verkeert. We hebben gekeken of hij in zijn huis was, en werden hiernaartoe gestuurd. Ah, hallo, Piers. Nu is het verhaal compleet. Mogen we binnenkomen?'

Ze stonden met zijn vieren dicht op elkaar in Dr Kahns hal, naast een kapstok en een paraplubak.

'Wat kan ik voor u doen?' zei Dr Kahn stijfjes.

'Dat kan Piers je vertellen,' zei Sir Alan. Maar Fawkes staarde hem koeltjes aan. Sir Alan vervolgde: 'Andrew Taylor heeft mogelijk tuberculose, wat al verontrustend genoeg is, maar nu is hij ook nog zoek.'

'Zoek?' zei Fawkes.

'Je assistent-huismeester heeft me gebeld om te zeggen dat je snel weg was gegaan nadat je een telefoontje kreeg. Volgens hem waren er moeilijkheden in het hotel; de jongen wilde er niet blijven. Ik belde Mr Pickles van de Gezondheidsinspectie, die hier nu bij me is, om naar de school terug te komen en met me mee te gaan; en jawel... geen Andrew Taylor in kamer twaalf.' Zijn ogen boorden zich in die van Fawkes. 'Het is gek, Piers, ik ben nu vier jaar huismeester van Headland en ik ben nooit ook maar één jongen kwijtgeraakt. Maar bij jou is er, in de loop van een paar maanden, één zoek, één in het ziekenhuis, en één dood.'

Fawkes deed een stap naar voren. 'Je weet niet waar je het over hebt.'

'Mijn dochter ligt in het ziekenhuis omdat jij iemand met tuberculose hoestend op de Hill laat rondlopen,' beet Sir Alan hem toe, die alle beleefdheid liet varen en op Fawkes af stapte. Ze stonden op minder dan een halve meter van elkaar, als twee straatvechters. 'Ik heb aan haar ziekenhuisbed gezeten. Ik denk dat ik weet waar ik over praat.' Beide mannen keken elkaar woedend aan. 'Je hebt er bijna voor gezorgd dat onze school werd gesloten. Maar je bent nog niet van me af. Je verbergt die jongen, God mag weten waarom, en je maakt hier een regelrechte ramp van. Hou op met dat gerotzooi en zorg ervoor dat hij onder behandeling wordt gesteld.'

'Dat kan ik niet.'

'En waarom, verdomme, kun je dat niet?'

'Omdat hij niet weet waar hij is,' bracht Dr Kahn snel naar voren.

'O, nee?' Het sarcasme droop van Sir Alan af.

Ze ging door. 'Piers heeft tegen de jongen gezegd dat hij hiernaartoe moest komen, maar hij kwam niet opdagen. We weten niet waar hij is. Waarschijnlijk is hij nu weer in de Lot.'

'Daar komen we net vandaan,' zei Pickles. Hij zag er moe uit, alsof de grond onder zijn voeten wegzakte.

'Och, misschien is hij uitgegaan om ergens iets te eten, of om stiekem een biertje te pakken,' antwoordde Dr Kahn scherp. 'Het is een tiener, geen kleuter. Hij komt wel weer opdagen.'

'Je lijkt nogal kalm wat het verspreiden van tuberculose in heel Londen betreft, Judy. Ik betwijfel of de autoriteiten het met je koelbloedige houding eens zouden zijn. Uitgaan en in het openbaar eten en ademen is precies wat hij níét mag doen. Jij hebt makkelijk praten, jij hebt geen zieke dochter. Wat zeg jij ervan, Fawkes? Enig idee waar de jongen zich zou kunnen schuilhouden?'

'Nee.' Fawkes zag er nog steeds uit of hij een hap uit Sir Alan wilde nemen.

'Nou, ik wel.' Sir Alan sloeg een andere toon aan: die van een aanklager die een getuige met een zwak verhaal een kruisverhoor afneemt. 'Andrew Taylor, een arrogante Amerikaanse student, besluit op eigen initiatief dat hij, ondanks de orders van zijn school, de aanbeveling van de Gezondheidsinspectie, en het risico dat hij voor andere mensen vormt, niet in The Three Arrows wil blijven. Hij gaat liever naar het huis van een vriend. Die *vriend*,' vervolgde Sir Alan, met een knikje naar Dr Kahn, 'geeft hem een broodje.' Het bord stond nog op het lage tafeltje, met twee korsten. 'Die *vriend* hoort vervolgens de gemene ambtenaren aankloppen... dus de *vriend* brengt hem naar een kamer waar hij zich kan verstoppen.' Hij wees naar boven, naar de eerste verdieping. 'Waar hij niet ontdekt kan worden. En de *vriend* is zo slim om het licht aan te doen terwijl de gemene ambtenaren nog op de stoep staan, vanwaar ze alles kunnen zien. Niet bepaald een geniaal plan. Misschien is die *vriend* niet zo slim als ze zelf denkt.'

Dr Kahn bloosde hevig. 'Ga weg, Alan.'

'Ik wil hem zien,' eiste hij.

'Ik zei, ga wég.'

'Breng me naar boven, Judy. Ik wil die kamer zien.' Hij hield vol, opgeblazen en woedend. Het leek erop dat hij zich langs haar heen wilde dringen en een uitval naar de trap wilde wagen.

'Sir Alan,' riep ze. 'Mijn huis uit, of ik bel de politie.'

'Ga je gang,' zei hij spottend. 'Laat die hem maar zoeken. Daar had ik zelf aan moeten denken.'

Dr Kahns ogen puilden uit haar hoofd. *'Piers,'* zei ze smekend.

Fawkes deed een stap naar het midden van de hal. Sir Alan zei minachtend: 'Wil je dat de dichter me aftuigt? Ik sla je in elkaar, en ik vind het nog leuk ook.' Zijn ogen schoten vuur. 'Maar zover hoef ik niet te gaan. Je bent ontslagen, Piers.'

'Wat?'

'Met onmiddellijke ingang.'

'Daar heb je de bevoegdheid niet toe,' zei Fawkes, die het niet kon geloven, uitdagend.

Op Sir Alans gezicht verscheen een glimlachje. 'Je hebt gelijk. Die heb ík niet. Die heb ik al van de rector gekregen. Toen ik hem vertelde wat er aan de hand was, gaf hij binnen vijf seconden zijn toestemming.'

Hij draaide zich om en liep met dreunende stappen naar buiten. Pickles draafde achter hem aan. Op het trottoir, in het donker, bleef Sir Alan staan en keek naar het raam op de bovenverdieping.

'Je hebt je met de verkeerde familie ingelaten!' Dr Kahn holde naar de voordeur. *Sir Alan! Hou op!* Maar hij was bezeten van woede. 'Je zou eens moeten zien hoe Persephone er nu bij ligt!' brulde hij. 'Ze leeft, maar het scheelt weinig. Door jou. *Eh?*' Het gordijn achter het raam van de bovenverdieping bewoog niet. 'Ik weet wat je gedaan hebt,' bleef hij schreeuwen. 'Ik heb met Persephone gepraat. Ja, ik weet alles. Je bent een walgelijk, *drugssnuivend stuk vreten*!'

Met die laatste kreet beende hij naar de auto die aan het eind van het trottoir stond te wachten. Daar draaide hij zich om voor een laatste aanval.

'Weten zijn ouders waar hij is?' riep hij naar Dr Kahn en Fawkes. 'Hebben jullie hun toestemming? Of willen jullie misschien, naast alle andere misdrijven die jullie vanavond hebben begaan, worden aangeklaagd wegens kidnapping?'

Met dat laatste woord sprong hij de auto in en startte de motor, hij wachtte nauwelijks tot Pickles naast hem was gaan zitten voor hij met gierende banden wegreed. In de straat ging het licht in een portiek aan. Een verontruste buurman kwam naar buiten om te zien wat er aan de hand was.

'Ga mee,' mompelde Dr Kahn, en ze trok een verbijsterde Fawkes mee het huis in.

23

Eerherstel voor een hoer

In de zitkamer van Dr Kahn zat het drietal mismoedig bij elkaar, af en toe stond een van hen op om heen en weer te lopen, maar uiteindelijk kwamen ze tot de conclusie dat ze niets konden doen aan Sir Alan.

'Hun voornaamste doel is Andrew uit de Lot weg te houden. Of hij nu in The Three Arrows is of hier, maakt weinig uit,' redeneerde Fawkes. 'Jute zal niet meer kabaal maken dan hij al gedaan heeft.'

'Ik wil niet dat de politie bij me aan de deur komt en me beschuldigt van kidnapping,' zei Dr Kahn kwaad. 'Moeten we Andrew nou echt op een zolderkamer verbergen, zoals Anne Frank?'

'De politie zal zich er niet mee bezighouden. Dit is voor hen een interne kwestie van de school – als Sir Alan ze al zou bellen, wat ik betwijfel.'

'Je bent verschrikkelijk redelijk voor iemand die net ontslagen is.'

Fawkes glimlachte dunnetjes. 'Ik zag het aankomen.'

'Ik heb mijn ouders nog steeds niet gebeld,' zei Andrew. 'Als Sir Alan ze nu eens eerst belt?'

Fawkes schudde zijn hoofd. 'Hij zal aannemen dat ik ze allang heb gebeld. Wat niet zo is.' Dr Kahn vuurde een vragende blik op hem af. Fawkes probeerde het uit te leggen. 'Na ons bezoek aan het ziekenhuis verdween Andrew naar Cambridge – dankzij jou, Judy. Het leek niet het juiste moment.'

'Zal ik ze nu bellen?' stelde Andrew voor. 'In Amerika is het nu lunchtijd.'

Fawkes beet op zijn nagels. 'Nee,' zei hij. 'We hebben vierentwintig uur nodig. Als je ziek wordt zullen we ze bellen.'

'Geruststellend,' zei Dr Kahn. 'En wat kunnen we in vierentwintig uur bereiken?'

'Andrew zal de research voltooien over wie er echt door Harness vermoord is. Father Peter zal de Lot zegenen. Dan zijn we van John Harness af. Dat kan toch zeker in vierentwintig uur gedaan worden?' Na die woorden stond Fawkes op; het was zijn beurt om over het tapijt van de kleine zitkamer heen en weer te lopen. 'Maar om de een of andere reden heb ik een zeurend gevoel. Alsof ik iets over het hoofd gezien heb.'

'Wat zei je ook weer, vlak voordat Sir Alan kwam?' vroeg Dr Kahn. 'Je had een vel papier in je hand.' Ze begon door Andrews prints te bladeren, die op tafel lagen uitgespreid.

'Iets over dat het slachtoffer zowel een jongen als een meisje was,' opperde Andrew.

'Dank je, ja!' riep Fawkes uit. 'Ja, ja.' Hij ging snel weer op de bank zitten en begon samen met Dr Kahn tussen de witte vellen printpapier te zoeken. Hij liet zijn ogen over de pagina's gaan, mompelend – *nee, nee* – daarna ging hij met één hand verder terwijl hij met de andere een sigaret uit het pakje schudde en in zijn mond stak. Toen: 'Hier is het,' zei hij, en hij gooide het papier op tafel. 'Covent Garden!'

'Dat zei je daarstraks ook,' merkte Andrew op.

Fawkes stak de sigaret op, zonder zijn ogen van de pagina af te wenden. *'September 1808. Gaat door met uitspattingen in Londen. Diner in het bordeel van Mrs Motoney in Covent Garden.* God zegene Reggie Cade. Dit is het. Dit is het!'

'Zou je het misschien willen uitleggen?' vroeg Dr Kahn met onderdrukte ergernis.

Fawkes liet zich achterover in de kussens vallen. 'Nadat hij Cambridge had verlaten belandde Byron in een van zijn minder respectabele periodes. Misschien was zijn hart gebroken omdat hij gedwongen was met Harness te breken. Misschien was hij alleen maar twintig, verveeld, en rijk. Of beide. Hij hing rond in Cheapside. Hij trok op met beroepsboksers, asociale figuren. Hij leende geld waar hij kon – van Joden, van zijn hospita – om zichzelf en zijn entourage voortdurend dronken te kunnen houden. Op een avond... in *Covent Garden*,' Fawkes pakte het blad papier van Andrews stapel, 'gaf hij een feestje. Vier vrienden. Zeven prostituees. Dat zal me altijd bijblijven. Het is een fraaie verhouding.' Fawkes grinnikte. 'In elk geval, op dit feestje leerde hij een hoertje kennen. Hij vond haar echt, echt leuk. Dus – hij was nu eenmaal Byron – kocht hij haar.'

'Als een slavin?' vroeg Dr Kahn.

'Min of meer. Byron ontsloeg haar van haar verplichtingen jegens haar bordeelhoudster. Die madam was, veronderstel ik, mrs Motoney,' zei hij, met een blik op het papier in zijn hand. 'De naam van het meisje was Mary. Mary Cameron. Komt het je bekend voor, Andrew?'

Andrew schudde zijn hoofd.

'Byron schreef een gedicht over haar, "Voor Mary" – ik heb je erover verteld; het werd uit Byrons eerste bundel verwijderd omdat het "te heet" was. *En glimlach bij de gedachte hoe vaak werd gedaan, Wat preutse mensen een zondige handeling noemen.*'

Andrew knikte, hij herinnerde het zich vaag. 'Maar wat heeft dit met Harness te maken?'

'Byron viel echt voor dit hoertje, ofschoon dat nog wel vaker zou gebeuren. Ze woonden samen, ongetrouwd, als moderne geliefden. Wat in werkelijkheid betekende dat hij haar de hele dag neukte. Sorry, Judy. Hij schreef er een paar heel vunzige brieven over, en ook wat heel tedere gedichten: allemaal over borsten en hoe hij naar haar keek als ze sliep, lyrische nonsens over gouden haar.'

'Maar Harness heeft nooit iets gezegd over een hoer, zelfs niet over een vriendin,' wierp Andrew tegen.

'Dat is logisch,' zei Fawkes knikkend.

Dr Kahn trok een gezicht. 'Waarom is dat logisch?'

'Byrons snobistische vrienden uit Cambridge waren gechoqueerd door de relatie met Mary en probeerden die dood te zwijgen. Als ze naar de flat kwamen werden ze ontvangen door dit uit de goot geraapte schepsel alsof ze... nou, alsof ze Lady Byron was. Byron wílde met haar trouwen. Standsverschil of niet. Ondenkbaar in die tijd. Zijn vrienden zeiden tegen hem dat hij krankzinnig was. Dus als Byron haar niet tot zijn wettige echtgenote of partner kon maken, moest hij een andere manier bedenken om haar bij zich te houden. Byron nam haar mee naar de huizen van vrienden, naar Brighton...'

'Het uitstapje naar Brighton wordt in Harness' brieven genoemd,' onderbrak Andrew hem.

'... *terwijl hij Mary verkleedde als jongen.* Ze deden of ze zijn neef was. Daar zat hij thee te drinken in salons op landgoederen, met een als jongen verklede straatmadelief met een afschuwelijk Cockneyaccent. En de arme Mary haalde altijd alles door elkaar; ze bleef Byron haar broer noemen. Er zijn brieven over. Wat een klucht. Het is moeilijk om Byron niet te mogen wanneer je zulke verhalen hoort.'

'Wacht even,' zei Andrew. 'Je zegt dat de rivaal een als jongen verklede prostituee was... niet een vriendje. Harness had het fout.'

Fawkes hief zijn handen op. 'Harness beging een vergissing!'

'Wat is er met Mary gebeurd?' vroeg Dr Kahn.

'Ze raakte uit het zicht. De meeste biografen nemen aan dat Byron haar weer in de goot gegooid heeft. Dat hij op haar uitgekeken raakte, iets wat meestal gebeurde.'

'Kan zij degene zijn die door Harness werd vermoord?'

Fawkes dacht erover na. 'Ik zou niet weten waarom niet.'

'Dat zou verklaren waarom het slachtoffer als jongen verkleed was,' zei Dr Kahn nadenkend.

'Ja, maar het dode meisje was hier, op Harrow. Voor Sprekersdag,' wierp Andrew tegen. 'Zou Byron werkelijk een hoertje meenemen naar Harrow?'

'Hij nam haar overal mee naartoe.'

'Het is nogal ontroerend, als hij dat deed,' zei Dr Kahn. 'Een minnares meenemen naar je oude school. Het is een sentimenteel gebaar.'

'Hij wilde met haar trouwen,' bracht Fawkes hun in herinnering.

'Ja. Maar in plaats daarvan,' zei Andrew, 'komt Byron, nadat hij op Sprekersdag dronken is geworden met zijn vrienden, terug en vindt haar dood in de herberg.'

Ze dachten na over dit sombere gegeven.

'Hoe wéét je dit alles, Piers?' vroeg Dr Kahn een ogenblik later.

'Mary was een van mijn gegadigden om Byrons grote liefde te zijn, in het toneelstuk. Ik heb een map over haar, thuis, in mijn studeerkamer.'

'Maar ze komt helemaal niet in het stuk voor,' merkte Andrew op.

Fawkes glimlachte treurig. 'Harness is niet de enige die Mary Cameron heeft onderschat.'

'Seksisme, meer is het niet,' zei Dr Kahn snuivend.

'Maar je moet me niet op mijn woord geloven,' zei Fawkes. 'Dit is niet meer dan... achtergrond. Een historisch-literaire anekdote. Andrew is degene die haar gezien heeft. Nietwaar, Andrew? Wat denk jij? Zou ze het kunnen zijn?'

Met tegenzin riep Andrew het beeld op van de worsteling waar hij getuige van was geweest; het omklemmende, moeizame gevecht op leven en dood.

Wie ben jij?

Ze had een kleine, puntige neus; een mond in de vorm van een vliegende vogel. Haar wangen waren vlekkerig rood geworden bij de worsteling; angst straalde uit haar ogen. Toch was er iets van behoedzaamheid in te zien, alsof ze wist hoe ze moest vechten om te overleven. En op het moment dat ze dat gevecht begon te verliezen was er ongeloof geweest, dat haar trucs om te overleven, vaak verbeterd en tot nu toe met succes, haar in de steek hadden gelaten.

Dan, het lichaam. De borsten die zo plotseling waren onthuld. Zonder enig respect. Ze waren klein, jong. Andrew huiverde. Hij bleef onzeker over Mary Camerons verwrongen, mishandelde lichaam gebogen, haar geheim tegelijk met haar haar ontrafeld. Hij staarde; hij kon haar niet helpen; hij was niet meer dan een voyeur. Hij maakte zich ervan los.

'Ze was het,' zei hij. 'Hoewel het te ver gaat om te zeggen dat ze gouden haar had.'

Fawkes glimlachte bedroefd. 'Dichterlijke vrijheid.'

Ze hadden een plan. Fawkes zou naar de Lot teruggaan om zijn map over Mary Cameron te halen. Andrew zou in Dr Kahns huis blijven en onmiddellijk beginnen met het schrijven van zijn essay.

'Moet ik het essay eigenlijk nog wel schrijven?' zei hij. 'Ik heb het gevoel dat we nu alles weten.'

'Als de geest van een overleden moordenaar zich in de Essayclub vertoont, denk ik dat het nodig is dat je je ideeën duidelijk gerangschikt hebt,' adviseerde Dr Kahn stijfjes.

'En hoe kunnen we ervoor zorgen dat Harness naar de Essayclub komt?' vroeg Fawkes.

'De geest schijnt er geen moeite mee te hebben onze jonge vriend te vinden,' antwoordde Dr Kahn.

'En vanavond? Zijn we er zeker van dat Harness Andrew hier geen kwaad kan doen?'

Ze keken alle twee naar Andrew.

'Het lijkt erop dat Harness zich heeft teruggetrokken, althans voor een tijdje,' zei Andrew.

'Als hij slim is,' zei Fawkes, 'houdt hij zich schuil om zich voor te bereiden op de strijd.'

'Hij is slim,' bevestigde Dr Kahn grimmig.

'En je plan om de anderen bij elkaar te roepen – de levende leden van de Essayclub?'

'Ik zal ze een e-mail sturen. Spoedoverleg.'

Spottend zei Fawkes: 'Spoedoverleg, dat is dan voor het eerst.'

'Ik zit in het bestuur. Ik maak uit wanneer er spoedoverleg nodig is.'

Andrew bleef bezorgd. 'Denkt u dat het genoeg zal zijn?'

'Ik zet boven de e-mail: hoogste prioriteit,' antwoordde Dr Kahn droogjes.

'Ik bedoel, voor Harness.'

Ze keken elkaar aan.

'Het moet, in het belang van Persephone,' zei Fawkes. 'En waar zit Father Peter, verdomme?' Hij keek op zijn mobieltje. 'Nog steeds geen oproepen. Geen berichten. Ik heb hem praktisch om het uur een sms'je gestuurd.'

Fawkes stapte naar buiten, sprong over het lage stoepje en ritste zijn jack dicht; pas toen keek hij goed om te zien wat er gebeurd was sinds ze Dr Kahns voordeur het laatst open hadden gedaan. Haar rustige straat – een paar huisjes die dicht op elkaar stonden in een groen hoekje van Metroland – leek wit geschilderd. Stilte vulde de lucht.

Mist. De mist kwam over de bovenkant van de huizen aanzetten in flarden en slierten, en viel de straat aan met wolken als grote vuisten. Het licht van de lantaarns was gedempt; het verkeersrumoer leek ver weg en uit alle richtingen te komen, onder de dichte mantel. Het idee om zich erin te wagen leek opeens waanzin.

Fawkes werd overvallen door een primitieve gedachte. *Draai om. Ga weer naar binnen en neem een kop thee.* Een ogenblik bleef hij hierover staan nadenken. Daarna vermande hij zich. Wat moest hij zeggen? Dat hij van plan veranderd was, vanwege het weer? Nee, het was absurd. Hij begon aan zijn tocht, maar met langzame, behoedzame stappen.

Bij de volgende hoek vrolijkte hij wat op. Op Roxborough Hill stonden meer huizen: portiekverlichting, slaapkamers, blauw flikkerende televisieschermen. Vastberaden beende hij tegen de heuvel op. Het duurde echter niet lang of de huizen kwamen hem onbekend voor. Hij begon te twijfelen. Was dit echt wel de goede weg? Was hij ergens ervan afgeweken? En als hij zo snel kon verdwalen, in een omgeving die hij zo goed kende – zou die mist hier soms opzettelijk zijn veroorzaakt? Door John Harness? Al die regen en nattigheid van de afgelopen maanden. Harness – als het Harness was; *het feit dat je er ook maar aan denkt dat het Harness zou kunnen zijn geeft aan hoe erg je in paniek raakt; hou ermee op* – het leek wel of heel Harrow-on-the-Hill was veranderd in een van zijn eigen sponzige, zieke longen. Of hij op iedereen het vocht en de ziekte, de claustrofobie, en de angst voor zijn eigen dood als gevolg van tuberculose, had overgebracht. Je leest wel over ziektes uit het verleden, peinsde Fawkes, maar je denkt er zelden aan hoe ze vat op je krijgen; hoe het einde feitelijk zou zijn, wanneer je eigen zuurstoftoevoer werd afgesneden en het bloed uit je mond droop. Zijn ogen schoten over de straat heen en weer, hyperalert. Zou Harness nu hier zijn? Gebruikte hij deze mist om zich te verstoppen? Andrew had een opmerking gemaakt over Roddy en Rhys, die iets gezien en gevoeld hadden in de kamer, toen Roddy ziek werd. Was het Harness geweest, kil, eeuwenoud? Hoe graag hij Andrew ook wilde helpen, iets dergelijks wilde Fawkes niet zien. Niet met eigen ogen. De mist drong kil in zijn kleren, wikkelde zich om zijn hals, bezorgde hem rillingen. Hij ritste zijn jack tot boven aan toe dicht en liep daarna haastig door.

Eindelijk kwam Fawkes bij een bekende afslag. Hij was niet verdwaald. Dit was High Street, godzijdank. Toch werden zijn gedachten er niet zonniger door. De straatlantaarns en de verlichte ramen van de bovenverdiepingen werden ook hier omkranst door vochtige halo's – het licht was gedempt, alsof hij het door een dunne sluier zag. Zijn morbide gedachtegang duurde voort. Dit is de manier waarop een dode onze wereld ziet, stelde Fawkes zich voor, en onmiddellijk dacht hij aan Persephone. Hij had zich goed gehouden waar Andrew bij was, maar nu hij alleen was kwam de angst bij hem boven. Kon ze echt zo ziek zijn? Sir Alan leek op de rand van de wanhoop te verkeren. Ze zou kunnen sterven in een ziekenhuiskamer, nu, op dit moment. Stierf ze eenzaam? Vrees voor het einde greep hem met bleke vingers. Hij ging harder lopen, op een drafje. Hij liep door de poort van de Lot. Hij was bijna thuis.

Een gedaante kwam op het pad naar hem toe. Donker, groot, snel, onder de sombere schaduw van de plataan.

'O, mijn god!' Fawkes deinsde terug en hief een hand op om zich te beschermen.

'Piers? Ben jij het?' klonk een tenor.

Fawkes kwam weer tot zichzelf. Hij was een idioot geweest om zo in paniek te raken. 'Wie is daar? Je zou binnen moeten blijven,' snauwde hij, denkend dat het een Zesdeklasser was.

'Ik ben het, Father Peter,' zei de schaduw, die nu dichterbij kwam. Fawkes kon het stalen brilletje van de geestelijke onderscheiden, zijn magere hals, en het priesterboordje onder een regenjas die hoog dichtgeknoopt was tegen de mist en de koude. 'Ik kom van het station.'

'Waar ben je geweest? Ik heb je gebeld,' zei Fawkes, scherper dan zijn bedoeling was.

Father Peter sperde zijn ogen open. 'O ja?' zei hij. Hij tastte in zijn zak en haalde er een glimmende nieuwe mobiele telefoon uit. Het schermpje verlichtte de mist om hen heen, blauwachtig wit. 'Mijn vrouw heeft dit ding voor me gekocht.' Father Peter tuurde bezorgd naar de display. 'Ik heb nog niet geleerd hoe ik ermee om moet gaan.' Hij drukte op een van de iconen, alsof hij het apparaat hierdoor aan zijn wil kon onderwerpen.

'Kom binnen,' zei Fawkes opgelucht, en hij legde zijn hand op de schouder van de priester. 'Ik ben heel blij dat jij het bent.'

24

Een nacht doorhalen

Sir Alan Vine stond in de deuropening van de ziekenhuiskamer. Voor het ogenblik was zijn aandacht niet op zijn dochter gericht.

Hij keek naar zijn vrouw.

Inwendig smolt hij van dankbaarheid. Godzijdank hoefde hij dit niet alleen te dragen. Formidabel zoals ze daar zat, als een Byzantijnse edelvrouw: haar rug, kaarsrecht als altijd, zelfs in een versleten armstoel in een ziekenhuis. Haar gouden sieraden glansden, ze staken af tegen haar huid, die gebruind was doordat ze in de laatste warme maanden van het jaar 's morgens had gezwommen met haar vriendinnen, op Ydra of een van de andere eilanden bij Athene. Haar profiel, zo klassiek Grieks met die hoge neusbrug; haar haar met slechts hier en daar een spoortje grijs (terwijl dat van hem zo dun was dat het bijna onzichtbaar werd). Natuurlijk droeg ze een rok die tot haar knieën reikte en een perfect geperste trui, zodat ze het klaarspeelde om orde en de geur van bloemen in de sombere chaos van de ziekenhuisafdeling te brengen. Hij wilde de kamer in rennen, naar haar toe, om haar te omhelzen, haar vol op haar mond te kussen; en om daarna samen met haar te huilen. Maar hij wist wat er zou gebeuren als hij dat deed. Ze zou hem behandelen als een vertegenwoordiger die had aangebeld; niet welkom, opdringerig. De wrok die ze koesterden zou hen van elkaar duwen, alsof ze de verkeerde polen van twee magneten waren.

Alan had haar altijd willen hebben. Hij was met haar getrouwd omdat ze exotisch was, stijl had. Hoe kon hij weten dat de Griekse vrouwen van haar generatie zo verdomd kuis waren; ze leefden alsof ze niet ouder waren dan dertien jaar, met hun giechelende vriendinnen, hun familiebijeenkomsten; ze genoten van theedrinken en shoppen; en ze behandelden hun echtgenoten als jongens op een speelplaats – af en toe haalden ze er een indringer bij. Maar de Vines waren niet van het slag dat overwoog om in therapie te gaan. Hij grinnikte bijna bij de gedachte aan zijn vrouw op de divan. Ze had geen elektracomplex. Ze wás Elektra. Lang, met een forse boezem, geneigd tot uitbarstingen. Heel weinig zelfonderzoek bij die Grieken, dacht hij hatelijk. Door de jaren heen waren ze simpelweg uit elkaar gegroeid. En nu, wanneer ze elkaar ontmoetten, beslopen ze elkaar als sluipschutters, als oude vijanden.

'Je zou een mondkapje moeten dragen,' merkte hij vanuit de deuropening op, door zijn eigen kapje heen.

Lady Alcina Fidias Vine keek hem uitdagend aan. 'Ik draag geen mondkapje.' Haar accent was, zoals altijd na een paar maanden in Griekenland, sterker geworden. 'Die dokters weten niet waar ze over praten.'

Sir Alan bewonderde haar er wel om. Om de manier waarop ze de opgeblazenheid van autoriteiten doorprikte. Maar hier moest hij een rol spelen. De rationele man wiens verantwoordelijkheid het was om verstandig te zijn.

'Nee? Wat is er dan met haar aan de hand?'

'Ik weet het niet,' antwoordde Alcina bedrukt.

Sir Alan pakte een stoel op en droeg die naar de andere kant van de kamer, om naast zijn vrouw te gaan zitten.

'Voorzichtig,' zei ze bits.

Ze zaten naast elkaar, met hun aandacht op hun dochter gericht.

'Ze wil niets eten of drinken,' zei Alcina.

Alan zat nu zo dicht bij Persephone dat hem de achteruitgang in haar toestand die in de laatste paar uur was opgetreden, niet kon ontgaan. De ogen van zijn dochter waren gesloten. Haar huid was zo wit als stopverf geworden. Haar mond hing open, als van een vis in een vuil aquarium die domweg hoopte dat er schonere lucht zijn weg naar binnen zou vinden. Haar borst ging op en neer, langzaam; haar armen, benen en hoofd bleven bewegingloos terwijl de energie uit haar lichaam wegvloeide in het niets.

'De zuurstofleidingen,' zei Sir Alan, en hij stond op. 'Ze dienden haar toch eerst zuurstof toe?' Hij liep naar de zijkant van het bed en begon de slangetjes los te maken die om een klein reservoir waren gewikkeld.

De deur ging open en Dr Minos kwam binnen, met zijn geschoren hoofd. Hij keek woedend.

'Wat doet u?' vroeg hij scherp.

'Kijk dan naar haar,' zei Sir Alan kwaad, in verlegenheid gebracht omdat hij erop betrapt was dat hij met ziekenhuisapparatuur knoeide. 'Ze snakt naar adem. Eerder gaven ze haar zuurstof.'

'Zuurstof zal haar niet helpen.'

'Ze heeft kóórts,' blafte Lady Vine. 'Die antibiotica die jullie haar geven, doen niets voor haar.'

Dr Minos keek haar koeltjes aan. 'We gebruiken geen antibiotica; we gebruiken antimycobacteriële medicijnen.'

'Wacht eens even,' zei Sir Alan. 'Waarom zal zuurstof niet helpen? Werken de medicijnen niet?'

Dr Minos haalde Persephones patiëntenkaart uit het bakje dat aan het voeteneind van het bed hing. Hij bestudeerde de kaart. Het echtpaar wachtte zwijgend. Hij zette de kaart terug. Daarna richtte hij zich tot hen en begon te spreken op een duidelijke, nadrukkelijke manier die er geen twijfel over liet bestaan wat hij feitelijk wilde zeggen.

'De ziekte van uw dochter is in een vergevorderd stadium.'

Alcina stelde een paar vragen en kreeg korte, resolute antwoorden. Korte tijd later vertrok de dokter. Het echtpaar bleef vertwijfeld zwijgend zitten. Sir Alan onderdrukte de opwelling om zijn dochter aan te raken, haar pols te voelen, te luisteren naar haar ademhaling, haar te omarmen zodat hij op de een of andere manier zijn eigen, gezonde bloed in haar aderen kon pompen. Maar hij kon niets anders doen dan hulpeloos toekijken. Hij merkte dat hij haar ademhalingen telde, dat hij onbewust wilde weten of de tijd ertussen hetzelfde bleef en niet langer werd; en hij dwong zich om te geloven dat ze wat sneller ademhaalde, ook al was het niet zo.

Andrew zat aan Dr Kahns eetkamertafel. Papieren lagen om hem heen verspreid. Hij staarde naar de knipperende cursor van de computer voor hem.

'Wat doe je?' vroeg Dr Kahn.

'Ik schrijf dat essay.' Zijn toon was gespannen, geïrriteerd.

'Zo?'

'Hoe? Ik zit en ik schrijf.'

'Hoe kun je beginnen als je je gedachten niet hebt geordend?' snauwde ze terug.

'Ik heb geen tíjd om mijn gedachten te ordenen,' beet hij haar toe. 'We hebben maar een nacht. Ik moet dit gewoon afmaken. Anders gaat Persephone...' Hij sprak de gedachte niet uit.

Dr Kahn ging naast hem zitten en ze vouwde haar handen in haar schoot. 'En, wat ga je schrijven?' vroeg ze, om wat rust in de situatie te brengen.

Hij gaf een nijdig, onsamenhangend antwoord. *Hij wist het niet. Van alles. Wat zou hij moeten schrijven? Een forensisch verslag van de moord op Mary Cameron?* Dr Kahn stelde hem een volgende vraag. *Wie zijn je toehoorders?* Hij deed niets anders dan somber kijken en op zijn stoel onderuitzakken. Daarom stelde ze hem nog een vraag. *Wat verwacht je dat ze hebben begrepen wanneer je uitgesproken bent?* Andrew deed zijn best om te reageren. Ze greep haar kans, deed een suggestie, die hij accepteerde; en binnen een paar minuten waren Dr Kahn en Andrew druk bezig het materiaal dat op tafel lag – boeken, papieren, aantekeningen over Harness' brieven – op stapeltjes te leggen, om zo een chronologische volgorde te krijgen en van daaruit een aanzet. Daarna namen ze er even afstand van, voldaan. Andrew nam alles in zich op.

'Dit is een hoop werk,' zei hij. 'Hoe laat is het?'

'Zes minuten over halfelf.' Ze keken elkaar aan. 'Ik ga koffiezetten,' zei ze glimlachend.

'Mag ik hier blijven?'

'Dat kan,' zei ze. 'Natuurlijk.'

Andrew ging weer voor de computer zitten, waar hij tot 22.41 uur weer naar de cursor bleef staren. Daarna stortte hij zich op het toetsenbord.

Lord Byron, typte hij, *werd verliefd op John Harness toen deze wat wij een Remove zouden noemen was, op Harrow, in 1801. Het is bijna zeker dat geen van beiden destijds kan hebben voorzien dat hun vriendschap zou eindigen met een moord.*

Dr Kahn zette een beker hete koffie naast hem neer. Ze bleef staan om het te lezen.

'Heel goed,' zei ze.

'Dank u,' zei hij lijzig. 'Nog maar twintig pagina's te gaan. Dit wordt een hele nacht doorhalen.'

'Succes.'

Wanhopig keek hij haar aan. 'Gaat u naar bed?'

'De hele nacht opblijven is iets voor jonge mensen.'

'Ik kan dit niet alleen!'

'Je hebt alles wat je nodig hebt.'

Hij keek met een onheilspellende blik naar het scherm. 'Ik kán het niet,' herhaalde hij.

Dr Kahn stond over hem heen gebogen. Ze voelde de wilde energie van een tiener, die in golven van hem af straalde. Gammastralen – noemden ze zo de energie niet die Tibetaanse monniken uitstralen wanneer ze mediteren? Dan moesten wat ze van Andrew voelde uitstralen – wat zijn? *Zetastralen?* Ze glimlachte bij zichzelf. Tieners. Opspelende hormonen; opstandigheid, frustratie, verwarring. Hij was een muis die wild met zijn kopje tegen het gaas van zijn kooi bonkte terwijl de uitweg zo dichtbij was. *En toch kan hij het niet zien,* dacht ze.

Dr Kahn vroeg zich af: als ze die energie nu eens kon overhevelen? Hem als het ware van een aardleiding voorzien? Ze raakte zelden haar leerlingen aan. O, ze had een paar Shells wel eens een klopje op hun hoofd of hun schouder gegeven, dacht ze, op momenten dat ze onweerstaanbaar waren, maar ze was geen type dat vaak knuffelde. Ze was zich ervan bewust dat het lichaam van een mannelijke tiener, in een schoolomgeving, iets onzekers had, waar niet mee gespeeld mocht worden. Onzeker. Ja.

Maar nu – daar ging het om. Die bovenmatige, wilde energie wegnemen.

Dr Kahn stak haar hand uit. Hield die, onzeker, boven Andrews schouder. Een moment lang twijfelde ze – kijk toch eens naar dit sproetige, rimpelige ding, die stompe vingers met hun onvrouwelijke, niet gelakte nagels; ze had haar handen nooit mooi gevonden – en toen liet ze haar hand op Andrews schouder vallen. Hij verstijfde. Ze liet haar hand liggen. Hij draaide zich niet om. Hij staarde nog steeds naar het scherm. In gedachten zei ze een soort bezwerende formule op: *Je kunt werken,* luidde die. *Misschien lijkt het een kleine, onbetekenende zegening. Maar ze steunt je. Je kunt werken, Andrew.* Ze hield haar hand waar die was. De hand voelde warmer aan. Klopte. *Met Zeta-energie.*

Ze nam een verandering in zijn lichaam waar. Hij fronste tegen het scherm, boog zich ernaartoe. Hij typte. Een paar woorden. Hij deletete, ging terug. Hij leek haar een vraag te willen stellen, maar deed het niet. *Wat?* vroeg ze. *Nee, niets,* mompelde hij. Hij begon weer te typen: deze keer een reeks woorden, een zin. Meer; een paragraaf.

Ja, wist ze. Voorzichtig haalde ze haar hand van zijn schouder, hij merkte het niet.

Het had gewerkt.

Tot haar verbazing voelde ze een plotselinge pijn. Had ze besloten dat ze Andrew Taylor wel mocht? Ja, dat had ze, allang. Hun beraadslagingen waren niet langer puur academisch. Ze waren vrienden geworden. Ze wenste, egoïstisch, dat ze kon blijven, om iets bij te dragen aan de taak waar hij aan bezig was, die vorm te geven. Dit was werk waar ze goed in was. Maar het beste wat ze nu uit vriendschap voor hem kon doen was zich terugtrekken, hem dit zelf laten doen. Ze glimlachte, een tikje bedroefd – hij typte nu als een razende – en daarna sloop ze de kamer uit.

Andrew typte. Hij kreeg kramp in zijn hand. Hij wreef erover. Af en toe telde hij het aantal pagina's. Maar dit was niet iets wat hij moest inleveren bij een leraar. Dit was iets was logisch moest klinken voor de toehoorders. Zijn echte toehoorder, zoals Dr Kahn had aangegeven: John Harness. Hij hield even op – liep vast! – en raakte in paniek. Hij was de draad kwijt. Maar toen hij het nog eens overlas, schoot hem de logische beredenering weer te binnen. Die was goed. Andrew voelde zich een moment lang trots. Hij was zichzelf tegengekomen, in de muizenkooi, zijn plan van een uur geleden toen hij het besluit had genomen deze speciale reeks ideeën erin mee te nemen; en hij... vond zichzelf goed: vond de beslissing goed die genomen was door een verstandige gedachtegang. Maar hij had geen tijd om erbij stil te staan. Andrew racete door de pagina's, achter het idee aan jagend dat hem altijd net een paragraaf voor was.

Op een gegeven moment, het was laat, werd er geklopt. Andrew keek met wazige ogen op. Hij draafde naar de deur. Het was Fawkes. Andrew bromde iets en liep terug naar de eetkamer.

Fawkes volgde hem, onder het uiten van een opgewonden woordenstroom. 'Ik heb hem gevonden, eindelijk. Father Peter,' zei hij, toen Andrew weer op zijn stoel voor de computer kroop. 'Weet je waar hij geweest is? Newcastle. Wat denk je, hij heeft les gehad. Er is een hele groep geestelijken, een team dat zich bezighoudt met het paranormale. De Church of England wordt een beetje hip! Niet dat ik me beklaag. Hij heeft het net met me doorgepraat – wat we morgen gaan doen. Het is nogal ingewikkeld. Luister je?'

'Dat is mooi,' antwoordde Andrew afwezig. Hij rukte een boek uit de stapel voor hem, zocht een oude kaart op, volgde een grenslijn met zijn vinger.

'Waar is Judy?'

'Slaapt.'

'O, juist.' Fawkes keek op zijn horloge. 'Het is een uur. Kan ik je helpen?' Hij liep om de tafel heen, om de papieren te bekijken die erop uitgespreid lagen.

Andrew gaf geen antwoord.

'Ik begrijp dat ik je stoor. Ik laat dit hier wel achter. Tot morgen dan?'

'Oké.'

Andrews vingers zweefden boven het toetsenbord. *Tikketik-tik.* Er kwam weer een pagina, snel. Toen stopte hij. Hij had nu het materiaal over Mary Cameron nodig. Hij keek om zich heen.

Shit – dat had Piers. In de Lot. Het zou tijd kosten, maar hij moest het gaan halen. Zou Piers nog wakker zijn?

Toen zag hij de kartonnen map op het lage tafeltje liggen. MARY CAMERON, stond er met blauwe inkt op geschreven, in blokletters.

O, wacht. Piers was hier. Hij heeft het gebracht.

Dankbaar, al was het wat laat, pakte Andrew de map. Die was hetzelfde als de map van John Harness, alleen voller: vol gedichten, brieven, en een paar aan elkaar geniete, gekopieerde artikelen over het leven van een prostituee in de Regency-periode. Een ervan bladerde hij door.

Er werd gedacht dat een abortus kon worden opgewekt met behulp van op overlevering berustende methoden. Een ervan was het innemen van zwavel, waarbij de onfortuinlijke jonge vrouw gedwongen werd honderden luciferskoppen op te kauwen.

Andrew liet zich op de bank vallen en bladerde door de pagina's, om de stappen na te gaan van het meisje dat hij had zien sterven op die lenteavond, tweehonderd jaar geleden. Hoe zou Harrow-on-the-Hill er toen hebben uitgezien? Zonder geplaveide straten? Zonder straatlantaarns? Niets dan bossen en weilanden, in de bloeiende junimaand? Andrew bleef geboeid lezen en merkte bijna niet dat zijn mobieltje overging. *Piers? Het is nogal laat, zelfs voor hem.* Toen, in een flits, dacht hij: *Persephone! Ze belt! Ze moet zich beter voelen!* Hij sprong op de telefoon af. Drukte de groene toets in zijn opwinding zo snel in, dat naam en nummer van de beller, die op de display verschenen, pas tot hem doordrongen nadat hij het gesprek had aangenomen.

'Hallo, pap,' zei hij. Zijn stem was niet meer dan een gefluister.

Hij stortte helemaal in terwijl hij naar de stem luisterde. Lusteloos tikte hij op het toetsenbord. L... L... L... verscheen op het scherm.

'Je moeder staat naast me. Waar ben je? De school belde en ze zeiden dat je niet op de campus was!'

'Ik ben in het huis van een vriendin.'

'Waar?'

'Een paar straten bij de school vandaan.'

'Is het waar dat je misschien tuberculose hebt?' Zijn vaders stem sloeg over van hysterische ongelovigheid.

'We lopen blijkbaar voortdurend het risico dat we het krijgen. In de metro... je weet wel. Op heel veel plaatsen.'

'Maar die jongen die is overleden... was het tb, niet dat andere probleem?'

'Sarcoïdose? Nee, het was tb.'

Hij hoorde zijn ouders met elkaar overleggen, terwijl ze dit onwelkome nieuws verwerkten.

(Wat zei hij? Is het waar?

Ja – de jongen die dood is had tb.

O mijn god! Geef mij de telefoon!

Geef me nog een minuutje.)

'Waar ben je, Andrew?'

Hij vertelde het aan zijn vader: hij was bij de bibliothecaresse van de school, die een vriendin van hem was geworden, omdat de school had geprobeerd hem in een hotel te dumpen om hem bij de andere jongens weg te houden.

'Goed. Blijf waar je bent. Ik kom je daar weghalen.'

'Pap, nee, wacht...'

Maar zijn vaders stem overlapte zijn woorden; door de haperende verbinding ving zijn mobieltje de subtiele nuances niet op. Zijn vader hoorde ze trouwens ook niet. *'Ik weet niet waar we verdomme aan zijn begonnen, met die school,'* tierde hij. *'Dit had voor jou een plek moeten zijn waar je flink moest aanpakken, maar het is een rampgebied. Ik had je net zo goed naar Irak kunnen sturen. Voel je je ziek?'*

'Ik word niet ziek.'

'Weet je het zeker?' Zijn vaders stem klonk bezorgd en hoopvol tegelijk.

'Nee,' moest hij toegeven. 'Het hangt allemaal af van het essay dat ik aan het schrijven ben.'

'Wat? Je slaat wartaal uit. Heb je koorts?'

Op deze manier sleepte het gesprek zich nog een paar minuten voort. Ten slotte gaf Andrew zijn vader het adres van Dr Kahn, dat hij vond op het etiket van een tijdschrift dat op het lage tafeltje lag. Tegen de tijd dat zijn vader op Heathrow landde, zouden de seance, en de gebeden van Father Peter, al voorbij zijn. Zijn vaders komst zou weinig verschil uitmaken. Andrew beloofde hem dat ze elkaar woensdagochtend omstreeks acht uur in Dr Kahns huis zouden ontmoeten, dat was over dertig uur – sneller kon Mr Taylor niet in Engeland arriveren. Daarna zouden ze samen naar New York vliegen. Eindelijk kon Andrew met een bevende hand de rode toets van zijn mobieltje indrukken.

Het was 02.17 uur. Het stille huis zoemde.

Hij ging van Harrow af.

Hij ging naar huis.

Zou hij Persephone nog terugzien? Er kwam een vloedgolf aan beelden bij hem op: nachtelijke telefoongesprekken. E-mails van duizend woorden. Foto's die werden gestuurd en aandachtig bekeken *(Wie is die knaap op de foto en waarom heeft hij zijn arm om je heen?).* Hij had dit gezien: de vriendschap op afstand. De *internationale* vriendschap op afstand. *Duur en onbevredigend,* had een van zijn kosmopolitische vrouwelijke klasgenoten het genoemd. En dit alles hing er, natuurlijk, van af of Persephone zou blijven leven. Hij zou haar hoe dan ook verliezen.

Hij wilde huilen, slapen.

Maar het kon niet. Hij moest werken.

Zijn armen waren gevoelloos van vermoeidheid, en zijn ogen vielen bijna dicht, maar hij pakte de map over Mary Cameron weer, en hij begon weer te schrijven – in het begin een brief tegelijk, maar geleidelijk aan vond hij het ratelende tempo van eerder die avond terug, om de rest van zijn essay op te bouwen.

Piers Fawkes werd met een schok wakker. Spoken en wolven vielen weg, terug in zijn dromen. Crucifixen, en donkere kloven, en gevaar.

En een dennentakje.

Dat beeld bleef hem bij. De naalden, bedekt met dauwdruppels. *Te veel Father Peter,* dacht hij.

Hij stond op van de bank waarop hij in slaap was gevallen. Hij voelde zich katterig. *Niets dan vermoeidheid,* zei hij bij zichzelf. *Maar nuchter, godzijdank.*

Zijn telefoon ging. Buiten was het nog donker. Met half dichtgeknepen ogen tuurde hij naar de klok: 05.10 uur.

'Hallo?' mompelde hij onduidelijk. Hij luisterde. Hij vroeg de vrouw te herhalen wat ze zojuist had gezegd. 'Nee, ik niet,' antwoordde hij op haar vraag. 'Maar ik zal de ouders bellen. Wat is er aan de hand?' Hij luisterde weer. Kreeg een pijnscheut in zijn maag. Hij werd cynisch, bij gebrek aan een beter alternatief. 'Dan hebben ze in elk geval genoeg tijd om naar het ziekenhuis te komen. Goed. Dank u.' Daarna legde hij de hoorn neer.

Hij liep naar het keukenraam. Trok het gordijn open. Zag niets anders dan een vierkant glanzend onyx. Hij zou er heel wat voor overgehad hebben om op dat moment zonnestralen te zien, of vogels te horen zingen. Hij vond een verfrommeld pakje sigaretten op het aanrecht. Hij droeg nog steeds het witte T-shirt en de broek van de vorige dag. Zijn rug deed pijn. Hij stak de laatste sigaret uit het pakje op, tegen het aanrecht geleund.

'Verdomme,' zei hij hardop.

Het was 05.19 uur. Hij zou minstens tot zes uur wachten voor hij de ouders van Roddy Slough belde. Ze waren gescheiden. Wie zou hij het eerst bellen? De moeder was aan de drank, herinnerde hij zich; een vlot Liz Taylor-type in een bontjas; ze zou hysterisch worden. Hij zou de vader eerst bellen, besloot hij – de lange Peter Slough, bij wie er geen glimlachje af kon – dan kon die het met de moeder regelen. Daarna zou hij alles overdragen aan Macrae.

Hij liep naar de computer en opende zijn e-mail. Vierentachtig berichten sinds de vorige avond, met onderwerpen waaruit steeds meer ongerustheid bleek.

Is het waar wat ik hoor
Epidemie op school
WORDT HARROW GESLOTEN???

Hij opende slechts één bericht, dat met hoogste prioriteit was gemerkt:

Ingelaste maar Urgente Bijeenkomst van Essayclub, dinsdag 19.00

Het was, uiteraard, afkomstig van Dr Kahn. Alle elf leden van de Essayclub werden uitgenodigd voor een spoedbijeenkomst die vanavond gehouden zou worden; zonder verklaring, slechts onderwerp en spreker werden genoemd:

Andrew Taylor, Zesde Klas, de Lot (Fawkes), stond er. *De Waarheid over de Geest van de Lot.*

Fawkes keek met grote ogen naar deze titel. Hij besefte echter waarom ze die hadden gekozen: ze hadden niets meer te verliezen door terughoudend te blijven; ze hoefden niet meer te buigen voor de rector. Fawkes was al ontslagen. Andrew was al van school gestuurd. Dat Andrew zich in de school zou vertonen wás vragen om moeilijkheden. Maar misschien zou het geen van de personen die in deze e-mail genoemd werden, opvallen: Ronnie Pickles en de rector zaten niet in het bestuur van de Essayclub, dacht hij wrang. Voorts merkte hij op dat Kahn zíjn naam, Fawkes, er tussen haakjes bij had gezet en niet die van Macrae. Feitelijk zou Macrae nu degene moeten zijn die de vergadering bijwoonde, om te luisteren naar een bewoner van de Lot, en om hem te steunen bij de eervolle taak zijn essay in de Essayclub te mogen voorlezen. Maar toen Fawkes de lijst van de geadresseerden doorkeek stond Macrae er niet bij.

Goed. Macrae zou het Andrew misschien moeilijk gemaakt hebben, en wie weet zou hij geprobeerd hebben om Fawkes te verbieden bij de vergadering aanwezig te zijn.

Maar er stond een andere naam op de lijst waar zijn oog op viel.

Alan Vine

Wel verdomme.

Dr Kahn had het bericht zonder meer verstuurd naar de adreslijst van de Essayclub. Ze had Sir Alans adres moeten verwijderen. Met dit bericht maakte ze duidelijk waar Andrew uithing en Vine was de laatste persoon die dat mocht weten.

Fawkes startte het koffiezetapparaat op. Zijn bange vermoedens werden sterker.

Logisch dat je je zo voelt – je hebt net een telefoontje gekregen dat een van je leerlingen – voormalige leerlingen – stervende is.

Fawkes staarde naar het zwarte vierkant van het raam. Hij voelde... niets. Minder dan niets. Toch kon hij die aanhoudende, altijd aanwezige vloed van waarneming en proza niet indammen die in zijn hoofd wervelde als een serpentine:

Dood, de ware dood, is niet inspirerend. Ze zet je niet aan tot klaagzangen, niet onmiddellijk. Eerst sleurt ze je mee in nietsdoen en wanhoop.

Arme Roddy.

In gedachten probeerde hij te repeteren wat hij tegen Roddy's ouders zou zeggen. Maar hij had het knagende gevoel dat er iets onaangenaams was wat niet weg wilde gaan. Het werd erger, alsof er een vieze lucht in het appartement hing.

Wacht

Hij had dit gevoel al eerder gehad.

Adrenaline joeg door Fawkes' vermoeide lichaam. Hij voelde dezelfde *aanwezigheid* die hem en Andrew een tijdje geleden boven, in zijn werkkamer, verschrikkelijk bang had gemaakt. Hij keek de zitkamer rond, zoekend naar iets; een of ander teken. Maar hij zag niets bedreigends. Hij probeerde zich te dwingen rationeel te blijven, zich te beheersen, voorbij te gaan aan wat zijn zintuigen zo duidelijk voelden, toen zijn oog erop viel. Hij had er bijna overheen gekeken. Een paar weken geleden zou het de natuurlijkste zaak van de wereld zijn geweest om het te zien, naast zijn televisie, op het wandtafeltje.

Een blauwe fles gin.

Voor twee derde vol. Dezelfde fles gin die hij een week geleden zo vastberaden had weggegooid. Hij had die fles in een dikke zwarte plastic vuilniszak gestopt, met veel andere flessen, en die bij het afval op de overloop gezet. De conciërge had die bijna zeker allang opgehaald en meegenomen.

Met andere woorden, die fles hoorde niet in zijn zitkamer te staan.

Toch was de fles er, gedrongen en uitdrukkingloos, als een dwergje dat met eindeloos geduld op hem stond te wachten. Fawkes' hart bonsde. Hij was ermee alleen. Hij kon doen wat hij wilde. Er was niemand hier die het zag. Het was vijf uur in de ochtend. Hij zou meer dan genoeg tijd hebben om nuchter te worden, voor later. Daarbij kwam nog dat hij ontslagen was! Geen verplichtingen meer! Hij kon zijn roes uitslapen en nog steeds op tijd zijn voor de Essayclub. Piers Fawkes voelde een aanwezigheid die gereedstond, voorover geleund; die met duivelse verrukking toekeek.

Fawkes liep de kamer door en greep de fles bij de hals.

25

De Essayclub, deel II

Toen de avond viel was het druk op de Hill.

De dag was bijna totaal zinloos geweest. Er werd lesgegeven, dat is waar. Maar het leek een herhaling van de dag na de dood van Theo Ryder, enkele weken geleden; de jongens vol geruchten en onbeantwoorde vragen. Alleen was het deze keer erger. De leraren deden plichtmatig hun werk. Elk wild gerucht of stukje valse roddelpraat, hoe willekeurig ook, werd een reden om op te houden met lesgeven en te bespreken wat iedereen wilde bespreken. Dat kon het gerucht zijn dat er tb was uitgebroken in de Lot; dat de school gesloten zou worden; dat er vier leerlingen in het ziekenhuis waren opgenomen die binnenkort dood zouden gaan, zoals Theo Ryder. In de kleine klaslokalen werd een leerling die nieste streng aangekeken; hoesten kon tot gevolg hebben dat iemand de klas uit werd gestuurd. *(Je zou er goed aan doen naar huis te gaan en je bij Matron te melden, Seabrook. Je klinkt niet goed.)* De rij in dokter Rogers' ziekenboeg vulde de stoelen in de wachtkamer en strekte zich uit tot halverwege de trap. Wat het meest verontrustend was: *niemand nam ook maar de moeite om de geruchten de kop in te drukken.* Wat natuurlijk alleen maar kon betekenen dat de ergste en wildste verhalen waar waren. Harrow – de roddelaars in de school herhaalden het maar al te graag – ging sluiten.

In het kantoor van de rector kwam het telefoontje waar Colin Jute op had gewacht, kort voor drie uur in de middag binnen. Het kwam van een dokter in het Royal Tredwayziekenhuis. Het nieuws was goed – in het begin. *De uitslag van de tests van de jongens is negatief.* Rhys Davies en Andrew Taylor hadden geen mycobacteriële tuberculose. De rector stond verheugd op van achter zijn bureau, gereed om het gesprek te beëindigen en in actie te komen; om het bericht te verspreiden dat de crisis was afgewend; er bestond geen gevaar; geen risico voor de andere jongens; het was niet nodig om de school voor het eerst in zijn geschiedenis te sluiten. Een zegevierend gevoel nam bezit van hem.

Maar de dokter leek voor te lezen uit zijn aantekeningen, en hij was nog niet klaar. Hij deelde de rector mee dat de toestand van de twee Harrow-leerlingen die ze onder behandeling hadden – Slough en Vine – achteruitging. Jute ging weer zitten. De ouders waren al op de hoogte gebracht, zei de dokter; maar hij nam aan dat de school erin geïnteresseerd zou zijn. *Natuurlijk,* antwoordde Jute. *Ja, absoluut.* Het sierde de rector dat hij enkele momenten lang niets dan medeleven voelde, voor hij de telefoon neerlegde en zich begon af te vragen wat hij in vredesnaam moest doen.

Als deze twee stierven, betekende dat drie dode leerlingen.

God, het zou landelijk nieuws zijn.

Hij keek in zijn agenda, en voelde een steek van angst. Hij had een diner in Londen, *vanavond,* met de gouverneurs. Het begon om zes uur (zijn auto zou binnen niet al te lange tijd voor staan); hun driemaandelijkse overzicht van de financiën met de accountants, gevolgd door een maaltijd. Wat een afschuwelijke timing. Hij pakte de plastic ordner met de financiële overzichten. Ze leken ver van hem af te staan, zonder betekenis. Maar, bedacht hij, misschien was dit een goede zaak, een kans. Ja, het kon feitelijk een buitenkansje zijn... als het moeilijk ging worden, en dat zou heel goed kunnen, zou hij de steun van de gouverneurs nodig hebben. Het zou ernaar uit moeten zien dat hij de situatie – *die hij niet had veroorzaakt* – in de hand had, duidelijk en krachtdadig. Juist. Hij zou de belangrijke gouverneurs nu bellen – zijn uit vier man bestaande 'kernploeg', Hovey, Gorensen, Brothers, en Jeffery – om hen alvast voor te bereiden. Vervolgens zou hij de gelegenheid van het diner aangrijpen om de context van de zaken aan te geven, om de gouverneurs te bewerken, *proactief*... Jute begon aantekeningen voor zichzelf op te krabbelen. Hij belde Margaret en vroeg om de mobiele nummers van de kernploeg. Daarna zou hij douchen; zich verkleden; zich gereedmaken voor de strijd. Hij had nog juist voldoende tijd.

Uren later, terwijl Colin Jutes auto door het verkeer op Piccadilly manoeuvreerde naar de zuilen bij de ingang van de Cavalry and Guards Club, begonnen dichte massa's Harrovianen naar hun huizen terug te keren.

In groepjes beklommen ze de helling naar de eetzaal, het gonsde van opgewonden gepraat. Een toeschouwer kon gedacht hebben dat dit studenten waren die terugkwamen van een lange vakantie, vol energie nu ze weer bij elkaar waren om de grapjes en anekdotes te vertellen die ze hadden opgespaard en waarvan ze wisten dat hun vrienden erom zouden lachen. Toch kwam dit vertoon van kameraadschap niet voort uit een lange scheiding, maar uit zenuwen. Uit dankbaarheid, omdat ze nog leefden, omdat de school niet was gesloten; en hoewel er morgen meer rampen en slecht nieuws konden komen was het niet waarschijnlijk dat er vandaag nog iets zou gebeuren. Ze hadden tijd om een aantal uren zonder toezicht in hun huizen door te brengen, absoluut niet te werken en hun nerveuze energie kwijt te raken. Zesdeklassers rekenden uit hoe groot hun bierrantsoen was. Shells maakten een inventaris op van het snoepgoed waarmee ze deze dag konden vieren. Ze werden bevangen door een soort fin-de-siècle-lichtzinnigheid. Vanavond zouden ze plezier maken, alsof het hun laatste avond samen was.

Er waren uitzonderingen. Vier jongens keken op hun horloge, ontweken de nieuwsgierige blikken van hun klasgenoten, en gingen naar hun kamers om zich te verkleden. Deze jongens, allen Zesdeklassers, werden niet gemist in de gemeenschappelijke ruimtes; het waren toch al geen gangmakers. Haastig trokken ze hun grijze broeken uit en hesen zich in de dikkere gestreepte pantalons. Ze knoopten de zwartzijden vesten over hun witte overhemden en zwarte dassen. Daarna deden ze hun jacquets aan, trokken de panden achter zich recht, en kamden nog eens extra hun haar. Ten slotte, vanuit diverse richtingen en huizen, verspreid over de Hill, liepen ze van het afgelegen Rendalls de met klimop begroeide Grange Road op, of daalden ze de trap bij Headmaster af, om op weg te gaan naar Classics Schools, voor de bijeenkomst van de Essayclub.

Father Peter wandelde ernaartoe met Fawkes. De priester had een aktetas bij zich, met daarin een boekje met het zegel van het bisdom Worcester, een gebedenboek van de Church of England, een flesje water, en het zachte groene twijgje van een den, die ochtend om zes uur afgeknipt en meegenomen tijdens zijn rondje hardlopen.

Fawkes liep rechtop, met een houding die bijna op zelfrespect duidde. Toen hij die ochtend op mysterieuze wijze een fles gin in zijn zitkamer had gevonden, had hij geworsteld – waarbij zijn hart bonsde van verlangen, alsof er een naakte en heel bereidwillige vrouw plotseling zijn kamer was binnengetrippeld – maar hij had weerstand geboden aan de verleiding en de inhoud door de gootsteen gespoeld, met opgetrokken neus, half van afkeer, half van spijt.

De beide mannen – Father Peter met zijn priesterboordje en Fawkes met een stropdas – kwamen bij Classics Schools, met de lichtjes van het ver weg gelegen Londen achter zich, en openden de brede deur naar het lokaal waar Mr Toombs zijn Latijnse les gaf. De ruimte werd verlicht door kaarsen, en er waren slechts een paar gezichten te onderscheiden om de ovale tafel. Van de acht jongens zagen ze er vier – Antoniades, Askew, Wallace, en Christelow – en van de drie bestuursleden waren er twee – Dr Kahn, die de laatste kaars aanstak, en Mr Toombs, die de zilveren bokalen klaarzette. Wallace, met zijn ronde rug, peuterde het plasticje van een nieuwe fles madera en bereidde zich voor om de wijn in te schenken.

Fawkes bleef op de drempel talmen. 'Geen Andrew?' raadde hij.

Dr Kahn schudde haar hoofd.

'Is Andrew niet een van de jongens die ziek waren?' merkte de slungelige Rupert Askew op zijn slaperige, lijzige Sloane-toon op, vanaf zijn stoel achter de ovale tafel. 'Misschien kán hij niet komen.'

'Hij komt,' was Fawkes' reactie.

'Is dat wel goed?' hield Askew vol, van het ene gezicht naar het andere kijkend. 'Er gaan veel geruchten. Over hem in het bijzonder, bedoel ik.'

'Wat voor geruchten?' vroeg Mr Toombs.

'Nou, dat hij de ziekte heeft meegebracht uit Amerika. Eigenlijk heeft hij de dood van Theo Ryder veroorzaakt. En nu die anderen ook nog...'

'Dat is heel onverantwoordelijk!' kwam Mr Toombs tussenbeide. 'Niets dan kletspraatjes.'

'Sir, u vroeg me wat voor geruchten het waren!' voerde Askew aan om zich te verdedigen. 'En ik ben niet de enige. Daarom is Harris vanavond weggebleven van de bijeenkomst.'

'En Turnbull, en de anderen,' voegde Christelow eraan toe. 'Ze hadden het erover tijdens het eten.'

'Het kan toch niet waar zijn,' zei Mr Toombs. 'Piers?'

'Het is niet waar,' zei Fawkes. 'Andrew is niet ziek. Hij is getest.'

'Andrew gaat weg,' kondigde Scroop Wallace aan, terwijl hij zich over de eerste bokaal boog en die met madera vulde.

'Weg?' zei Mr Toombs. 'Van school af?'

'Ik heb hem vandaag gemaild, over een les, en hij zei dat hij er niet naartoe ging. Toen ik vroeg waarom niet, zei hij: omdat hij van school wordt gehaald.'

'Moeten wij dan blijven?' vroeg Askew.

'De Essayclub is een vrijwillige activiteit,' antwoordde Mr Toombs scherp. 'Van school gehaald door wie?' wilde hij weten.

'Door zijn ouders,' antwoordde Wallace. Wallace had kromme schouders en een bleke huid, en wanneer hij sprak hadden mensen het huiverige gevoel dat hij de woorden manipuleerde op de manier waarop sadistische kinderen met insecten spelen. Hij leek op een kille manier te genieten van dit nieuws.

'Ze zijn bang, denk ik,' merkte Askew begrijpend op. 'Met al die ziekte en dood in de Lot. Het is heel natuurlijk.'

'Gaat u ook weg, Mr Fawkes?' vroeg Nick Antoniades.

Nick was huisoudste van Headland House, herinnerde Fawkes zich. Sir Alan moest iets hebben losgelaten. 'Ja.'

'Is dat waar, Piers?' zei Mr Toombs, naar adem snakkend.

Askew sprong erbovenop. 'Wat – weg van school?'

'Dat klopt.'

'Dit is toch al te gek!' zei hij lachend. 'Zegt u eens eerlijk, Mr Toombs

– *waarom zijn we hier?* De spreker komt niet, en ook al kwam hij wel, hij gaat Harrow verlaten. Leraren die lid zijn van de club gaan weg. Niemand hier hoort bij de school!'

'Je bent buitengewoon onbeleefd, Rupert. Ik overweeg serieus om je te verzoeken de club te verlaten,' viel Mr Toombs uit. Askew deed alsof hij gekwetst was. De andere jongens grinnikten. 'Onze voorzitter heeft een vergadering bijeengeroepen. Tot zij iets anders zegt gaat de bijeenkomst van de Essayclub door. Andrew heeft zijn essay op het laatste moment geschreven, is me verteld. Alles bij elkaar genomen – zeker in het licht van wat ik hier vanavond heb gehoord, verdient hij een paar minuten extra...'

Op dat moment ging de deur open. De kaarsen sputterden. Andrew Taylor stond in de deuropening met een slaperig gezicht. Zijn haar lag aan een kant plat tegen zijn hoofd, en hij had een stapel papieren bij zich.

Hij voelde het meteen. Bijna zodra hij de kamer binnenstapte. Dat gevoel of die vol water stond. Die levende druk, die spanning aan de oppervlakte, zo sterk dat ze hem bijna de kamer uit gooide. Hij voelde ze op zich gericht: ogen. Hoewel hij nog niet op zijn plaats zat, voelde hij die ogen over de tafel heen staren, ze boorden zich in de plek – aan het hoofd – waar hij zo dadelijk zou zitten, in een stoel met een hoge rugleuning waarin een waaier van lichter hout was verwerkt. Het leek alsof die ogen op de tijd vooruitliepen: al geconcentreerd, onvermijdelijk. Hij voelde ze terwijl hij zijdelings langs Christelow glipte, terwijl hij Fawkes met een knikje groette en zijn wenkbrauw optrok bij het zien van Father Peter. Hij hoorde Mr Toombs zeggen: *En daar ben je dan goed dat je gekomen bent Andrew ik zei juist dat je zo weinig tijd had gekregen om je voor te bereiden,* alsof het woorden waren die werden uitgesproken vanaf het dek van een schip, hoog boven hem, en hij wegzonk in donker water... maar nog niet. Ergens in de duisternis stond Dr Kahn, ze hield hem in het oog – alert en meelevend, te midden van de elkaar verdringende jongens.

Hij liep langzaam naar zijn stoel, maar hij keek niemand aan. De jongens namen hun plaatsen in. Mr Toombs maakte nog meer beleefde opmerkingen, iets over een *zwanenzang – heel treurig te horen dat je ons gaat verlaten – we hebben het gevoel dat we je nog maar pas hadden leren kennen en waren heel blij je onder ons te hebben.* Het verraste Andrew dat minstens één stem – oké, twee – een bescheiden maar duidelijk *Hear, hear* liet horen. (Wallace en Antoniades. Onverwacht.) *Maar we zijn tenminste in staat kennis te nemen van je essay... heel fortuinlijk...*

De stem van Mr Toombs stierf weg om het woord te geven aan de spreker. En dat was Andrew. Hij ordende zijn papieren en hield ze vervolgens zo vast dat er zo veel mogelijk van het perzikkleurige schijnsel van de kaarsen op viel.

Hij kon zijn ogen er niet vanaf houden, dan zou hij Harness zien.

Harness was hier.

Zijn hartslag versnelde. Wat zou er gebeuren als hij keek? Als hij die ogen ontmoette? En in wiens stoel zat Harness? Die lege daar, schuin links voorin?

je weet wiens stoel

Hij was blij dat hij het essay volledig had geschreven, in plaats van slechts aantekeningen uit te typen – Dr Kahn had gelijk gehad – want zonder zijn script zou hij verloren zijn geweest. Zijn gedachten klotsten en liepen over, als iemand die met een volle emmer hardloopt. Gebrek aan slaap had hem uit zijn evenwicht gebracht.

en die aanwezigheid

Hij had het gevoel dat hij op een helling stond, voorover dreigde te vallen

in de gedaante; in elkaar gedoken, gereed om toe te slaan

Harness – hij wist het – loerde naar hem. Harness voelde niet langer iets wat op liefde, lust of verlangen leek. Alleen haat. Harness wist dat Andrew, Fawkes en Father Peter hiernaartoe waren gekomen om de strijd aan te binden. De kamer stonk ernaar. De muskusgeur van een gevecht. En Harness stak zijn borst vooruit en liep warm voor de strijd.

Ik daag je uit om een hand naar me te durven uitsteken ik daag je uit om je te durven laten zien omdat ik je zal verpletteren als je het doet

Ik weet dat je hier bent om me te vernietigen maar ik heb reserves die je niet mag onderschatten wreedheid en woeste levenskracht je kent me te goed om te geloven dat je het kunt

Heb je niet gezien wat ik met het meisje heb gedaan met je vriendin

Hoe kon Andrew blijven doen alsof alles normaal was, tegenover deze vijandigheid? Toch was daar Mr Toombs, die hem vol verwachting aankeek, met zijn roze wangen en zijn brilletje. Zouden Mr Toombs en de anderen het dan niet voelen? Hoe kon Andrew zoiets beschaafds doen als voorlezen, onder dergelijke omstandigheden? Het was alsof iemand een vioolconcert gaf op de locomotief van een voortrazende trein. Hij begon misselijk te worden, en klemde zijn vingers om de zijkanten van het script. Hij wilde niets liever dan wegkruipen, slapen.

Andrew had de ochtend zien aanbreken, en abrupt een eind aan zijn essay gemaakt. Hij was naar zijn kamer in de Lot teruggegaan en had zijn grote koffer ingepakt. Hij was gaan liggen en had aan Persephone gedacht, had geprobeerd te bedenken wat de volgende dag haar – hun – zou brengen, maar hij kon met zijn uitgeputte hersens geen beelden oproepen van het verleden of de toekomst. Deze martelende cyclus duurde tot midden op de middag, toen hij op het laatste moment een aanval van plankenkoorts kreeg en als een razende de laatste pagina's van het essay overtypte. Printen, nieten, en dan, eindelijk, slapen... vervolgens *o-shit* wakker worden... gevolgd door haastig tegen de Hill op rennen, om 19.04 uur.

Ahum.

De Waarheid over de Geest van de Lot.

Lord Byron, las hij voor, *werd verliefd op John Harness toen deze wat wij een Remove zouden noemen was...*

De aanwezigheid zwol op. De anderen móésten het nu voelen, hij wist het zeker. Hij dacht dat hij Fawkes, plotseling niet op zijn gemak, heen en weer zag schuiven, en dat Dr Kahn haar sjaal om zich heen trok, alsof er een kilte over hen neer was gedaald.

Andrew las, automatisch. Homoseksuele liefde op Harrow. Lord Byron en John Harness. Hun liefdesbrieven. De jaloerse uitbarstingen, het seksuele verslinden, gevolgd door de vervoering van Cambridge. Hij was zich bewust van het onbehaaglijke gewriemel van zijn klasgenoten. Vooral Askew zat te draaien op zijn stoel, paniekerig om zich heen kijkend omdat hij ernaar snakte iemands blik op te vangen: *Kan hij hier echt wel over schrijven? Dit is porno voor homo's! Vinden we het echt jammer dat deze knaap van Harrow weggaat?*

Maar Andrew voelde de aanwezigheid, wreed en dichtbij.

Ogen die zich in hem boorden.

Knarsende tanden.

Beest.

Wachtend.

NIET OPKIJKEN

'De relatie van Byron en Harness op Cambridge kreeg een wat soberder karakter,' las Andrew, langzaam, zoals Fawkes hem had aangeraden, 'door de dood van een van Byrons goede vrienden, Charles Skinner Matthews, die – afgezien van het feit dat hij beschouwd werd als een van de briljante en intellectuele pioniers van de Cambridge-groep – de eerste uit de kast gekomen homo was die Byron kende. Matthews' dood, behalve dat die plotseling en daardoor schokkend was, bezat bovendien elementen van afgrijzen en schandaal. Hoewel zijn dood was afgedaan als een ongeval, hij was verdronken in de rivier de Cam, had Matthews hoogstwaarschijnlijk zelfmoord gepleegd – door zich vast te houden aan de waterplanten op de bodem tot hij geen lucht meer kreeg. Dit incident zou wel eens het keerpunt kunnen zijn geweest voor Byron en Harness. Als de briljante Matthews had besloten dat hij in Engeland niet het leven van een homoseksueel kon leiden, hoe konden zij het dan? Hij had bij zichzelf het vonnis van de Engelse Bloody Code ten uitvoer gebracht: op homoseksualiteit stond de doodstraf. Het was voldoende om hen ervan te overtuigen dat er in Engeland geen toekomst was voor een homostel, hoe ze ook hun best deden hun ware emoties onder de mantel van vriendschap te verbergen.'

Ga door.

Nu kwam Mary Cameron, de zestien jaar oude prostituee, Byrons lichtzinnige, keiharde, door de wol geverfde neukmaatje; en Andrew Taylor de essayist moest ondanks alles bij zichzelf grinniken, omdat hij uit zijn ooghoek kon zien dat Askew geboeid zat te kijken, zijn mond hing bijna open. *Homoporno... nu heteroporno? Wat een essay!*

'Nadat Harness uit Cambridge was vertrokken, begon Byron wat we een "*rebound*-relatie" zouden kunnen noemen met een tienermeisje, een Londens hoertje, dat hij van haar madam kocht – zoals iemand de aanbetaling doet voor een leaseauto – voor vijfentwintig pond...

Mary werd zwanger van Byron. Boordevol schuldgevoelens omdat hij Harness, die nu in armoede in Londen woonde, in de steek had gelaten, besloot hij het goed te doen met dit zwerfstertje, door met haar te trouwen. Zijn vrienden waren ontzet. Het was een domme, impulsieve actie; ze bestookten hem met brieven en raadgevingen om van haar af te komen. Byron weigerde, maar Mary, in de war en handelend volgens haar eigen beroepsmatige intuïtie, ging op een middag naar het hotel in Durant Street en slikte een paar honderd van zwavel gemaakte luciferkoppen door tot ze ziek werd, en de foetus verloor in een plas bloed. Dit bracht de dokter die erbij geroepen was in verlegenheid, omdat Mary Cameron op dat moment verkleed was als jongen. Byron liet haar die vermomming dragen, zodat een sociaal onacceptabele metgezel – een Cockney-hoertje – sociaal draaglijk (bij gebrek aan een betere uitdrukking) kon worden. Hij kon haar overal mee naartoe nemen, zolang hij haar zijn neef noemde, soms zelfs zijn broer.'

Over een huwelijk werd niet meer gesproken. Maar de seksuele liaison met Mary Cameron was nog niet voorbij. Uit Byrons poëzie van deze maanden sprak een tedere, fysieke intimiteit:

Kan ik vergeten – kunt gij vergeten
Wanneer ik speel met uw gouden haar
Hoe snel uw trillende hart bewoog?

de woede neemt toe
een grote vuist

'Al die tijd,' Andrew slikte, de vrees overmande hem bijna, 'wist John Harness van die verhouding af. Maar Harness, op een dwaalspoor gebracht door de rondzingende geruchten, wist alleen dat een mysterieuze jonge *man* zijn plaats als Byrons partner had ingenomen. Dit was voor Harness aanleiding om in moordzuchtige woede te ontsteken. Deze woede bereikte hier, op Harrow, in 1809 tijdens Sprekersdag zijn climax. Byron logeerde – volgens mijn research – in The Three Arrows, waar de moord plaatsvond.'

Andrew kon de ademhaling horen. Die was vochtig en kwam diep uit de longen.

'Wat er precies in The Three Arrows gebeurde, is natuurlijk onmogelijk vast te stellen.'

Andrew waagde het een blik op Fawkes te werpen. Fawkes zat te staren, met zo'n versteende blik dat Andrew begon te stamelen en de volgorde van de zin kwijtraakte. *Zij moeten het nu ook voelen.* Hij keek de tafel rond. Alle andere gezichten, onbehaaglijk.

'Wat is er?' vroeg hij, zijn woordenstroom onderbrekend.

'Ga door, Andrew,' bracht Fawkes schor uit.

omdat het ijzige bad van de aanwezigheid hen allen had geraakt – ze waren bleek, verstijfd, iedereen, overschaduwd door de dood

Het enige wat hij kon doen was blijven lezen en

NIET OPKIJKEN NIET NAAR DE STOEL TEGENOVER ME KIJKEN

'Dankzij het feit dat bepaalde originele brieven van Harness op Harrow zijn gevonden,' vervolgde hij met bovenmenselijke inspanning, omdat hij nu tegen een storm in moest voorlezen, 'kunnen we niet anders doen dan aannemen dat Harness en Byron elkaar ontmoetten in hun oude huis, de Lot. Daar maakten ze ruzie in het souterrain, in een kamer met een waterput, hun voormalige geheime ontmoetingsplaats. Harness was teruggekomen om Byron erop aan te spreken dat diens loyaliteit nu bij iemand anders lag. Byron wilde proberen Harness over te halen te stoppen met zijn obsessieve stalken. Deze ruzie had tot gevolg dat Byron de brieven die Harness hem geschreven had, teruggaf en, veelbetekenend, ook de ring met de kornalijn die Harness Byron had gegeven als teken van liefde, een symbool van hun verbondenheid. Na deze ruzie gaat Byron bij iemand op bezoek en laat hij zijn maîtresse achter in de herberg. John Harness, bezeten van woede, grijpt zijn kans.

Tijdens Byrons afwezigheid sluipt Harness naar de kamer van de geliefden. Hij treft er Mary Cameron en valt haar aan met de kracht die hem nog rest. Het lukt hem haar te verstikken, en ze sterft. Hij heeft zijn moment van triomf: hij heeft zijn rivaal verslagen. Op dat moment, meegesleept door zijn overwinning, besluit hij een aanwijzing achter te laten: hij trekt Byrons ring met de kornalijn van zijn vinger en schuift die aan de hand van de dode. Nu zal Byron – en Byron alleen – weten wie deze moord heeft gepleegd. (In die dagen werd er nog niet naar vingerafdrukken gezocht.) Dan krijgt hij een afschuwelijke verrassing: het lichaam is dat van een vrouw. Harness had een mannelijke rivaal verwacht. Nadat hij heeft ingezien dat hij zich vergist heeft, maakt hij zich stilletjes uit de voeten om te sterven, hij weet niet zeker of hij zijn ware rivaal heeft gedood, of een onbekende die toevallig in Byrons kamer was.

Byron keert terug. Hij is verbaasd een lijk in zijn kamer te vinden. Hij is diepbedroefd wanneer hij...'

Bijna onvermijdelijk – het gebeurde intuïtief – sloeg Andrew nu zijn ogen op om John Harness aan te kijken. Andrew hield zijn adem in. Nog nooit had hij zo veel boosaardigheid gezien. Een rechte neus met grote, opengesperde neusgaten; dunne lippen; kleine, kinderlijke tanden; hoge jukbeenderen en een hoog voorhoofd. Het was tegelijkertijd een gezicht vol waardigheid en intelligentie, en het gezicht van de duivel zelf, vertrokken en verschroeid in moordlustige, gloeiende haat. Andrew werd geschokt door de tragiek; misschien zou John Harness in een andere wereld opgebloeid zijn. Maar hij was hier, nog altijd gevangen in de puurheid van zijn eigen gif.

'... zijn eigen geliefde herkent, die dood op de vloer ligt, gewurgd. Hij vindt de ring. Hij begrijpt het onmiddellijk. En zijn hart wordt twee keer gebroken, omdat hij nu twee minnaars heeft verloren: de ene aan de dood, de andere aan deze verraderlijke daad. Zijn geliefde John Harness is een moordenaar.'

Andrew zocht de ogen weer.

Het werd ijskoud in de kamer.

Andrew... zei Mr Toombs nerveus; zijn stem haperde...

Andrews krachten begonnen af te nemen, *overweldigd door die ogen*

'We hebben geen documenten kunnen vinden dat Byron ooit van moord is beschuldigd – en zo'n document zou toch zeker de geschiedenis in zijn gegaan, gezien Byrons latere beroemdheid en zijn talent voor schandalen. Na de vondst moet Byron zo verstandig zijn geweest om zijn reputatie te beschermen. Hij zal gewacht hebben tot het donker was, Mary Cameron weer als vrouw hebben aangekleed – in de kleding die ze als prostituee droeg – en haar via weggetjes die hij goed kende (had hij niet het gedicht 'Regels Geschreven onder een Olm op het Kerkhof van Harrow' gemaakt?) naar Church Hill hebben gebracht om haar lichaam daar achter te laten. Het lijk zou de volgende ochtend worden gevonden, heel dicht bij de plek waar onze eigen vriend, Theo Ryder, eerder dit jaar gevonden werd... door mij...'

Andrews stem brak.

De jongens en de leraren in de kamer herinnerden zich later dat ze op dat moment een geluid hadden gehoord, als van een grommend dier.

'Andrew.' Nu was het Dr Kahn die iets zei. Ze waarschuwde hem. Maar hij hoorde het ook.

Het gegrom

Hij keek op naar het gezicht

Het glimlachte; of grauwde het? Harness was van zijn stoel opgestaan. Hij liet zijn tanden zien.

Nu ga je eraan

Ik ben niet het grommende dier dat je hoort

Ik heb hem op tijd tevoorschijn getoverd

Je weet in wiens stoel ik zit

De deur naar het klaslokaal van Mr Toombs ging open. Er stond een gedaante – een levend mens. Bleek. Verfomfaaid. Grijze stoppels op zijn wangen. Zijn gezicht getekend door verdriet; een volgepropte weekendtas hing aan zijn schouder. De negen aanwezigen keken naar de deur. Sir Alan Vine staarde naar hen terug, met vage, waterige ogen. Zijn bril – gewoonlijk recht en scherp als een wapen op zijn gezicht – stond nu scheef op zijn neus, vettig. Zijn ogen zochten de kamer af, en bleven rusten op Andrew.

'Je bent hier,' zei hij, 'en je leest een essay voor.'

Fawkes stond op, zich losrukkend uit de betovering. Intuïtief blokkeerde hij de weg die Sir Alan zou kunnen afleggen naar het hoofd van de tafel. Aan de andere kant schoof Dr Kahn haar stoel naar achteren. De enige manier waarop Sir Alan Andrew kon bereiken, was over de tafel heen.

'Je bent hier,' herhaalde hij, terwijl zijn stem in volume en kwaadheid toenam, *'en je leest een essay voor!'* De kaarsen begonnen te druipen, alsof ertegen werd geblazen door de adem van de bedroefde vader.

Nu zag Andrew Harness staan, ineengedoken, gereed om toe te slaan

Of was het Sir Alan – de twee waren één.

'Persephone maakt nu een geluid,' jammerde Sir Alan, terwijl de tranen uit zijn ogen stroomden, 'dat geen mens ooit zou moeten maken. Een traag... gegorgel. Het klinkt als lucht die moeizaam door een waterleiding lekt. En in zekere zin is het dat ook. Zie je, ze is zo zwak,' hij snakte naar adem, 'ze is zo zwak dat ze niets eens het bloed en... het slijm... in haar borst kan uitspuwen. Ze kan zelfs niet meer hoesten. Ik dacht dat dát het ergste zou zijn. Dat ze haar eigen bloed opgaf. Maar het ergste, weet ik nu, is wanneer ze stopt. De dokters hebben er een naam voor... *Mr Taylor.*' Hij spuwde de woorden woedend uit. 'Ze noemen het doodsgereutel. Wanneer het gereutel begint, zeggen ze, heeft ze nog zevenenvijftig uur te leven. Gemiddeld. Zevenenvijftig! Hoe zou je het vinden om twee van die uren eraan te besteden om naar mijn dochter te gaan, en haar in haar gezicht te zeggen dat je haar hebt vermoord? Of nog beter, hoe zou je het vinden om opgesloten te worden? Want dat verdien je!' Hij viste een mobieltje uit zijn zak en stak het omhoog. 'Zal ik de Gezondheidsinspectie bellen?'

'Andrew is getest,' zei Fawkes. 'Hij heeft geen tuberculose.'

'Kop dicht, ezel,' beet Sir Alan hem toe. 'Ik weet wat hij heeft gedaan.' Daarna werd zijn stem verontrustend zacht. 'En jij bent hier... om een essay voor te lezen.'

De lichaamstaal van de andere personen in de kamer gaf aan dat ze zich ontspanden bij deze stembuiging; Sir Alan kalmeerde, zeiden ze bij zichzelf; hij was redelijk. De toehoorders wensten vurig dat er iets normaal zou lijken, al was het maar voor een minuut. Maar ze ontdekten al snel dat het niet meer was dan de oceaan die zich terugtrekt voor een nieuwe golf.

'Naar de hel met jou!' krijste Sir Alan, en hij deed een uitval over de tafel. En Andrew Taylor zag hem

John Harness

in de lucht; John Harness op een paar centimeter afstand van zijn gezicht; John Harness die zijn verrassende, laatste troef uitspeelde – o wat een ironie, jonge Mister Taylor, je wilde je vijand verslaan met een *verhaal* – Andrew zag Sir Alan Vine over de tafel vliegen, naar hem toe, en in die vlucht

Vittoria Corombona

De blaffende wurgende holwangige moordenaar op de heuvel

De lenige bleke minnaar

Harness viel op Andrews lichaam aan, Andrew snakte naar adem als iemand die in ijskoud water wordt ondergedompeld. Wind zwiepte naar binnen door de openstaande deur. De kaarsen flakkerden, en doofden uit.

26

Doodsgereutel

In het donker hoorden ze hoesten. Langdurig; je keel begon te kriebelen als je ernaar luisterde. Er klonk geschuifel. Het gebonk van een stoel die werd verplaatst. Fragmenten van stemmen: *Kan iemand...? Zullen we de kaarsen aansteken of...?* Ten slotte een vastberaden geschraap toen Mr Toombs zijn stoel achteruitschoof. Enkele seconden later kwamen de schrille lampen in het klaslokaal tot leven. De studenten knipperden met hun ogen naar elkaar, nog steeds op hun stoelen. Dr Kahn was op haar post gebleven. Fawkes was naar het hoofd van de tafel gelopen om Andrew te verdedigen. Sir Alan was in zijn drift over de tafel gekropen, maar nu zat hij met zijn achterste op de rand van de tafel, zijn voeten bungelden boven de stoel van de spreker. Hij leunde op één arm achterover; een vermoeide krijger. Hij staarde naar de smalle ruimte tussen hem en het schoolbord. Andrew was weg.

'Goed, het is hem gelukt om weg te komen. Wat was je van plan? Zijn keel dichtknijpen?' zei Dr Kahn beschuldigend, vanaf haar stoel.

Sir Alan reageerde niet. Hij zat versuft te kijken. Fawkes keek de kamer rond, zoekend naar Andrew, om zich ervan te overtuigen dat de jongen was ontsnapt. Daarna draaide hij zich om, gereed om Sir Alan verwijten te maken, maar hij zag geen woede meer in zijn opgeblazen gezicht. De man stond op instorten. Zijn nijdige uitval naar Andrew was feitelijk het laatste symbool geweest van zijn hoop, dat er iemand was om de schuld te geven, dat er nog actie ondernomen kon worden. Nu was hij leeggelopen, het was duidelijk dat deze illusie hem was ontnomen. Fawkes kreeg medelijden met hem.

'Ik vind het heel erg,' zei Fawkes.

'Erg?' sputterde Dr Kahn verontwaardigd.

Fawkes ging door. 'Persephone is een geweldig meisje, en een vriendin. Ik wilde dat er iets was wat ik kon doen.'

Sir Alan kromp in elkaar, alsof deze vriendelijkheid hem pijn deed. Hij begon zachtjes te praten, bijna tegen zichzelf, verbitterd. 'Je weet er niets van.'

Maar Fawkes had zich al omgedraaid. Natuurlijk was er iets wat hij kon doen; waarom stond hij hier nog?

Hij keek de tafel langs, zoekend naar Father Peter te midden van de andere verbijsterde leden van de Essayclub.

'Het is zover,' zei hij. 'Ga mee!'

De beide mannen klommen tegen de Hill op, naar High Street. Father Peter sprak opgewonden. 'Piers,' zei hij. 'Piers, ik weet niet of jij dezelfde gewaarwordingen had?'

'Wat?'

'Het leek er beslist op dat er iets bij ons was, in die kamer.'

Fawkes huiverde. 'Dat weet ik.'

'Heb je dat al eerder meegemaakt?'

'Helaas, ja.'

'Ik weet niet hoe ik het moet beschrijven. Het was *negatief,* nietwaar? Klam. Je werd ermee bedekt, als het ware.' De priester rilde. 'Geen prettig gevoel.'

'Nee, niet prettig. Je hebt Andrew gehoord. Harness is een moordenaar.'

'En je denkt dat deze persoon, John Harness, verantwoordelijk is voor de ziekte van de anderen? Sir Alans dochter, en de jongens?'

'Ja. Of ik moet gek geworden zijn. Wat op dit moment absoluut mogelijk lijkt. Maar dat zou betekenen dat jij ook gek bent.'

'Ja. Maar het is de taak van een geestelijke om met zijn parochianen mee te lijden.'

Fawkes keek van opzij naar Father Peter. Sarcasme onder druk. Verdraaid, hij mocht die priester wel. Ze haastten zich via de bocht in

High Street, langs Headmaster's House en Old Schools. 'Het hangt nu allemaal van jou af, Father Peter. Ben je er klaar voor?'

'Ik hoop het.'

'Je moet niet hopen. Je moet het zijn.'

'Jezus Christus is de scheidsrechter bij dergelijke conflicten. Ik ben slechts Zijn vertegenwoordiger. Maar Zijn macht is absoluut.'

'Dat is bemoedigend,' zei Fawkes.

Achter hen riep iemand iets. Father Peter kwam tot stilstand.

Fawkes liep nog een paar stappen door voor hij ook bleef staan. 'Schiet op,' beval hij geïrriteerd.

'Maar het is Judy.'

Ze draaiden zich om. Achter hen, in High Street, kwam Dr Kahn opgewonden aanlopen, ze zwaaide ergens mee. Ze wachtten op haar. Het leek of ze zich in slow motion bewoog. Pressie trok aan Fawkes. *Schiet op, schiet op.* Hij voelde dat er iets verschrikkelijks ophanden was, en dat elke seconde die hij liet voorbijgaan een ramp kon betekenen.

'Ik ga met jullie mee,' riep ze, ademloos. 'Gaan jullie nu over tot het exorcisme?'

'Ik ga het huis zegenen,' verbeterde Father Peter. 'Moet je even rusten?'

'Nee, nee,' zei ze hijgend. 'Kijk, dit heb ik gevonden.' Ze hield hun een stapel verfrommelde geprinte pagina's voor.

'Laat maar zitten,' snauwde Fawkes.

'Het is Andrews essay. Ik heb het gevonden toen ik de Hill op liep,' zei Dr Kahn. 'Hij is hierlangs gekomen. Misschien is hij naar de Lot teruggegaan.'

'Oké, goed. Hij kan meedoen, als we er ooit aankomen,' zei een wanhopige Fawkes. 'We moeten direct met het ritueel beginnen.'

Enkele minuten later bereikten ze de Lot. Muziek en het geluid van de televisie blèrden vanuit het huis. De gangen weergalmden van balspelen en geschreeuw. Het gebouw dreunde van het lawaai.

En Macrae dacht dat hij het op orde zou krijgen; het onder controle houden, dacht Fawkes met een bitter lachje.

'Goed. Wat moeten we doen, Father Peter?'

De priester beet nadenkend op zijn onderlip. 'Waar is de belangrijkste kamer? Het middelpunt van het huis?'

'Deze kant op.'

Ze baanden zich een weg naar de lange, smalle gemeenschappelijke ruimte, waar Fawkes op de eerste schooldag zijn huisvergadering had gehouden.

Father Peter richtte een ongebruikte piano in als werkplek. Hij zette zijn tas erbovenop en haalde er vier voorwerpen uit: het in grijs leer gebonden boekje, een fles water, een klein koperen kruisbeeldje, en tot Fawkes' verbazing een takje van een dennenboom, vijftien centimeter witte, sponzige stam met heldergroene naalden.

De priester gedroeg zich nu vormelijker. 'Jullie werken met me samen bij de zegening van dit huis,' verklaarde hij. 'Geloven jullie in Jezus Christus, de Zoon van God de Almachtige Vader?'

Fawkes en Dr Kahn keken elkaar aan.

'Ik ben joods,' zei Dr Kahn. 'Nee dus.'

'Ik ben atheïst,' zei Fawkes, terugdeinzend. 'Ik dacht dat je...'

Father Peter luisterde niet naar hen. 'Aanvaarden jullie Zijn macht om dit huis te zuiveren van ontwijding, de boze en al zijn volgelingen uit te werpen?'

Hierop leek slechts één antwoord mogelijk, en Fawkes en Dr Kahn, getroffen door de ernst van de priester, gingen wat meer rechtop staan en antwoordden gezamenlijk: 'Ja.'

Father Peter knikte. Dat was beter. 'Ik zal dit huis zegenen, in het bijzonder al die plaatsen, Piers, waar je het gevoel hebt dat je het meest bent bezocht door de geest. Jij moet mijn gids zijn. Judy, zou je me willen helpen? Wil je het water en het takje vasthouden, alsjeblieft?' Ze pakte de fles water. Hij hield zijn hand erboven. 'We danken U, Almachtige God, voor de gave van het water. In het begin van de schepping zweefde de Heilige Geest erover. Moge, door de kracht van Uw Heilige Geest, dit water gezegend worden, als teken van Uw heerschappij over alles wat het zal aanraken. Amen.'

Father Peter tuurde naar hen over zijn bril.

'Amen,' zei Fawkes.

'Dit is nu gewijd water,' verklaarde Father Peter. 'Judith, wil je in elke kamer die we binnengaan het takje in het water dopen en dan wat water in het rond sprenkelen? Kun je dat?'

Ze knikte.

'Goed!' Hij glimlachte en schoof zijn bril hoger op zijn neus. 'Zullen we hier dan maar beginnen?' Hij pakte zijn boekje. Ze stonden dicht bij elkaar, in een driehoek, en voelden zich tegelijkertijd dwaas en ergens ook belangrijk, terwijl ze luisterden naar de jongens, die bij hun spel op de vloer stampten, en het gedreun van hun elektronische dansmuziek. Een storm van afleiding wervelde om hen heen.

'Heer,' begon Father Peter met zijn beschaafde tenor, 'ik bedek mezelf en iedereen die bij me is met het bloed van Jezus. Ik bedek Piers met het bloed van Jezus. Ik bedek Judith met het bloed van Jezus.' Fawkes hield Dr Kahn in het oog, om te zien of ze tekenen van spotternij toonde, maar haar gezicht stond ernstig. 'Ik bedek dit huis met het bloed van Jezus. Door de kracht van Zijn bloed breek ik alle macht die het koninkrijk der duisternis heeft over dit huis, over ieder van ons, en over Andrew Taylor. Nu sprenkelen, Judith.'

'Hm?'

'Nu sprenkelen. Het wijwater.'

'O, juist. Zo?'

'Dat is de bedoeling, je hebt het heel goed gedaan. Waar gaan we nu naartoe, Piers?'

'Naar boven,' zei Fawkes. 'Andrews kamer. Misschien is hij daar.'

Ze liepen naar de trap, Father Peter met zijn crucifix en het boekje, Dr Kahn met de fles wijwater en het druipende takje. Fawkes bleef gespannen. Hij vergat iets wat kritiek en belangrijk was. Hij wist het, maar hij kon er niet zijn vinger op leggen. Er tikte een wekker in zijn borst, en die was angstaanjagend dicht bij het moment van aflopen. *Die papieren – Andrews essay.* Dr Kahn had, zoals gewoonlijk, het juiste spoor gevonden. Maar waar leidde het heen? In de chaos van de dreunende muziek en de beklemming van het ritueel kon Fawkes deze verloren aanwijzing niet terugvinden. Hij kon niet anders doen dan hun met gefronst voorhoofd voorgaan, de smalle trap op.

Het eerste wat Andrew voelde was een zeurende pijn in zijn keel. Hij kuchte en hoestte: *dit moest er toch op de een of andere manier uit ko-*

men. Hij voelde warme druppels, er vormde zich een prop achter in zijn keel. Hij stond op het punt deze bal uit te spuwen... toen hij een helder ogenblik kreeg.

Stop. Word wakker.

Hij was nog in Classics Schools.

De kaarsen waren uitgeblazen. Er heerste verwarring. Toch wist Andrew één ding zeker.

Harness had hem ziek gemaakt.

Warmte bonsde achter zijn voorhoofd, kleurde zijn wangen. *Koorts.*

Je bent ziek. En als je hier spuwt, waar tien, elf anderen bij zijn, maak je hen ook ziek.

Andrew bedekte zijn mond met zijn hand en vluchtte in het donker naar de deur.

Buiten wachtte een koele avond. Het zweet op zijn rug en zijn hals werd ijskoud. Zijn lichaam schokte. Hij strompelde door de duisternis. Harness was van plan hem nu te doden. Hij had het geprobeerd met verleiding, had geprobeerd hem te lokken, maar Andrew had weerstand geboden. En dus had Harness hem gegrepen als een beest, een aap die zijn tanden in hem zette, zich aan hem vastklampte en hem met zijn volle gewicht omlaag drukte, wachtend tot hij uitgeput raakte; een roofdier dat zijn prooi buitmaakt.

Ga zo ver bij Classics Schools vandaan als je kunt, dacht hij; *blijf bij mensen weg. Je bent besmettelijk.*

Hij beklom de trap naar de straat. Zijn ademhaling ging moeizaam. Toen hij boven was gekomen, wankelde hij. Hij trok een van zijn broekspijpen op en zag dat zijn kuiten en enkels opgezwollen waren: gespannen, pafferig hingen ze aan zijn lichaam als zakken met vloeistof.

Wat gebeurde er met hem?

De gedachten kwamen bij hem op met pure, primitieve paniek.

Hij had geen tijd.

Sir Alan had gezegd dat Persephone nog maar enkele uren te leven had. Ze zou een lijk zijn, Roddy ook, als hij nu niet iets deed.

Andrew leunde tegen een gebouw en begon weer te hoesten. Hij spuwde bloed op het trottoir. Hij voelde dat hij ging flauwvallen. In deze flauwte – die moest alleen in zijn gedachten hebben bestaan, als gevolg van de koorts, of de uitputting omdat hij de hele nacht had zitten schrijven, want hoe kon dit echt zijn – zag hij High Street zoals die eruit moest hebben gezien op de avond van zijn essay – in 1809. De avond van de moord.

Geen beton, geen trottoirs, geen geplaveide straten. Een smalle zandweg, met diepe groeven van de wielen van rijtuigen en karren, platgetrapt door paarden- en mensenvoeten. Een paar door lampen verlichte vensters. En daarachter hun zwakke halo's, duisternis. Hier hing de grote nacht boven de Hill, gleed tussen de bomen door, drupte. Hier had Lord Byron Mary's lichaam gedragen en het ergens gedumpt.

Weer asfalt. Een auto zoefde hem voorbij.

De pijn in Andrews keel werd erger.

Plotseling begreep hij wat Harness met hem van plan was.

Hij dwong Andrew de reis te maken van gezondheid naar dood, om dezelfde langzame, verterende ziekte waaraan Harness had geleden, te ervaren. Alleen zou Andrew die reis maken – en sterven – in één enkele avond. Met zijn vingers raakte hij zijn gezicht aan; voelde de ribbel van zijn jukbeen en streek eroverheen met zijn vingertop. Het vet was weggesmolten. De zweren in zijn mond werden groter. De koorts deed zijn wangen gloeien.

Harness ging hem doden. Hij zou hen allen doden.

Allen?

Als ik me nu eens aan hem geef?

Was dat idee niet al eerder bij hem opgekomen? En Fawkes had het hem afgeraden. Maar Fawkes had niet altijd gelijk. Fawkes wist niets van de dode Daniel Schwartz, van de overdosis, van naar de hemel opstijgen, alleen in een ballon, en achtergelaten worden en in je kolkende maag voelen dat je verdiende – *dat het je lot was* – om ook te sterven. Fawkes wist niet dat je vader de kano had verkocht; wist niets over *het met je gehad hebben.* Op zijn egoïstische manier hield Fawkes van hem; kon het niet verdragen van hem gescheiden te worden. Kon niet weten hoe Andrew het kon *weten*, zeker weten, dat hij bij niemand hoorde en nooit bij iemand zou horen.

Het idee werd steeds duidelijker.

Als ik me aan Harness geef, zal hij de anderen misschien met rust laten. Ik ben wat hij wil hebben. Ik moet hem laten weten dat hij me kan krijgen, als hij de anderen teruggeeft.

Andrew duwde zichzelf voort over de bemoste straatstenen, steun zoekend tegen de platanen. Zijn ademhaling kwam met horten en stoten. Zijn spieren gehoorzaamden vrijwel niet meer aan zijn bevelen. Zijn vlees was weggevreten.

Hij was uitgedroogd.

Misschien had hij de kracht niet meer om de Lot te bereiken. Hij zag een auto de hoek om komen en wachten bij het verkeerslicht op de top van de Hill.

Andrew stapte snel de straat op en stak zijn hand op. De koplampen verblindden hem.

'Kunt u...' De rest van de zin stierf weg op zijn lippen. *Kunt u me een lift geven, tot een paar straten verder?* De pijn in zijn keel was verschrikkelijk, een dolksteek. Maar misschien nog erger was de geschokte uitdrukking op het gezicht van de chauffeur. Een man van een jaar of veertig, fit, hij droeg een sporthemdje zonder mouwen en was blijkbaar op weg van de sportschool naar huis. Hij begon Andrew antwoord te geven, maar deinsde terug. De chauffeur zag een uitgemergelde jongen, met wangen die bedekt waren door een gerimpelde huid; donker haar boven een uitgehongerd, hoekig gezicht. De jongen – als je zo'n sterk woord kon gebruiken voor het ding waarnaar hij keek – zag eruit of hij zojuist was opgegraven. Maar wat hem de meeste angst aanjoeg waren de ogen. Ze lagen diep weggezonken in hun kassen. Ze staarden hem aan met een soort doffe wanhoop; ze wilden iets van hem maar ze wisten dat het zinloos was om het te vragen; ze deden alsof ze nog leefden. De gedaante mompelde iets. Hij droeg een vreemde, ouderwetse jas. De chauffeur ramde de versnellingspook in zijn vrij, liet de auto een paar meter de helling af glijden – weg van de gedaante die hij in het licht van zijn koplampen had gevangen. Daarna, toen de auto ver genoeg weg was, gaf hij gas. Terwijl de chauffeur de afstand tussen zichzelf en de gedaante vergrootte, keek hij nog even achterom. Droomde hij? Hij zette het idee om de politie te bellen, of misschien een ambulance, uit zijn hoofd. In plaats daarvan zou hij zich naar huis haasten, snel naar zijn voordeur lopen, en die stevig op slot doen.

'Stop, stop,' viel Fawkes hem in de rede.

Father Peter keek hem vragend aan. Hij had iets voorgelezen met een krachtige stem, die er sinds jaren op getraind was door te dringen tot in de achterste hoeken van de kapel. Ze stonden in Andrews op een zolderkamertje lijkende kamer. Op het bureau lagen de restanten van het onderzoek dat Andrew eerder die dag had uitgevoerd verspreid: rondslingerende vellen printpapier met omcirkelde en onderstreepte woorden. Naast de kleerkast stond een grote plunjezak, niet dicht geritst, volgepropt met haastig bij elkaar gezochte spullen.

'We zijn op de verkeerde plaats,' zei Fawkes fronsend.

'Volgens het ritueel moeten de belangrijkste kamers in het huis gezegend worden,' wierp Father Peter tegen. 'Je zei toch dat de geest hier aan Andrew was verschenen...'

'Ik weet het,' gaf Fawkes toe.

'Vooruit, Piers, waar moeten we dan zijn?' zei Dr Kahn.

'In het souterrain,' was zijn reactie, eindelijk had hij het antwoord dat in zijn hoofd was blijven zeuren. 'De kamer met de waterput. Toen we die geopend hebben – nadat ik die geopend had – zijn de grote problemen voor Andrew begonnen. Daar is de geest het sterkst. Daar kunnen we hem uitdrijven.'

'Het was de plaats waar ze zich verstopten,' zei Dr Kahn instemmend. 'Byron en Harness,' verduidelijkte ze de priester.

Dr Kahn en Fawkes keken Father Peter aan om te zien of hij er zijn goedkeuring aan gaf.

'Goed dan,' zei de priester zuchtend. 'Zullen we eerst nog dit gebed afmaken? *Heer, hoeveel tegenstanders heb ik,*' vervolgde hij. '*Hoe velen staan tegen mij op?*'

'*Peter.*' Ongeduldig verhief Fawkes zijn stem. 'Nu.'

De bouwvakkers waren begonnen het gat te dichten. Nu er angst op school heerste, en met de bedreiging van de rector die Fawkes boven het hoofd hing, was alle historische interesse voor de verborgen waterput opzijgeschoven, om het moreel op korte termijn op te krikken. De hele gang van het souterrain lag vol met bouwmaterialen en gereedschap, opgestapeld op met verf bespatte stukken zeildoek die de vloer bedekten. Een stapel planken die de nieuwe wand zouden vormen. Pleisterkalk uit een kuip zou de gaten dichten. Troffels en schuurpapier lagen gereed om het glad te strijken. Terwijl ze wachtten tot ze konden beginnen, had Reg een vierkant houten schot met de juiste afmetingen gevonden, dat hij met epoxyhars voor het gat dat naar de waterput leidde had bevestigd.

Andrew merkte dat hij steeds oppervlakkiger begon te ademen. Hij moest door zijn koorts heen kijken en af en toe zijn hoofd schudden om zich op zijn omgeving te concentreren. Of het een gelukkig toeval was, of dat het lag aan de schaduwzone waarin hij zich bevond, hij zag geen andere studenten toen hij de trap af liep naar het souterrain. Om de paar stappen bleef hij staan om tegen de muur te leunen en naar het geluid van zijn ademhaling te luisteren. *Het ploffende geluid.* Hij had geen energie meer om bang te zijn. Hij voelde slechts de uitputting, het verlangen naar bevrijding – een koud kompres, een koel bed... of iets anders. Doodgaan. Tot nu toe was het iets abstracts geweest, iets wat met je grootouders gebeurde, niet met jou, niet in een vochtig trappenhuis van een Engels souterrain.

Tegen de tijd dat hij de gang bereikte droop het zweet langs zijn gezicht. Zwakjes trok hij aan het houten schot. Er was geen beweging in te krijgen. Hij ging ernaast liggen, op het met verf besmeurde stuk zeil. Hij sloot zijn ogen en rustte uit.

Misschien zou hij hier sterven. Alleen.

Persephone en Roddy. Zij stierven ook alleen. Behalve dan dat zij geen uitweg kenden. Hij zag de uitgang tenminste. Hij begreep, of vermoedde, dat als hij zich aan Harness overgaf, de anderen misschien vrijuit konden gaan. Harness had hem aldoor gewild. Harness had honger. Laat hem Andrew dan maar verslinden. Dit was, misschien, zijn enige gave: dat hij in staat was dit raadsel te begrijpen en op te lossen.

Een ogenblik later probeerde hij het opnieuw. Hij klemde zijn vingertoppen om de bovenste rand van het houten schot, daarna ging hij met zijn volle gewicht achterover hangen en rukte de plaat los. Het lukte hem zijn benen – graatmager, zijn broek fladderde om hem heen als een zeil in de wind – in het gat te steken. Intuïtief duwde hij het schot achter zich weer op zijn plaats. Hij wist niet precies hoe hij de ladder afdaalde. Hij wist niet eens zeker of er wel een ladder was. Hij kon de schaduwen in gedragen zijn door de blanke armen van Harness, zijn witte engel in de duisternis. Maar hij bereikte de bodem, en voelde de vochtige stenen onder zijn vingers, de uitgeholde goten die naar de waterput liepen; het zanderige gruis, koud en onaangenaam. Hij liet zich op de vloer glijden en bleef daar liggen.

Het was hem gelukt.

De koude voelde heerlijk aan, balsem op zijn koorts. Ook al drongen de ribbels van de stenen in zijn huid. Ook al was het vuil.

Hij stak zijn hand uit om te zien hoe dicht hij bij de rand was.

De put was vol.

Liep bijna over van koud water, glinsterend, uitnodigend.

Natuurlijk.

Hij sloot zijn ogen. Hij kon zich niet meer bewegen. Hij bleef op zijn rug liggen, genietend van de rust. De stille, emotieloze leegte van de koude ruimte.

Toen hoorde hij het.

Hrr hrr hrr hrr

Hrch

Het geluid steeg op uit zijn eigen keel.

Hrch

Sir Alan had het woord gezegd. *Doodsgereutel.* Het teken dat er geen weg terug was, dat het afglijden naar de dood was begonnen. Hij voelde het aan hem trekken.

Hrr hrr hrr hrr – inademen.

Hrch – uitademen.

Zijn adem was een zwak filter geworden. Een armzalige afvoer van gassen. Er was nog maar heel weinig van hem over.

Millimeter voor millimeter werkte Andrew zijn lichaam omhoog. Hij duwde zich op met zijn ellebogen en dacht dat hij zou moeten overgeven van inspanning. Hij stak een broze arm uit, en steunde erop, als op een tentpaal. Zo bleef hij een ogenblik hangen, hij verloor bijna het bewustzijn, en toen, als een standbeeld dat wordt omgehaald, viel hij in het water.

Het water in de put omarmde hem met een zucht.

Zijn koorts nam af.

Andrew Taylor stond tot aan zijn middel in de kille Cam, met zijn voeten in de modder.

Het was midden in de zomer. Hij was dronken. Hij was naakt. Een fantastisch heldere blauwe hemel schitterde boven hem. John Harness spetterde een paar meter bij hem vandaan. Dit was een zwemplek die ze hadden gevonden – weer een op hun lange lijst van geheime plekjes. Andrews lichaam had zich hersteld. Zijn huid was weer strak – met kippenvel van de koude, en van opwinding.

Harness. Hij laat me de reden zien waarom hij is teruggekeerd.

Hij en Harness hadden elkaar nooit gekust; alleen kuise zoentjes die als uiting van vriendschap konden worden beschouwd. *Nou, niet echt.* Maar ze konden niet worden aangezien voor lust. Maar nu maakte de alcohol het onvermijdelijk, en was het slechts een kwestie van wachten; zijn hele lichaam strekte zich uit – door de lucht, leek het – in de richting van Harness. Andrew had nog nooit iets zo grandioos gezien: blauwe ogen die afstaken tegen het blonde haar en de witte huid. Blank en welgevormd leek hij een soort riviergod die uit zijn marmeren beeld was gestapt. Andrew wilde hem bezitten, hem opeten. Harness stapte naar hem toe en hun gezichten ontmoetten elkaar in een kus die zo hongerig was dat ze elkaar bijna beten. Andrew maakte zich los. Hij voelde iets onder zijn hand, iets wat in het water dreef, en hij haalde het naar boven. Het water druppelde eraf en hij hield het voor zijn ogen: een late junibloesem, rond en wit met een zwart randje, in de vorm van een nagel. Een blaadje, het pure bewijs van de zomer. Teer, fris, mooi en goed.

Hij had het eerder gezien.

Hij keek in Harness' ogen en zag erin wat er zou gaan gebeuren.

Die zonnige, beschutte plek in de Cam verdween. De tijd riep hem naar een andere plaats

en dit is waar het allemaal toe leidde

Hij was in een kleine kamer in Londen. Er stond een bed, en een kleine kist, en een klerenkast met een kapot scharnier. Dit was alles wat John Harness zich kon veroorloven. Buiten was het donker. Wie wist hoe laat het was, of het dag was of nacht; het zou vier, vijf uur in de ochtend kunnen zijn; de dodenwacht duurde maar voort. Op een tafeltje brandde een kaars met een klein vlammetje, niet meer dan een kraaltje licht. Op het bed ging Harness' kaak heen en weer in die doelloze, draaiende beweging die aan de dood voorafgaat. Zijn witblonde haar was verward, onverzorgd en te lang. Zijn wangen waren ingevallen, uitgehongerd. Uit zijn borst steeg het doodsgereutel op. Er was niemand, behalve deze jonge man die lag te sterven. Ten slotte ging de kaars sputterend uit en werd het donker in de kamer. Er was niemand die de kaars weer aanstak. De geluiden van de dood duurden voort. Maar toen het schemerig werd boven Londen, toen het geklepper van paarden en de stemmen van de dag op gang kwamen, vielen de stralen van de ochtendzon, gefilterd door de luiken, op een dood lichaam.

Prijs de HEER met de harp; speel voor Hem op de luit en de lier
Zing voor Hem een nieuw lied; laat met al wat ge kunt een loflied
klinken op de trompet.

De stemmen trokken Andrew weg van het tafereel.

Andrew was zich nu bewust van het water. Van zijn armen en benen, ondergedompeld. Geen koorts meer. Hij zwom, maar in een beperkte ruimte. Hij wist waar hij was. De waterput. Hij was verlost van zijn ziekte. Hij had het overleefd! Zangerige woorden, afkomstig van een handvol stemmen – amateuristisch, en ongelijkmatig, toch luid en sterk – drongen tot hem door. Hij wenste vurig bij die stemmen te zijn.

Maar toen zag hij Harness voor zich. Harness' haar dreef in het vuile, grijsbruine water – alle regen die Harness zelf die herfst met zich mee had gebracht. Ze zwommen er samen in. Ze waren nog steeds in gevecht gewikkeld. Harness' gezicht werd wreed. Zijn ogen stonden kwaad, dat was waar. Maar ze waren ook, besefte Andrew, verward en angstig. John Harness had niet geweten wie de persoon was die hij had vermoord – en nu wist hij het. Hij had niet begrepen wat hij verkeerd had gedaan – en nu begreep hij het. En het was niet tot hem doorgedrongen – hier, in zijn gevangenis, in deze grot, buiten en onder de tijd – dat hij werkelijk dood was.

Die ogen begrepen nu alles.

Het was Andrews werk. Maar ook het werk van deze woorden en gedichten die in het gootwater om hen heen weerklonken. Fawkes en Father Peter en Dr Kahn waren gekomen. Ze zegenden het huis. Andrew zou gered kunnen worden.

Hij verzamelt de wateren van de oceaan als in een waterzak; en bewaart de diepten van de zee.

Het gezicht van Harness vertrok. De gebeden leken hem kwaad te maken. In het donker stak hij zijn hand uit, greep Andrews arm. Op zijn beurt begon Andrew wild te schoppen met zijn voeten – zijn schoenen, zwaar, met water doordrenkt, onmogelijk! – en met een laatste krachtsinspanning trapte hij zich naar de oppervlakte. Hij hijgde. Eén diepe ademhaling.

De stemmen aarzelden – hadden ze hem gehoord? Andrew zoog zijn longen vol om te kunnen roepen.

Harness trok hem weer omlaag.

Andrew kokhalsde in het koude water. Hij maaide met zijn armen en benen en worstelde om de oppervlakte te bereiken. Maar zijn jaquet en zijn dikke broek werden een soort natte parachute die hem onder water sleurde – en Harness' greep was onverbiddelijk. Er borrelden luchtbellen op uit Andrews neus. Paniek verwoestte zijn hele lichaam. Hij klauwde aan de zijkanten van de put.

Toen herinnerde hij het zich.

Als ik me aan hem geef?

Andrews greep op de ruwe wanden van de waterput verslapte en hij voelde zich wegzinken. Hij stak zijn handen omhoog zodat Harness ze kon zien – vrij, niet langer vechtend. Andrew zag Harness' ogen voor de laatste keer. *Hij begrijpt het.* Langzaam verdween de woede uit die doordringende blauwe ogen, en geleidelijk aan vervaagden ze in het donker. Harness was weg.

Andrew had gewonnen.

Water stroomde zijn neus en mond binnen. Hij voelde zich dieper wegzinken in het zwarte water. Uitputting overmande hem, en hij gaf zich eraan over.

De drie metgezellen hadden de scherpe ademhaling gehoord. Ze keken elkaar aan. De aanwezigheid was hier zo sterk geweest, dat ze verwachtten dat elk plotseling geluid *daarvan* afkomstig was. Maar er was een andere verklaring voor dit lichaamloze geluid. Fawkes was de eerste die het zei.

'Mijn god, Andrew is daar!'

Hij begon aan het houten schot te rukken. Dat was niet nodig, het kwam los onder zijn handen. Ze hadden geen zaklantaarn bij zich, dus Fawkes stortte zich blindelings in het gat, met zijn hielen het kapotte pleisterwerk opzij schoppend, en liet zich in de duisternis zakken. Hij viel, struikelde, en sloeg achterover. De grond was hard, en glibberig. Father Peter volgde (atletisch, hij landde beter). Geschaafd, maar verder ongedeerd, lieten ze hun ogen wennen aan de duisternis. Een moment lang kon Fawkes het niet begrijpen: de put was vol. Die was de vorige keer bijna leeg geweest, op een halve meter roestbruin water en afval na. Toch klotste het water nu over de rand, als een beek die opzwelt onder zware regenval. Een arm, en een bleke hand, stak uit het duister.

'Daar is hij!'

Ze gingen op hun hurken zitten, en ze begonnen te trekken. Een menselijk wezen in natte kleren uit het water sjorren was zwaar werk. Ze werden drijfnat terwijl ze bezig waren; hun knieën schuurden langs de stenen. Ten slotte kwam Andrew boven water.

O mijn god, hij beweegt niet

Het duizelde Fawkes. Hij hoorde nauwelijks dat Father Peter iets praktisch zei, iets dringends. Fawkes merkte dat hij opzij geduwd werd, dat hij toekeek terwijl de priester op de borst van de jongen drukte. Een paar wanhopige minuten later stond Father Peter op, een donker silhouet, neerstarend op het lichaam... triomfantelijk? Wanhopig? *Leeft hij nog?* Fawkes stortte zich naar voren, het water sopte in zijn schoenen, en hij trok het natte lichaam tegen zich aan. Hij hield het vast. Hij drukte het stevig tegen zich aan. Hij kon deze niet laten gaan. Dat kon niet. Hij begon tegen de jongen te praten, dwingend, maar de woorden bleven in zijn keel steken. Andrews huid had een grijze kleur gekregen, als van een vissenbuik, glibberig van het smerige water uit de put. Zijn ogen staarden omhoog. Maar Fawkes werd tot zwijgen gebracht door de uitdrukking op het gezicht van de jongen. In plaats van de paniekerige angst van een verdrinkende man te tonen, waren Andrews lippen, in de dood, halfgeopend en aan de hoeken heel licht omgekruld; alsof hem een geheim in zijn oor gefluisterd was waarom hij moest glimlachen.

Epiloog

Lord Byron lag op zijn doodsbed. Om hem heen stonden een munitieofficier in een glanzend witte kniebroek en een rode jas, alsmede een aantal Griekse soldaten met treurige gezichten (laatstgenoemden waren Shells, zwaar opgemaakt, met grote zwarte snorren).

Na enkele ogenblikken van dialoog en een veelbetekenende pauze bevroren de troostende figuren in een tableau. Byron kwam overeind. Klopte zich af. (Het publiek kwetterde; het was een komisch gebaar, om het moment te benadrukken.) Hij stond op en liep naar de voorkant van het toneel. De belichting concentreerde zich op hem. Het publiek in de Sprekerskamer werd stil, bereid om de acteurs nog een laatste maal aandacht te schenken. Onder dekking van de duisternis sprak Lord Byron, op kalme, koele toon, een laatste strofe uit:

Het diner en ook de soiree waren voorbij
Het souper werd besproken, de dames werden bewonderd.

Byrons ogen gingen naar een deel van het publiek, links van het midden, alsof hij werd afgeleid door een paar van de meisjes die hij daar in de loop van de avond had gezien. Maar hij ging door.

De feestgangers waren een voor een vertrokken –
Het lied zweeg
En de dans... stierf weg.

Opnieuw wierp hij een blik in de zaal, volledig beheerst. Daarna draaide hij zich om. Langzaam en vastberaden klom hij terug in zijn bed op het midden van het toneel, te midden van de starende Griekse soldaten, en onder de bezorgde blik van de munitieofficier.

'De laatste dunne petticoats waren verdwenen, weg,' sprak Lord Byron, met een zwak gebaar naar de hemel. 'Als vluchtende wolken hadden ze zich teruggetrokken in de lucht. En er glinsterde niet meer licht in de salon...'

Het licht op het toneel werd zwakker.

'... dan dat van stervende kaarsen,' zei hij, dromerig nu, terwijl hij zich overgaf aan de dood. 'En de glurende maan.'

De spotlights vervaagden... En doofden uit.

Het applaus in de Spekerskamer was beleefd, zelfs hartelijk, hoewel Fawkes vanaf zijn plaats op de achterste rij zich afvroeg of het niet eerder een zucht van opluchting was. Piers Fawkes had de toehoorders niet geschokt met zijn dwaasheden en zijn vulgaire taal, en evenmin had hij er bedekte toespelingen in verwerkt die te grof waren voor de oma's in het publiek. Nee, voor Fawkes was het een tamelijk conservatief stuk geweest, passend bij de stapel dunne pocketboeken die op de kaartentafel in de gang lagen, bij de uitgang, de boeken met het olieverfschilderij van Byron op het omslag met *De Koorts van Messolonghi* (een titel die hij was begonnen te verachten) er dwars overheen gekrabbeld in wat bedoeld was eruit te zien als negentiende-eeuwse inkt. Tomasina's idee. Zeven pond negenennegentig, uitgegeven door Barking Press, met een flaptekst van Andrew Motion. Niet slecht, alles bij elkaar genomen. Toch liet Fawkes, in zijn sportjasje, zich achterover in zijn stoel zakken. Hoewel hij de eregast was geweest bij de borrel met de gouverneurs in Colin Jutes kantoor, was de avond feitelijk voor de leerlingen, en dat maakten de aanwezigen duidelijk met hun applaus. Toejuichingen voor het Griekse peloton van dertienjarigen en de komische officier met zijn dikke buik (opgevuld met een kussen) (Fawkes kon zich er niet van weerhouden om mee te klappen; hij hield van zijn eigen grappen, en het optreden van de jongen was innemend geweest); dankbaar applaus voor Hugh; hoeraatjes voor de dames, in het bijzonder voor de dragonder, Lady Melbourne, een onverwachte publiekslieveling.

Maar de echte bijval kwam aan het eind, voor Byron. De acteur stond nu voor op het toneel, zijn krullen glanzend van het zweet, genietend van de aandacht. Een deel van het publiek in de Sprekerskamer stond op, enthousiast applaudisserend – meisjes gilden op hun onaantrekkelijke manier – evenals Sir Alan Vine en de jongens van Headland. Byron deed alsof hij zijn kleren wilde uittrekken. De jonge mannen in het publiek bulderden, gevolgd door nerveus gelach. Byron bloosde, daarna knoopte hij quasiverlegen zijn Regency-jas los.

Het was een soort anticlimax, omdat Persephone Vine natuurlijk nog steeds een overhemd aanhad en haar borsten waren weggedrukt onder een heel strak zittende sportbeha; zelfs zij was niet van plan haar tieten te laten zien aan driehonderd ouders en leerlingen in de Sprekerskamer.

Fawkes zag een echtpaar van middelbare leeftijd, dat een rij voor hem zat. Ze keken verward. De vrouw boog zich naar een ander stel toe, dat naast haar zat. Fawkes kon bijna niets van haar lippen aflezen maar hij vermoedde dat hij wel wist wat ze vroeg: *Ik weet dat het in werkelijkheid een meisje is, maar wie is ze? Waarom al die opwinding?* Het antwoord kon hij gedeeltelijk horen, boven het applaus voor de teruggeroepen acteurs uit: *Ze is een van de leerlingen die ziek waren. Zij en de andere jongen zijn in leven gebleven.* Vrouw Nummer Een schudde haar hoofd, ontroerd; *niet te geloven, dat arme meisje,* zag Fawkes aan haar gezicht, en de vrouw begon nog harder te klappen. Fawkes had er genoeg van. Hij schoof de rij uit en liep via een achteruitgang naar buiten, de decemberavond in.

Toen hij er eenmaal was, wist hij niet precies wat hij nu zou gaan doen. Wat hij hoorde te doen was blijven, zich onder het publiek mengen, genieten van de aandacht, die in zich opslaan voor later, zijn gastheren en voormalige werkgevers bedanken. Maar dan zou het pijnlijke afscheid volgen. Het gevoel dat iedereen iemand had om mee naar huis te gaan, of ergens anders heen, behalve hij. En Persephone was er. Haar, en de rest van de cast, van dichtbij te zien, zou hem het gevoel geven dat er een mes in zijn hart gestoken werd. Het ontbrekende gezicht... Nee, het zou beter zijn dat alles te vermijden. Hij stak een sigaret op, liep om de Sprekerskamer heen, en begon de heuvel af te lopen.

'Sir,' klonk een stem achter hem.

Het was de kleine gestalte van een Shell, met zijn strohoed op. Met tegen het felle licht van de straatlantaarns half dichtgeknepen ogen keek hij op naar Fawkes.

'Hallo.'

'U bent meneer Fawkes.'

'Ja.'

'Geeft u hier nog steeds les?'

'Nee, ik ben weggegaan.'

'Waarom?'

Waarom? vroeg Fawkes zich af. *Omdat ik werd ontslagen. Omdat ik een zuiplap was. Omdat ik vocht tegen het onverklaarbare toen niemand me dat vroeg. Omdat ik kostbare dingen heb verloren die me niet toebehoorden.*

'Ik jaag andere kansen na,' zei hij droogjes.

'Sir?'

'Laat maar. Hoepel op.'

Fawkes stak zijn handen diep in zijn zakken en vervolgde zijn weg. Daarna maakte hij zichzelf een verwijt – had hij zich niet voorgenomen om het beter te doen? Hij bleef staan en draaide zich om, maar de jongen was verdwenen.

Fawkes werd overvallen door een oud gevoel van paniek. Waar was de jongen naartoe gegaan? Tegen wie – tegen wat – had Fawkes gesproken, daarginds, in het donker? Verward bleef hij staan. Toen werd zijn aandacht getrokken door gegiechel. Hij draaide zich om en zag dat de Shell naar hem keek, en dat er zich een vriend bij hem had gevoegd: ook een klein kereltje, met een bleke huid en lange, witte vingers, in zijn witte overhemd en zwarte das en blauwe broek. De twee jongens keken hem met onverholen, spottende boosaardigheid aan, begonnen met elkaar te fluisteren, en daarna giechelden ze weer. Hij nam aan dat hij het verdiende. Ze keerden hem de rug toe en liepen door. Fawkes merkte op dat de twee jongens hand in hand liepen. Verrast keek hij hen na: hun vingers verstrengeld terwijl ze wegliepen, een van hen huppelde zelfs. Het was heerlijk en onschuldig om te zien, in zo'n cynische, rumoerige, pestende omgeving. *Een jonge vriendschap, geboren op Harrow: een goede zaak,* probeerde hij zich gerust te stellen. Toch merkte Fawkes dat er een bekende vrees in hem de kop opstak. Hij keek hen na tot de twee strohoeden opgingen in de duisternis.

Dankwoord van de auteur

Ik heb het geluk gehad dat ik een jaar op Harrow heb gezeten. Het was een verrijkende en vormende tijd voor me; een periode waar ik altijd dankbaar voor zal blijven. Helaas waren Andrew Taylors ervaringen op de school, onder omstandigheden die vergelijkbaar waren met de mijne, minder prettig. Met enige tegenzin vond ik het noodzakelijk om Mr Taylors tijd op Harrow nauwkeurig te beschrijven, en niet die van mij.

Zonder de steun van mijn moeder, Martha Evans, had ik dit boek niet kunnen schrijven. Ze ging veel verder dan waarop ik had gehoopt; ze bood aan mijn gids te zijn wat de literaire, sociale en medische achtergrond betrof, en schonk me de onvermoeibare, opgewekte toewijding die alleen mijn moeder kan bieden; ze deed luchthartig over haar deskundigheid, en maakte het altijd leuk.

Dr Eric Leibert en Dr Rany Condos van het NYU Langone Medical Center ben ik dankbaar voor hun vrijgevigheid, geduld en voor de deskundige manier waarop ze mijn vele vragen over tb en de behandeling ervan hebben beantwoord.

Mijn agent, Simon Lipskar, en mijn editor, Sally Kim, hebben hard gewerkt om dit boek tot leven te brengen. Een schrijver kan zich geen talentvoller, toegewijder team wensen.

Er zijn meer mensen die zo vriendelijk waren me te helpen: Jonathan Smith, de familie Witteveen/Quirijns, Judith Lee, en Rob Munk.

Als bronnen voor dit boek zijn onder meer gebruikt: *Byron: Child of Passion, Fool of Fame*, door Benita Eisler; *A History of Harrow School*, door Christopher Tyerman; en een verslag over de dood van John Keats door zijn vriend Joseph Severn.

Mijn vrouw en kinderen hebben zich bij een overmatig gebruik van koffie en veel binnenshuis doorgebrachte zonnige dagen neergelegd zodat dit boek geschreven kon worden. Ze hebben mij, en het boek, duizend keer gered. Naar hen gaat, als altijd, mijn grootste dank.